La guía del metabolismo

para el

adulto mayor

1,001 secretos para aumentar sus niveles de energía

Nota de la editorial

Los editores de FC&A han puesto el máximo cuidado para garantizar la exactitud y la utilidad de la información contenida en este libro. Tenga en cuenta que algunos sitios web, direcciones, números telefónicos y otra información pueden haber cambiado después de la impresión de este libro.

La información que se ofrece en este libro debe utilizarse únicamente como referencia y no constituye práctica ni consejo médico. No podemos garantizar la seguridad o eficacia de los consejos o tratamientos mencionados. Exhortamos a nuestros lectores a consultar con profesionales de la salud y obtener su aprobación antes de iniciar las terapias sugeridas en este libro. Aunque se ha hecho todo lo posible para asegurar que la información sea precisa, podría haber errores en el texto y nuevos hallazgos podrían sustituir la información aquí disponible.

No dejen que el corazón se les llene de angustia;
confíen en Dios y confíen también en mí.
Juan 14:1 (NTV)

Índice

La grasa abdominal: maneras fáciles de adelgazar y cargarse de energía

Cinco sorprendentes razones por las que el metabolismo se vuelve más lento

El metabolismo tiende a hacerse más lento con la edad y esto trae como consecuencia el aumento de peso alrededor de la cintura. Afortunadamente, la acumulación de grasa abdominal no tiene por qué ser parte normal del proceso de envejecimiento. Lo que usted necesita saber es cómo acelerar su maquinaria metabólica.

El metabolismo es el proceso por el cual el cuerpo convierte los alimentos en energía que puede utilizar. El metabolismo basal es la cantidad mínima de energía, o de calorías, que el cuerpo necesita para:

- Respirar, reparar las células y controlar los niveles hormonales.

- Mantener la temperatura del cuerpo.

- Mantener el funcionamiento de los músculos del corazón y del intestino.

El metabolismo basal representa alrededor de dos tercios de las calorías que se queman cada día. La mayor parte del resto de las calorías se consumen durante las actividades físicas y la digestión de los alimentos.

Cada persona tiene un metabolismo diferente. Cuanto más corpulenta es una persona, más calorías quema, incluso cuando está en reposo. Lo mismo ocurre cuanto más músculo tenga. Los hombres, por lo general, tienen un metabolismo más rápido que el de las mujeres, ya que tienden a tener más músculo y menos grasa.

La tasa metabólica basal varía a lo largo de la vida, algunas veces para peor. Estas son cinco razones secretas por las que su abdomen aumenta de tamaño aun cuando las porciones de sus comidas siguen iguales.

Envejecimiento. Con el paso de los años, las personas tienden a acumular grasa y a perder músculo, una combinación que sin duda disminuye su capacidad para quemar calorías.

Menopausia. No será justo, pero el cambio hormonal que ocurre durante la menopausia frena naturalmente el metabolismo, proceso que se inicia incluso tres o cuatro años antes de que empiece la menopausia. El cuerpo empieza a acumular más calorías como grasa, en vez de quemarlas como combustible. No solo eso, la acumulación de grasa se traslada de lugar, desplazándose hacia el abdomen.

Permanecer sentado. Las actividades físicas representan una parte considerable de las calorías que se queman. Cuanto más se mueve una persona, más calorías quema. Si aminora su ritmo, también lo hará su metabolismo.

Ver televisión. Comparado con otras actividades, como leer, coser, escribir o participar en juegos de mesa, las investigaciones indican que el metabolismo es más lento mientras se ve televisión.

Dietas extremas. El cuerpo trata, constantemente, de mantener el equilibrio entre la energía que obtiene y la energía que gasta. Cuando se reduce drásticamente el consumo de alimentos, como sucede durante una "dieta de hambre", el cuerpo reacciona conservando calorías. Esto, a su vez, hace que los procesos metabólicos se vuelvan más lentos.

Estas son las cuatro mejores maneras de acelerar un metabolismo que se ha vuelto lento:

- Combata la pérdida de masa muscular asociada con la edad realizando actividades que fortalezcan los músculos, como el levantamiento de pesas livianas.

- Apague el televisor. Si desea relajarse, lea, juegue, haga crucigramas o converse con amigos.

- Cuente calorías. En un estudio con mujeres menopáusicas se observó que aunque su metabolismo se hacía más lento, ellas aumentaban muy poco peso. ¿Su secreto? Ellas compensaban la desaceleración de su metabolismo consumiendo menos calorías.

- Levántese del sofá. Recuerde, el metabolismo basal solo da cuenta de una parte de las calorías que usted quema. Las actividades físicas, aun las más sencillas como las tareas del hogar o la jardinería, representan otra porción considerable de quema de calorías. El ejercicio, además, intensifica el metabolismo hasta varias horas después de realizarlo.

La causa oculta del aumento de peso

El aumento de la cintura, la poca energía y el metabolismo lento no son parte del proceso normal de envejecimiento. El hipotiroidismo, que es una afección en la que la glándula tiroides no produce suficiente hormona tiroidea, también puede causar estos problemas.

Se trata de una enfermedad poco común, pero tratable. Consulte con un médico si observa las siguientes señales, ya que su cuerpo puede estar tratando de decirle algo:

- Caída de las cejas
- Aumento de peso no intencional
- Cabello delgado y quebradizo o uñas quebradizas
- Ronquera
- Hinchazón de la cara, de las manos y de los pies
- Engrosamiento de la piel
- Mayor sensibilidad al frío
- Pérdida del gusto y del olfato

Dígale adiós a la grasa abdominal

¿Cuál es el secreto para mantener las arterias jóvenes, firmes y flexibles? Deshacerse de la grasa abdominal. Así es. Una "pancita" en realidad lo que hace es destruir las arterias, debido a que las sustancias químicas que libera acaban avivando la inflamación interna. Una cintura abultada no solo es antiestética, también puede ser un factor de riesgo para desarrollar enfermedades cardíacas, diabetes, cáncer y otras enfermedades relacionadas con la inflamación.

El problema es no solo la cantidad de grasa acumulada, sino dónde se encuentra. La grasa abdominal es especialmente peligrosa. Está asociada con la aterosclerosis, o acumulación de placa en las arterias, mientras que otros tipos de grasa no lo están. También es una de las principales razones por las que las personas con sobrepeso desarrollan afecciones cardíacas. La grasa abdominal libera muchos más compuestos inflamatorios que la grasa acumulada en otras partes del cuerpo.

Los estudios muestran que las personas obesas con grasa abdominal tienden a sufrir de resistencia a la insulina y de presión arterial alta, y a desarrollar coágulos de sangre cerca del corazón. Todos estos trastornos preparan el terreno para las afecciones cardíacas y el síndrome metabólico. La inflamación también aumenta el riesgo de sufrir otras enfermedades, como la diabetes, el cáncer de colon y la demencia.

Incluso las personas que no tienen sobrepeso están en riesgo. En los estudios se observó que las mujeres con peso normal, pero con cinturas voluminosas, también tenían niveles más altos de colesterol "malo" LDL, triglicéridos, azúcar en la sangre y presión arterial. En general, era más probable que murieran de cualquier causa, incluida una enfermedad cardíaca o cáncer, que las mujeres con cinturas más pequeñas. En resumen, la grasa abdominal aumenta directamente el riesgo de sufrir:

- Aterosclerosis
- Cáncer
- Debilidad
- Demencia
- Diabetes
- Enfermedades del corazón
- Presión arterial alta
- Resistencia a la insulina
- Síndrome metabólico

La buena noticia es que la grasa más peligrosa es también la más fácil de perder. Por lo general la grasa abdominal es la primera en desaparecer cuando uno adelgaza. A medida que esta grasa se va derritiendo, usted empezará a limpiar las arterias obstruidas, a controlar los niveles de azúcar en la sangre, a proteger el corazón, a recuperar la energía perdida y mucho más.

Tres maneras de saber si usted tiene sobrepeso

Antes de embarcarse en una dieta ambiciosa, determine primero si usted realmente necesita bajar de peso.

Mida su cintura. La circunferencia de la cintura es una medida de la grasa abdominal, el tipo más peligroso de grasa corporal. Esto hace que sea una buena manera de "medir" el riesgo de tener problemas de salud en el futuro, como un ataque al corazón, diabetes o un derrame cerebral.

Coloque la cinta métrica alrededor de la cintura, sin apretar, justo por encima de los huesos de la cadera. Exhale antes de tomar la medida. Las mujeres deben tener una cintura de 35 pulgadas o menos y los hombres de 40 pulgadas o menos. Una cintura más grande es señal de obesidad abdominal.

Calcule su IMC. El Índice de Masa Corporal (IMC o BMI, en inglés) calcula la grasa corporal a partir de la estatura y el peso. Los Centros para el Control de Enfermedades calcularán su IMC de manera gratuita en su sitio web *www.cdc.gov/healthyweight/spanish/assessing*. Por lo general, un IMC de entre 18.5 y 24.9 corresponde a un peso normal, un IMC de entre 25 y 29.9 significa sobrepeso y un IMC de más de 30 significa obesidad.

Determine su peso máximo. El Límite de Peso Máximo (LPM) es el peso máximo que usted debe tener según su sexo y su estatura. Usted debe pensar en adelgazar cuando su peso actual exceda su LPM.

Para los hombres, el punto de referencia es de 5 pies y 9 pulgadas de estatura y un peso de 175 libras. Sume 5 libras a dicho peso por cada pulgada de estatura que tenga por encima del punto de referencia, o reste 5 libras por cada pulgada por debajo de él. Si usted es un hombre de 5 pies y 11 pulgadas de estatura, agregue 10 libras al peso de referencia: su Límite de Peso Máximo (LPM) es de 185 libras.

El punto de referencia para las mujeres es una estatura de 5 pies y un peso de 125 libras. Sume 4.5 libras a dicho peso por cada pulgada de estatura que tenga por encima del punto de referencia, o reste 4.5 libras por cada pulgada por debajo de él. De esa manera, si usted es una mujer con una estatura de 5 pies y 4 pulgadas, deberá agregar 18 libras. Su Límite de Peso Máximo será de 143 libras.

Recuerde, el Límite de Peso Máximo no es su peso ideal. Es el peso máximo que usted debe tener según su sexo y su estatura.

Pregunta & Respuesta

¿Es cierto que las personas delgadas viven más tiempo que las personas con sobrepeso?

Tener unas cuantas libras de más en las caderas, los muslos o los brazos no es preocupante y hasta puede ser más saludable que ser flaco como un palo de escoba. En un estudio, las personas con sobrepeso tuvieron una probabilidad menor de morir por cualquier causa que las personas que se encontraban por debajo de su peso ideal, las cuales tenían más probabilidades de morir de enfermedades no cardíacas o no relacionadas con el cáncer.

No es lo mismo sobrepeso que obesidad. Sobrepeso es cuando se tiene demasiado peso; obesidad es cuando se ha acumulado demasiada grasa. Las investigaciones muestran que la probabilidad de morir de una enfermedad cardíaca, de diabetes, de una enfermedad renal o de ciertos tipos de cáncer es mayor en las personas obesas. Primero concéntrese en desarrollar músculo y reducir la grasa y luego prepárese para vivir una vida más larga.

Tres reglas para combatir la flacidez

No hay que ser un genio para bajar de peso, así que no se deje intimidar por la idea de que tiene que adelgazar. En lugar de angustiarse con dietas complicadas, simplemente siga estas tres reglas sencillas para ganarle la guerra a la gordura:

Evite canalizar las emociones a través de la comida. Los alimentos son para nutrir, no para entretener o servir de terapia. Fran, miembro del programa de reducción de peso de Jenny Craig, está de acuerdo. "Hemos convertido a los alimentos, entre otras cosas, en conectores sociales, en formas de expresar amor, en antidepresivos. Recurrimos a la comida para que nos haga felices y nos levante el ánimo. Eso es parte de la adicción", dice Fran.

Si usted realmente quiere adelgazar debe empezar por cambiar la relación que tiene con los alimentos. Debe evitar refugiarse en la comida. "Encuentre fuentes distintas de emoción y entusiasmo en la vida, como una actividad nueva, una cita con su pareja, dar un paseo o buscar a un amigo que no ha visto en mucho tiempo", recomienda Fran.

No se ponga a dieta. Destierre esa palabra de su vocabulario. "Dieta" implica que los cambios que usted hará serán de corto plazo y que podrá volver a los viejos hábitos de alimentación una vez haya alcanzado su peso ideal. No es cierto. Si lo hace, usted recuperará todo el peso que perdió.

En lugar de verlo como una dieta, asúmalo como un cambio en su estilo de vida. Como algo más permanente y más placentero que ponerse a dieta. Realice cambios sencillos en la manera como usted vive, para que sea más fácil mantenerlos en el largo plazo. Incorpórelos gradualmente para que no se sienta abrumado ni desanimado.

No olvide moverse. Los estudios muestran que contar calorías y observar lo que se come efectivamente ayuda a perder peso, pero usted adelgazará mucho más rápido si además hace algo de ejercicio. Mantenerse activo también le ayudará a no volver a recuperar el peso perdido.

Cómo fijar la meta ideal para adelgazar

Fijarse un objetivo específico puede ser una manera de motivarse, pero no es cuestión de sacar una cifra de la manga. Las siguientes reglas sencillas le ayudarán a calcular cuánto peso necesita usted perder, para de ese modo aumentar las probabilidades de éxito al adelgazar.

No se "enganche" a una cifra. Fíjese el objetivo de bajar entre el 10 y el 15 por ciento de su peso actual. Tan solo la pérdida de entre el 5 y el 10 por ciento puede reducir el riesgo de sufrir una enfermedad cardíaca, aumentar los niveles del colesterol HDL o colesterol "bueno" y bajar los niveles de presión arterial, de azúcar en la sangre y de triglicéridos.

Tómelo con calma. Sea paciente. El peso que le sobra no desaparecerá de la noche a la mañana. Primero intente bajar ese 10 por ciento en el transcurso de seis meses. Después dedique los siguientes seis meses a mantener su nuevo peso. Si no vuelve a recuperar el peso perdido, entonces evalúe si necesita continuar adelgazando. De ser así, vuelva a someterse a un plan de adelgazamiento.

Sea realista. Tal vez eso no le parezca suficiente. Tal vez sienta que debe fijarse una meta más alta o que debe bajar de peso con mayor rapidez. Pero, ¿recuerda la fábula de la liebre y la tortuga? Usted también podrá ganar esta carrera si logra mantener un ritmo lento y constante. Las investigaciones muestran que las personas con sobrepeso suelen tener expectativas poco realistas. Un estudio encontró que:

- Las personas que hacían dieta querían perder, en promedio, un tercio de su peso corporal. Es decir, tres veces la meta realista del 10 por ciento.

- Incluso las personas que habían perdido la enorme cantidad de 37 libras se sentían decepcionadas por los resultados.

- Aquellas personas que habían logrado perder la asombrosa cantidad de 55 libras sentían que ese resultado era "aceptable", pero no bueno.

Metas poco realistas como estas sabotean la fuerza de voluntad para bajar de peso y hacen que el éxito sea mucho más difícil de alcanzar.

Muchas personas creen que pueden perder mucho peso de manera muy rápida y tienden a subestimar cuánto les costará alcanzar las metas extremas que se han fijado. Más adelante, cuando no logran alcanzar estos objetivos, se deprimen y se dan por vencidas.

Adelgace de manera saludable. Los expertos recomiendan tratar de perder entre media libra y dos libras semanales. Puede parecerle lento, pero a ese ritmo es más probable no volver a recuperar el peso perdido. A ese ritmo es también menos probable desarrollar los problemas de salud asociados con la pérdida de peso rápida, como los cálculos biliares, la fatiga y la pérdida de cabello.

Para la mayoría, una reducción de entre 300 y 500 calorías diarias a través de la dieta y el ejercicio significará una pérdida del 10 por ciento de su peso corporal en el transcurso de seis meses, a un ritmo seguro y saludable de entre media libra y una libra por semana.

SOLUCIÓN sencilla

La báscula en casa indica un peso, mientras que la del consultorio de su médico indica otro. ¿En cuál confiar? Siga los siguientes pasos para determinar su verdadero peso:

- Súbase a la báscula a primera hora de la mañana, después de vaciar la vejiga, pero antes de beber café o tomar desayuno. Mejor si está descalzo. Si prefiere estar vestido, asegúrese de que sea con ropas ligeras.

- Opte por una báscula digital. Uno de los principales grupos de consumidores encontró que las básculas digitales son más precisas y más fáciles de leer que las antiguas de tipo analógico.

- Sea consistente. Utilice la misma báscula cada vez que se pese. Hágalo siempre a la misma hora del día y use ropa ligera similar.

Fórmula infalible para una silueta más esbelta

Olvídese de las dietas confusas y complicadas. El secreto para bajar de peso está en cuántas calorías se consumen y en cuántas se queman.

Las calorías son una manera de medir la cantidad de energía que aportan los alimentos. Para deshacerse de los "michelines" o rollos alrededor de la cintura, es necesario hacer dos cosas:

- Calcule cuántas calorías necesita cada día para mantenerse en el peso actual.

- Fíjese como objetivo consumir cada día menos calorías que dicha cantidad.

La cantidad de calorías que una persona necesita para mantenerse en su peso varía según su sexo, peso y nivel de actividad. Este cuadro sencillo le proporciona un aproximado.

Sexo/Edad	Calorías necesarias		
	Sedentarios	Moderadamente activos	Activos
Mujeres, 51 a 70 años	1,600	1,800	2,000–2,200
Mujeres, más de 71 años	1,600	1,800	2,000
Hombres, 51 a 70 años	2,000–2,200	2,200–2,400	2,600–2,800
Hombres, más de 71 años	2,000	2,200	2,400–2,600

Estas son cifras generales. Para calcular sus necesidades calóricas específicas, simplemente multiplique su peso por:

- 15 calorías, si usted hace por lo menos 30 minutos de actividad física moderada o intensa cada día.

- 12 calorías, si no llega a tener esa cantidad de actividad diaria.

Esa cifra será su punto de referencia. Usted tendrá que consumir menos calorías que esta cifra si desea bajar de peso. Para perder una libra a la semana, usted necesitará consumir alrededor de 500 calorías menos cada día. Para bajar dos libras a la semana, necesitará consumir cerca de 1,000 calorías menos cada día.

Esto es muy difícil de lograr solamente haciendo dieta. Su mejor opción es reducir la mitad de esas calorías haciendo dieta y quemar la otra mitad a través de actividades físicas, como una caminata diaria. El ejercicio ayuda a quemar más grasa que la dieta sola, y la combinación de ejercicio más dieta hace que no sea necesario seguir un plan de comidas superestricto.

Como sea que decida bajar de peso, asegúrese de no reducir las calorías de manera demasiado drástica. Las mujeres deberían consumir no menos de 1,200 calorías al día y los hombres no menos de 1,500 calorías diarias, a menos que lo hagan bajo la supervisión de un médico. De lo contrario, las necesidades nutricionales del cuerpo podrían no ser satisfechas.

Supere el estancamiento en la dieta

Casi todas las personas que han estado a dieta han llegado a sentirse "estancadas" cuando la báscula empieza a indicar el mismo peso durante semanas, sin importar cuán poco coman o cuánto ejercicio físico hagan. Los expertos dicen que eso es natural después de adelgazar durante seis meses, pero que este estancamiento no tiene por qué prolongarse.

A medida que una persona pierde peso, su metabolismo basal se desacelera. Cuanto más peso pierda usted, su cuerpo necesitará menos calorías para realizar las funciones básicas. Y como el cuerpo es muy eficiente se adaptará, con el tiempo, a utilizar menos energía.

También es común aflojar el ritmo después de hacer dieta durante seis meses. Después de ese tiempo es posible que ya no se siga el régimen de adelgazamiento con la atención que se mostraba al principio.

Replantee sus metas. ¿Necesita usted realmente perder más peso? Hable con su médico, vuelva a medirse la cintura o compare su peso actual con su Límite de Peso Máximo y luego decida qué hacer.

Tome un descanso. Deje de adelgazar de forma activa y en su lugar concéntrese en conservar su nueva figura esbelta. Intente mantenerse en su nuevo peso durante seis meses, antes de volver a comprometerse activamente con otro plan de dieta.

Incorpore otro elemento. Para bajar una libra es necesario recortar 3,500 calorías a la semana. Esto es difícil de hacer, especialmente si usted ya está bajo una dieta estricta y ya ha perdido bastante peso. Así que incorpore algo de ejercicio a su régimen. Una sesión de ejercicios aeróbicos, como una caminata vigorosa, le puede ayudar a quemar más calorías y a superar el estancamiento.

Sorprenda a su cuerpo. Modifique su rutina de ejercicios de vez en cuando. Esta estrategia mantiene la agudeza de la mente y del cuerpo y evita el aburrimiento y las lesiones. Incluya y alterne nuevos tipos de rutinas de ejercicios, entre ellas las de aeróbicos, de entrenamiento de fuerza, de equilibrio y de flexibilidad.

Aumente la probabilidad de vivir una vida larga y saludable

Comer bien no siempre es suficiente, especialmente si se tienen antecedentes familiares de ciertas enfermedades, como una enfermedad del corazón. Afortunadamente, Marian encontró otra manera de vencer todos los pronósticos.

"Soy una mujer activa de 62 años de edad, pero una historia familiar de enfermedades cardíacas y niveles altos de colesterol me convencieron de que tenía que hacer más ejercicio".

"Después de intentarlo en una caminadora eléctrica en un centro comunitario cercano, supe que sería más feliz afuera. Así que me conseguí un contador de pasos y empecé a caminar por el barrio".

"Veo florecer los tulipanes en primavera y caer las hojas de los árboles en otoño y vuelvo a casa con suficiente energía para el resto del día".

Siete secretos para conservar la figura

Perder peso es solo la mitad de la batalla. No recuperar el peso perdido es el desafío real. Un grupo de personas ha logrado hacer precisamente eso. Aquí nos revelan sus secretos.

El Registro Nacional para el Control de Peso (NWCR, en inglés) reúne a más de 5,000 personas que han perdido 30 libras o más y que no han vuelto a recuperar el peso perdido en más de un año. En promedio, los participantes del Registro perdieron 66 libras y no han vuelto a subir de peso en 5.5 años. Los investigadores iniciaron el Registro para estudiar lo que hacen las personas que lograron la impresionante hazaña de adelgazar con éxito y para dar a conocer sus trucos al resto del mundo. Estos son sus mejores secretos para lucir una figura esbelta para siempre.

Desayune todos los días. Más del 75 por ciento de los participantes del Registro toman desayuno todas las mañanas. La avena, que es rica en fibra, es tal vez el mejor alimento para el desayuno. Hay estudios que muestran que la avena puede ayudar a reducir el colesterol y a evitar el aumento de peso, la presión arterial alta y la diabetes tipo 2.

Controle su peso con frecuencia. Casi la mitad de los participantes se pesan por lo menos una vez al día. Tres de cada cuatro controlan su peso por lo menos una vez a la semana. Si vigila atentamente su peso durante la fase de mantenimiento, usted podrá detectar un aumento en su peso cuando todavía es insignificante. Si lo hace a tiempo se ahorra el esfuerzo de tener que empezar a perder peso nuevamente.

Manténgase activo. Nueve de cada 10 participantes del Registro dedican, en promedio, una hora diaria para hacer alguna actividad física de intensidad moderada. La mayoría camina para mantenerse en forma, pero algunos levantan pesas o andan en bicicleta.

La razón es evidente. La actividad física ayuda a bajar de peso, pero es decisiva cuando se trata de no recuperar el peso perdido a largo plazo. En un estudio se dio seguimiento a personas que habían adelgazado poniéndose a dieta y que estaban tratando de no subir de peso durante un año. Algunas hacían aeróbicos, otras levantaban pesas y otras no hacían ejercicio alguno. Las personas que no hicieron ningún tipo de ejercicio recuperaron el 25 por ciento de grasa abdominal mientras que las que hacían actividades físicas, pero no cumplían con su programa de ejercicios, recuperaron un asombroso 38 por ciento de grasa abdominal. Las que hicieron aeróbicos o entrenamiento de fuerza durante tan solo 80 minutos a la semana no volvieron a subir de peso.

Apague el televisor. Los participantes del Registro no ven mucha televisión. Tres de cada cinco dedican menos de 10 horas a la semana a ver televisión, mucho menos que la mayoría de los estadounidenses. Eso explica que tengan más tiempo para actividades, como la jardinería, y menos tiempo para sentarse en el sofá a comer frente al televisor.

Sea consistente. Los participantes más exitosos del Registro no derrochan en comida. Ellos siguen las siguientes reglas:

- Comen de la misma manera saludable e inteligente durante los fines de semana y días festivos, que durante la semana.

- Siguen contando calorías y gramos de grasa, incluso después de alcanzar su meta de peso, para no recuperar el peso perdido.

- Disfrutan de comidas preparadas en casa, comen fuera menos de tres veces a la semana y rara vez optan por la comida rápida.

Sobrepóngase. Las personas que utilizan la comida para sobrellevar situaciones de estrés o hacer frente a emociones negativas son más propensas a recuperar el peso perdido. También lo son las personas que basan la imagen que tienen de sí mismas en su peso y figura. Si este es su caso, busque el apoyo de amigos o de un consejero. Mejorar su imagen personal, aprender a manejar el estrés y desarrollar capacidades para lidiar con problemas en épocas difíciles es también una manera de mantener su cintura en forma.

No se desanime. Para mantener su nuevo peso es necesario estar siempre atentos, sobre todo al principio. Los participantes del Registro que tuvieron más éxito sostienen que con el tiempo esto es cada vez más fácil de lograr.

Cuatro alimentos reductores de grasa

Para perder peso alrededor de la cintura, por lo general la clave no es cuánto comer, sino qué comer. Pruebe estos cuatro extraordinarios alimentos que ayudan a derretir la grasa:

El huevo. Nadie lo llamaría un "alimento para adelgazar" y, sin embargo, las personas con sobrepeso que de manera regular comieron dos huevos revueltos en el desayuno —¡un plato de 35 centavos!—, perdieron más peso y pulgadas que las que comieron un *bagel*. También tuvieron más energía durante el día.

Ambos contienen la misma cantidad de calorías, pero solo el huevo ayudó a estas personas a perder peso. A pesar de su colesterol natural, comer huevo cinco días a la semana durante ocho semanas no elevó sus niveles de colesterol o de triglicéridos.

El efecto adelgazante del huevo solo se observó en aquellas personas que además redujeron su consumo de calorías a lo largo del día. Aquellas que comieron huevo en el desayuno sin hacer dieta no experimentaron el mismo beneficio.

La toronja. Una verdadera maravilla para bajar de peso. Consumir esta fruta antes de las comidas estimula la pérdida de peso, incluso si usted no hace nada más. Comer media toronja antes de cada comida durante tres meses ayudó a personas obesas a bajar tres libras más que aquellas que no lo hicieron y mejoró su resistencia a la insulina. El jugo de toronja también contribuye a la pérdida de peso, aunque no tanto como la fruta misma.

El nutriente naringenina puede ser el responsable de la pérdida de peso, ya que le indica al cuerpo que queme la grasa en lugar de almacenarla en el hígado. Este compuesto cítrico también puede:

- Impedir que el hígado libere lipoproteínas de muy baja densidad (VLDL, en inglés), el peor tipo de colesterol.

- Mejorar la sensibilidad a la insulina y la tolerancia a la glucosa o azúcar en la sangre.

- Prevenir el aumento de peso, incluso con una dieta con alto contenido de grasas.

La toronja afecta la forma como el cuerpo procesa ciertos medicamentos, incluidos los de estatina. Pregúntele a su médico o a un farmacéutico si podría interferir con algún medicamento que usted esté tomando.

Las lentejas. Este alimento bíblico puede hoy ser nuestra salvación. Su alto contenido de proteínas hace que el cuerpo libere una hormona que combate el hambre, llamada PYY en inglés. Esta hormona hace que usted se sienta lleno comiendo menos. Además, son tan bajas en grasa y colesterol, que son consideradas una fuente más saludable de proteínas que muchos alimentos de origen animal. Estos son otros beneficios de las lentejas:

- Tienen un índice glucémico (IG) bajo, lo que ayuda a los que están a dieta no solo a adelgazar sino a reducir su colesterol.

- Su combinación de folato, fibra y sustancias fitoquímicas combate varios tipos de cáncer, entre ellos el cáncer de mama, de colon, de páncreas y de laringe.

- Las lentejas son ricas en fibra soluble y en almidón resistente. Los alimentos que contienen ambos pueden protegernos contra la diabetes tipo 2 y ayudar a las personas con esta enfermedad a controlar mejor el azúcar en su sangre.

- Los alimentos con un IG bajo, como las lentejas, pueden proteger los ojos contra la degeneración macular al ayudar a controlar los niveles de azúcar en la sangre. Los niveles crónicamente altos de azúcar en la sangre pueden dañar los delicados tejidos en el ojo, un factor de riesgo para posibles problemas oculares.

Los arándanos azules. Estas frutillas impidieron el aumento de peso y la acumulación de grasa abdominal en un estudio con animales. Lo lograron, en parte, al cambiar los genes que controlan la forma como el cuerpo procesa las grasas y el azúcar. Esto podría mejorar la sensibilidad a la insulina en las personas y evitar que acumulen grasa. Los arándanos azules también ayudarían a comer menos y a sentirse lleno.

Cuatro saboteadores de las dietas

Los mismos alimentos que usted consume para adelgazar podrían estar socavando sus esfuerzos. Se disfrazan de "saludables" y "dietéticos", pero al consumirlos usted podría acabar aumentando de peso.

Las bebidas dietéticas. Usted las prefiere por su sabor dulce y las cero calorías, pero consumir bebidas dietéticas elaboradas con edulcorantes artificiales puede volverse en su contra. Un estudio que dio seguimiento a más de 3,500 personas en San Antonio durante nueve años, encontró que el Índice de Masa Corporal (IMC) de quienes obtuvieron la mayor cantidad de edulcorantes artificiales de los alimentos y bebidas aumentó en casi un 50 por ciento más que el de las personas que no consumieron estos sustitutos del azúcar. Estas son las explicaciones de los expertos:

- Con el azúcar de verdad usted tiende a sentirse lleno y satisfecho. Con los edulcorantes artificiales, sin embargo, a usted puede que le provoque comer más grasa y proteínas. Los participantes del estudio que optaron por las bebidas endulzadas artificialmente también empezaron a obtener una cantidad cada vez mayor de sus calorías diarias de las grasas, especialmente de las grasas saturadas.

- Es fácil subestimar la cantidad de calorías que se obtiene de los productos "*light*". Si usted cree que puede darse una comilona porque ha "ahorrado" calorías, puede terminar comiendo más de lo que esperaba.

- Los edulcorantes artificiales ayudan a reducir las calorías diarias. Esto, a su vez, puede hacer que el metabolismo se vuelva más lento, lo que aumenta la probabilidad de que usted engorde. Consumir azúcar de verdad y a la vez reducir las calorías, en cambio, ayuda a compensar esa desaceleración del metabolismo.

- El aspartamo es un edulcorante artificial que puede ser tóxico para la parte del cerebro encargada de registrar cuándo se está lleno, predisponiéndolo a la obesidad.

Los productos sin grasa. Menos grasa no significa menos calorías. Los fabricantes suelen agregar azúcar para compensar el sabor perdido al reducir la grasa. Los alimentos "bajos en grasa" o "sin grasa" pueden tener tantas calorías, si no más, que sus versiones normales. Compare las etiquetas con información nutricional de los alimentos con contenido reducido de grasa con las de sus versiones normales. Asegúrese de que realmente se trata de un producto más saludable y con menos calorías.

El yogur endulzado. Se presenta como el mejor amigo de las personas a dieta debido al calcio y la vitamina D que contiene, pero el yogur endulzado con jarabe de maíz con alto contenido de fructosa (HFCS, en inglés) podría más bien ser su enemigo. Los otros tipos de azúcar, como la glucosa, calman el apetito. La fructosa lo aumenta. Peor aún, en comparación con la glucosa, el cuerpo convierte más fructosa en grasa y lo hace más rápido.

Entre los alimentos sorprendentes que contienen HFCS están los jugos de frutas, los cereales para el desayuno ricos en fibra, el *ketchup*, los panes, los aderezos para ensaladas, los frijoles horneados, los alimentos enlatados y las sodas normales. Algunos, pero no todos. Revise la lista de ingredientes y elija las marcas que evitan usar este edulcorante.

Las sopas hechas con MSG. Disfrutar de un plato de sopa a base de caldo antes de la comida principal puede ayudarle a bajar de peso sin sentir hambre. Las sopas llenan con menos calorías, por lo que ayudan a comer menos, a no ser que estén sazonadas con glutamato monosódico (MSG, en inglés).

Un estudio realizado en China encontró que cuanto más MSG consumían las personas, más propensas eran a tener sobrepeso. Los investigadores creen que el MSG puede dañar la parte del cerebro que controla el apetito y puede provocar trastornos hormonales asociados con la obesidad. Revise la lista de ingredientes para detectar los productos hechos con este condimento.

SOLUCIÓNsencilla

Hay jugos buenos, malos y feos. Siga estos consejos para diferenciarlos:

- Busque los que sean "100% jugo de fruta".
- Revise la lista de ingredientes y evite los jugos con cualquier forma de azúcar agregada.
- Compare los paneles de información nutricional y elija la marca que tenga más nutrientes y menos azúcar por vaso.
- Tenga cuidado con los "cocteles" y los "ponches", ya que pueden no ser 100% jugo de fruta.

Los jugos de cítricos, especialmente los de toronja rosada y de naranja, parecen ser los que más nutrientes tienen por caloría. Si prefiere el jugo de manzana, compre el jugo con pulpa o turbio (*cloudy*, en inglés). Contiene más antioxidantes saludables que el jugo de manzana claro.

Supere los antojos

Acabe con las punzadas de hambre y los rugidos del estómago con un poco de planificación inteligente y algo de psicología.

Coma con más frecuencia. No se salte las comidas ni pase demasiado tiempo sin comer. Trate de comer tres comidas pequeñas y tres meriendas a lo largo del día. Al comer cantidades pequeñas con mayor frecuencia, usted sentirá menos hambre y se verá menos tentado a ceder a los antojos de comida chatarra.

Evite las meriendas cuando ve televisión. Es fácil comer en exceso si lo hace mientras ve sus programas favoritos, ya que muchos anuncios de comida invitan a comer más. Los programas de televisión en horario estelar presentan helados, papas fritas, galletas dulces y otras tentadoras meriendas nocturnas que suelen tener mucha grasa y calorías. Si le da hambre por la noche, coma algo pequeño, pero contundente, como una manzana o la mitad de una porción de cereales integrales.

Lleve un diario de alimentos. Simplemente anote cuándo y qué come. Las investigaciones muestran que el hecho mismo de ponerlo por escrito ayuda a comer menos. En un estudio, las personas que llevaron un diario de alimentos perdieron el doble de peso. Llevar un diario ayuda a evitar las meriendas que se comen de manera distraída y a detectar los malos hábitos de alimentación.

No se prohíba ciertos alimentos. La tolerancia cero puede tener un efecto contrario al deseado. Un pequeño desliz puede hacerle abandonar la dieta, comer en exceso y, en última instancia, no bajar de peso. En lugar de prohibirse lo que más le gusta, elija versiones más saludables. Tome el chocolate, por ejemplo. Los estudios muestran que el chocolate oscuro llena más que el chocolate de leche y satisface mejor los antojos por algo dulce, salado o con alto contenido graso. No se prohíba el chocolate por completo, disfrute del chocolate oscuro cuando tenga un antojo.

Esté preparado. No es un contador de calorías ni una píldora. Es una merienda. No salga de casa sin llevar una consigo para protegerse de la obesidad. Una porción de frutas frescas o de frutos secos puede evitar que recurra a la comida rápida cuando está apurado.

Muchos alimentos saludables que se pueden disfrutar como meriendas vienen en cómodos paquetes individuales que caben en el bolso. Un ejemplo son las ciruelas pasas, consideradas el nuevo superalimento del mundo de las frutas. Ahora se pueden comprar empaquetadas en porciones individuales. Dulces y de bajo costo, son ideales para bajar de peso. Estas sabrosas frutas se caracterizan por su intensa dulzura y, sin embargo, ayudan a reducir la grasa abdominal. También está demostrado que tienen un poder increíble para combatir enfermedades.

- Los alimentos ricos en fibra, como las ciruelas pasas, se digieren más lentamente, lo que hace que uno se sienta lleno con menos calorías. No es casualidad que las personas que comen alimentos ricos en fibra también tiendan a tener un peso corporal más saludable.

- Los estudios muestran que las ciruelas pasas pueden prevenir y revertir la pérdida de masa ósea, protegiéndonos de la osteoporosis.

- Los compuestos antioxidantes en las ciruelas pueden detener el crecimiento de las células cancerosas en el colon.

Los frutos secos también pueden ser formidables meriendas. Tan solo dos cucharadas de frutos secos le pueden ayudar a reducir la peligrosa grasa abdominal. Los participantes de un estudio que disfrutaron de dos cucharadas de frutos secos diariamente durante un año redujeron la cintura más que los que no lo hicieron.

Tres alimentos que aceleran el metabolismo

Es cierto. Hay alimentos que pueden poner su metabolismo en marcha y ayudarle a quemar más calorías de manera natural.

Té verde. Su potente combinación de cafeína y de unos compuestos llamados catequinas le podría ayudar a perder peso y a no recuperarlo. Los investigadores dicen que este té ayuda al cuerpo en reposo a quemar más calorías y a quemar más grasa en general. En un estudio, los participantes que bebieron té verde quemaron 44 calorías adicionales al día y perdieron más peso en el curso de tres meses que aquellos que no lo hicieron. También parece que:

- Disminuye el riesgo de sufrir una enfermedad del corazón.

- Reduce el riesgo de un ataque cardíaco en casi la mitad.

- Disminuye los niveles de colesterol e impide que el intestino absorba el colesterol de los alimentos.

- Aumenta la sensibilidad a la insulina, ayuda a regular los niveles de azúcar en la sangre y hasta puede reparar las células dañadas del páncreas que producen insulina.

Beber siete tazas al día le puede ayudar a adelgazar y a mantener una figura esbelta. Tenga en cuenta que el té verde contiene cafeína, aunque menos que el café o el té negro, y que la adición de leche debilita su capacidad reguladora de insulina. El té verde también puede bloquear la absorción de hierro. Bébalo con limón o entre comidas para minimizar este efecto.

Chiles. Los científicos han descubierto que los alimentos ricos en capsaicina, la sustancia que hace que los chiles sean picantes, ayudan a comer menos y a quemar más calorías. Parece que la capsaicina interactúa con el gen TRPV1 para acelerar el metabolismo e impedir la acumulación de grasa. Así que agregue a sus comidas rodajas de pimiento picante o un toque de chile y prepárese para "quemar" el peso que le sobra.

Agua. El simple hecho de beber agua ayuda a bajar de peso. En un estudio se observó que el metabolismo de los participantes aumentó en 30 por ciento después de que bebieran dos tazas de agua, un incremento que duró más de una hora. Los expertos creen que el consumo de 1.5 litros de agua adicionales, o poco más de seis tazas, puede ayudar a quemar 48 calorías más cada día. Puede que no parezca mucho, pero en un año estaríamos hablando de 17,000 calorías adicionales o 5.3 libras de grasa corporal.

Sea un experto y gánele la guerra a la grasa

No todas las grasas son malas. Algunas hasta pueden ayudarle a bajar de peso ya que actúan como supresores naturales del apetito. La grasa de los alimentos hace que el estómago tarde en vaciarse, provocando esa sensación gratificante de saciedad después de comer. El truco está en elegir los alimentos que contienen el tipo correcto de grasa y en consumirlos en cantidades saludables.

Prepare su propio supresor del apetito. Basta con comer almendras, pecanas, aceite de oliva, aguacate y semillas de girasol, alimentos deliciosos y ricos en ácidos grasos monoinsaturados (MUFA, en inglés). Un tipo de MUFA llamado ácido oleico provoca una reacción química que inhibe la sensación de hambre al activar en el intestino delgado la producción de la oleiletanolamida (OEA), un compuesto que apacigua el hambre. ¿El resultado? Usted deja de sentir hambre durante más tiempo.

Es más, este nutriente puede literalmente detener la acumulación de grasa alrededor de la cintura, sin reducir el consumo de calorías. En un estudio se observó a personas con diabetes que seguían ya sea una dieta alta en carbohidratos o una alta en MUFA. Sorprendentemente, los de la dieta de carbohidratos acumularon grasa abdominal, mientras que los de la dieta a base de MUFA no lo hicieron.

Prefiera los pescados grasos. El aceite de salmón y el de *canola* son buenas fuentes de otra grasa saludable: los ácidos grasos poliinsaturados (PUFA, en inglés). Dos tipos de PUFA, el ácido docosahexaenoico (DHA, en inglés) y el ácido eicosapentanoico (EPA, en inglés), pueden potenciar su esfuerzo por adelgazar si los consume como parte de una dieta baja en calorías. En un estudio, los hombres que agregaron pescado o aceite de pescado a su dieta baja en calorías perdieron más peso en un mes que los que no lo hicieron. Los expertos dicen que los PUFA aceleran el metabolismo y combaten el exceso de grasa corporal al activar la grasa marrón, un tipo especial de grasa corporal que puede quemar grandes cantidades de calorías.

Evite las grasas saturadas. Los alimentos con muchas grasas saturadas, como el helado y las hamburguesas, le llevan a comer en exceso. Los investigadores han determinado que un tipo de grasa saturada llamada ácido palmítico, que se encuentra en la carne de res, la mantequilla, el queso y la leche, llega hasta el cerebro y afecta el apetito. Al consumirla, el cerebro le dice al cuerpo que ignore las señales de la leptina y la insulina, las hormonas que le indican cuándo debe dejar de comer. Peor aún, el efecto puede durar hasta tres días.

La interacción entre grasas saturadas y genes hace que algunas personas sean mucho más propensas a acumular grasa abdominal que otras.

Aléjese del mayor enemigo del abdomen plano. Las grasas trans no solo hacen que más grasa se acumule en la región abdominal, sino que la grasa que usted ya tiene se desplace hacia el abdomen. Además, son una amenaza seria para su salud ya que aumentan el riesgo de sufrir enfermedades cardíacas, contribuyen a la diabetes tipo 2, disminuyen el colesterol "bueno" HDL e incrementan el colesterol "malo" LDL y los triglicéridos. De hecho, las grasas trans aumentan la probabilidad de sufrir obesidad, aún más que las grasas saturadas.

Es probable que alrededor del 70 por ciento de las grasas trans que usted consume provengan de productos horneados comprados en tiendas, como las galletas saladas, los *muffins* y las galletitas dulces, y de los alimentos fritos en restaurantes. Usted puede evitar consumir estas grasas no saludables siguiendo algunas reglas simples:

- Lea las etiquetas. Verifique la cantidad de grasas trans y de grasas saturadas que contiene cada porción.

- No se deje engañar por los anuncios de "0 gramos de grasas trans". Un alimento puede ser etiquetado como libre de grasas trans si tiene menos de medio gramo de grasa por porción. Sin embargo, la porción puede ser más pequeña de lo que usted imagina. Y si se sirve unas cuantas porciones, sin quererlo, habrá consumido unos cuantos gramos de grasas trans.

- Compre alimentos integrales y frescos, en lugar de productos envasados previamente. Es más probable que los alimentos procesados contengan grasas trans, especialmente los productos horneados o fritos.

Los beneficios de la "grasa de bebé"

Los bebés tienen una gran cantidad de grasa "marrón" para mantenerse calientes. Mientras que las células adiposas "blancas" están llenas de grasa, las células adiposas "marrones" tienen una mayor cantidad de mitocondrias, que son pequeños generadores de energía que atrapan la grasa y el azúcar del torrente sanguíneo y los queman como combustible. En los adultos, la grasa marrón puede quemar calorías y acelerar la pérdida de peso.

Aunque los científicos creían que la grasa marrón desaparecía con la edad, un estudio reciente les mostró que los adultos aún tienen reservas de esta grasa buena, por lo que hoy se está estudiando la manera de utilizarla para combatir la obesidad.

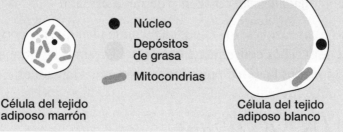

● Núcleo

Depósitos
de grasa

━ Mitocondrias

**Célula del tejido
adiposo marrón**

**Célula del tejido
adiposo blanco**

Combata la grasa abdominal con carbohidratos

Descubra el secreto de los carbohidratos "buenos" que los promotores de las dietas de moda esperan que usted nunca llegue a conocer. Ciertos alimentos ricos en carbohidratos, como los cereales integrales, sí ayudan a combatir la grasa abdominal.

Las personas entre 60 y 80 años de edad que consumieron más granos integrales tuvieron los índices de masa corporal más bajos y menos grasa abdominal. En otro estudio, las personas que consumieron cereales integrales durante tres meses bajaron de peso y perdieron grasa corporal, sobre todo en la región abdominal, en comparación con las personas que comieron cereales refinados, como el pan blanco.

Estos poderosos carbohidratos también ayudan a:

- Mantener estable el azúcar en la sangre. La sustitución de cereales refinados por integrales puede reducir drásticamente el riesgo de sufrir diabetes y mejorar los niveles de azúcar en la sangre. Su contenido de fibra retarda la absorción de nutrientes, entre ellos los carbohidratos. Al equilibrar los picos de azúcar en la sangre, los cereales integrales mejoran la sensibilidad a la insulina.

- Proteger los ojos en la vejez. Los cereales con un bajo índice glucémico (IG), como la avena, parecen reducir el riesgo de degeneración macular asociada con la edad. Al nivelar los picos de azúcar en la sangre, los cereales integrales acabarían protegiendo las delicadas células de la retina del ojo.

- Evitar otras enfermedades graves. El consumo de alimentos integrales reduce el riesgo de sufrir insuficiencia cardíaca, enfermedades del corazón y derrame cerebral.

Por todas estas razones, los expertos recomiendan que las personas mayores de 50 años consuman entre 21 y 30 gramos de fibra al día y que por lo menos la mitad procedan de alimentos integrales.

SOLUCIÓN*rápida*

Consumir más productos lácteos cada día podría ayudar a acelerar la pérdida de peso y a quemar más grasa. Las investigaciones muestran que las personas tienden a perder más peso si aumentan su consumo de productos lácteos o de calcio, a la vez que reducen moderadamente las calorías en su menú diario. Se ha encontrado que tres porciones diarias de leche, yogur o queso estimulan la pérdida de peso y de grasa en personas que también reducen su consumo de calorías, sobre todo si su dieta no incluía suficientes productos lácteos.

El calcio mineral puede bloquear la absorción de la grasa de los alimentos y ayudar al cuerpo a quemar más grasa, pero solo si también se reducen las calorías en la dieta.

Sorprendente arma en la guerra contra la grasa

¿Quisiera quemar grasa sin hacer nada? No busque más. Recurra al almidón resistente, un carbohidrato que se digiere lentamente y que se fermenta en el intestino. Una sola comida al día que contenga almidón resistente hará que su cuerpo queme casi un 25 por ciento más de grasa de manera automática. En un estudio, las comidas en las que el almidón resistente constituía tan solo el 5 por ciento de los carbohidratos totales, aumentaron el poder "quemagrasa" del cuerpo en casi un 25 por ciento.

Usted puede obtener resultados similares sustituyendo algunos de los alimentos ricos en almidón que consume habitualmente por alimentos que contengan almidón resistente. Es sencillo. Sustituya los granos refinados por los integrales, la pasta caliente por la fría, las papas al horno por las papas frías, o un plátano maduro por uno verde. Las legumbres, como los frijoles blancos y las lentejas, también son buenas fuentes de almidón resistente.

Aparte de quemar grasa, los alimentos ricos en almidón resistente ayudan a controlar el hambre durante horas. También ayudan a regular los niveles de azúcar en la sangre y a fortalecer el sistema inmunitario.

- Estos carbohidratos fermentables aumentan los niveles de hormonas intestinales que sofocan el apetito.

- Los alimentos que contienen almidón resistente suelen tener menos calorías, onza por onza, por lo que usted puede disfrutarlos sin preocuparse tanto por su cintura.

- También suelen tener un índice glucémico más bajo, lo que mejora los niveles de insulina y de azúcar en la sangre y ayuda a suprimir el apetito.

- El almidón resistente actúa como un prebiótico en el aparato digestivo, alimentando y promoviendo el crecimiento de las bacterias beneficiosas que el sistema inmunitario necesita.

Los animales alimentados con una dieta enriquecida con almidón resistente pesaban lo mismo que los alimentados con la dieta habitual, pero tenían menos grasa corporal, sobre todo menos grasa abdominal, y un mejor equilibrio entre sus niveles de insulina y de azúcar en la sangre. Además, la dieta a base de almidón resistente parecía llenarles y ser más satisfactoria que la dieta con almidones normales y de fácil digestión.

El pan tipo *Pumpernickel* y los panes de centeno están llenos de almidón resistente. También lo están la cebada, las hojuelas de maíz, el *muesli* y los cereales de trigo inflado para desayuno. Los fabricantes han empezado a enriquecer algunos panes, cereales para el desayuno, pastas y barras nutricionales con *Hi-maize*, un tipo de almidón resistente. Otros tipos de almidón resistente que pueden aparecer en la lista de ingredientes de un alimento son "maicena resistente" (*resistant cornstarch*, en inglés), "maicena" (*corn starch*) o "maltodextrina" (*maltodextrin*).

Los peligros de las "dietas de limpieza"

Algunas dietas de desintoxicación requieren ayuno. Otras son solo a base de jugos o prohíben el consumo de carne, trigo, productos lácteos, azúcar y así sucesivamente. Muchas proponen comer frutas, verduras, frijoles, frutos secos y semillas, por lo que pueden parecer opciones saludables.

Los métodos varían, pero todos los planes de desintoxicación coinciden en que el cuerpo acumula toxinas del medio ambiente y que necesita eliminarlas periódicamente a través de una dieta especial. Quienes promueven este tipo de dietas culpan a la acumulación de toxinas de todo, desde los dolores de cabeza hasta la fatiga y las náuseas, entre otros problemas de salud.

Los profesionales de la salud sostienen que el cuerpo no necesita ayuda para "limpiarse" si se sigue una dieta rica en frutas, verduras, fibra y abundante agua. No hay prueba científica que demuestre que las dietas de desintoxicación eliminan las toxinas más rápido, son más saludables o proporcionan más energía. Tal vez ayudan a adelgazar rápidamente, pero el peso perdido será en agua y músculo, no en grasa. Y la mayoría vuelve a recuperar el peso perdido al poco tiempo de dejar la dieta.

Dicho esto, ciertas recomendaciones de desintoxicación pueden ser saludables. Es bueno, por ejemplo, beber más agua, reducir el consumo de cafeína y llenarse de frutas y verduras. Restringir el consumo de sal puede disminuir la hinchazón y bajar la presión arterial. Limitar el consumo de azúcares añadidos y de alimentos procesados ayuda a reducir calorías.

No caiga en la trampa de las dietas de limpieza de colon, de ayuno o líquidas. Evite los suplementos con propiedades "desintoxicantes". Estos generalmente contienen laxantes, que pueden llevar a la deshidratación, a desequilibrios entre los nutrientes y a problemas digestivos. Las personas con diabetes, enfermedades del corazón y otras afecciones crónicas no deben someterse a un programa de desintoxicación.

Pregunta & Respuesta

¿Por qué es más fácil subir de peso que bajar de peso?

Para empezar, es mucho más fácil consumir calorías que quemarlas. Un pedazo de pastel tiene alrededor de 570 calorías. Una persona de 154 libras tendrá que caminar vigorosamente durante dos horas para quemar esa cantidad de calorías.

Para empeorar las cosas, el metabolismo se desacelera con la edad y la menopausia, de modo que se queman menos calorías estando en reposo que cuando se era joven. Y las personas que con los años se vuelven menos activas, queman aún menos calorías.

Descubra el secreto máximo para adelgazar

Al final no importa qué dieta siga, mientras pueda cumplir con ella. Eso se debe a que las calorías son la clave para bajar de peso.

En un importante estudio se compararon varias dietas populares, entre ellas la baja en carbohidratos, la baja en grasas y la alta en proteínas. Los alimentos que se podían consumir variaban según la dieta, pero todos los participantes debían reducir la misma cantidad de calorías diarias. Después de dos años, todos habían perdido aproximadamente la misma cantidad de peso, independientemente de la dieta que siguieron. La moraleja de este estudio: la cantidad de calorías que usted deja de consumir puede ser más importante que el tipo de dieta que siga.

Por otro lado, no todas las dietas funcionan para todas las personas. Es necesario tener en cuenta el estado de salud y las preferencias personales de cada una. Por ejemplo, a una persona a la que le gustan los carbohidratos puede que no le funcione una dieta baja en carbohidratos al estilo Atkins. Elija el plan de alimentación que más se ajuste a sus preferencias naturales, de modo que le sea más fácil cumplir con él. Sígalo con entusiasmo y persistencia, y sea paciente.

Con casi cualquier dieta se pierden, en promedio, solo entre cuatro y nueve libras, pero incluso una pérdida modesta de peso puede ser significativa. Bajar esas pocas libras puede prevenir y tratar enfermedades como la diabetes, así como mejorar los niveles de colesterol, de azúcar en la sangre y de inflamación.

SOLUCIÓNsencilla

Disfrutar de comidas más pequeñas a lo largo del día ayuda a derretir más libras, más fácilmente. En vez de que el desayuno y el almuerzo sean ligeros y la cena por la noche sea contundente, tenga entre cuatro y cinco pequeñas comidas y meriendas durante el día. El cuerpo produce más insulina después de una gran comida de alto contenido calórico que después de una comida pequeña y baja en calorías. Los altos niveles de insulina hacen que el cuerpo almacene más grasa y despiertan el apetito.

Asegúrese de siempre tomar desayuno para combatir el hambre y los antojos. Planifique sus comidas y meriendas para los momentos en que es más probable que sienta antojo de algo grasoso o dulce.

Ventajas adicionales de una dieta baja en grasas

Se trata de una de las formas para bajar de peso mejor estudiadas y la recomendada por la mayoría de las principales autoridades sanitarias. En las dietas bajas en grasas lo que se cuentan son los gramos de grasa, no las calorías, con el objetivo de obtener no más del 30 por ciento de las calorías diarias de la grasa. Algunas, como el plan Ornish, fijan un objetivo aún más bajo y establecen que la cantidad total de grasa no debe exceder el 10 por ciento de las calorías diarias.

La grasa tiene más calorías que cualquier otro nutriente. Reducir su consumo, aunque sea ligeramente, puede significar una disminución de calorías considerable, incluso mayor que si se redujera el consumo de carbohidratos o proteínas en la misma cantidad. A fin de cuentas, la clave para subir o bajar de peso son las calorías.

Las dietas bajas en grasas pueden ser las más indicadas para las personas preocupadas por su salud cardíaca. Reducir el consumo de grasa ayuda a bajar el colesterol, lo que a su vez protege contra el ataque cardíaco y el derrame cerebral. Estas dietas recomiendan además evitar las grasas trans y las grasas saturadas, grasas que contribuyen a las enfermedades del corazón y la diabetes. Recuerde los siguientes consejos si decide seguir este tipo de dieta:

- Optar por una dieta baja en grasas no significa que usted tiene luz verde para atiborrarse de carbohidratos. Usted deberá evitar la tentación de los carbohidratos cargados de azúcar y calorías.

- Las versiones bajas en grasas de sus comidas favoritas pueden no ser las más indicadas para su cintura. Cierto, puede que contengan menos grasa que las versiones normales, pero también podrían tener tantas o más calorías gracias al azúcar añadido.

- El cuerpo necesita algo de grasa para absorber ciertos nutrientes. Toda dieta debe incluir un poco de grasas insaturadas saludables, tales como el aceite de oliva y el de *canola*.

La grasa contiene nueve calorías por gramo. Calcular la cantidad de grasa que usted debe consumir al día es fácil. Supongamos que usted desea limitar la cantidad de grasa a un 30 por ciento de las calorías diarias. Establezca su objetivo de calorías y multiplique esa cantidad por 0.3. Divida el resultado por 9 para obtener la cantidad máxima de gramos de grasa que usted debería consumir al día.

Pregunta & Respuesta

¿Es la obesidad contagiosa?

Sí, pero no como lo es una enfermedad. La obesidad tiende a "transmitirse" a través de los vínculos sociales y familiares. Treinta años de estudios muestran que la probabilidad de sufrir obesidad es:

- 57% mayor si usted tiene un amigo obeso.
- 71% mayor si ese amigo es su mejor amigo.
- 40% mayor si tiene un hermano obeso.
- 37% mayor si su pareja es obesa.

Engordar se vuelve más aceptable si las personas que lo rodean también lo hacen. ¿La buena noticia? La delgadez también es contagiosa. La probabilidad de que una persona pueda adelgazar aumenta en 57 por ciento si una persona cercana también adelgaza.

Adelgace rápidamente con una dieta baja en carbohidratos

Las dietas ricas en proteínas y bajas en carbohidratos, como la Atkins, están de moda y los científicos están comprobando que no son tan malas después de todo. Pero antes de hacerse ilusiones, debe saber que estas dietas no son seguras para todos.

Estas dietas buscan reducir los carbohidratos y aumentar el consumo de proteínas. A diferencia de algunas otras dietas, son fáciles de seguir, lo que ayuda a que uno pueda cumplir con ellas. Las dietas bajas en carbohidratos son de dos tipos:

- Las dietas el estilo de la Zona, que sustituyen algunos carbohidratos por proteínas y que limitan la cantidad de grasa que se puede consumir.

- Las dietas al estilo Atkins, que sustituyen una cantidad aún mayor de carbohidratos por proteínas, pero que no ponen límites a la ingesta de grasa.

La combinación de muchas proteínas con pocos carbohidratos parece forzar al cuerpo a quemar grasa en lugar de glucosa, para obtener energía. Además, las proteínas provocan una sensación de saciedad. Un estudio encontró que los hombres que siguieron una dieta baja en carbohidratos consumieron menos calorías y sintieron menos hambre que los que siguieron una dieta más moderada en carbohidratos.

En los primeros seis a 12 meses se puede adelgazar más rápidamente con este tipo de dietas que con otros planes para bajar de peso. Sin embargo, después de aproximadamente un año las personas tienden a perder la misma cantidad de peso ya sea que sigan una dieta que restringe calorías o grasas o una dieta que restringe carbohidratos.

Estas dietas, sin embargo, no son para todos. Las dietas bajas en carbohidratos al estilo Atkins, por ejemplo, pueden causar un trastorno llamado cetosis, que es especialmente peligroso para las personas con males cardíacos, diabetes o problemas renales. Piénselo dos veces si usted está en riesgo de padecer alguna de las siguientes enfermedades:

Problemas renales. Las dietas ricas en proteínas ponen una carga adicional sobre los riñones, lo que puede provocar o agravar el desarrollo de cálculos renales. También pueden acelerar la progresión de la enfermedad renal en personas con complicaciones renales o con diabetes, aun si sólo siguen la dieta por poco tiempo.

Diabetes. Las investigaciones muestran que las dietas bajas en carbohidratos no elevan necesariamente el riesgo de desarrollar diabetes, especialmente si las grasas y las proteínas provienen de fuentes vegetales. Pero las personas que ya tienen diabetes tipo 2, síndrome metabólico u obesidad, deben consultar con su médico antes de probar este tipo de dieta, debido a los problemas renales potenciales.

Osteoporosis. La dieta Atkins, en particular, puede hacer que el cuerpo pierda mucho calcio a través de la orina, elevando el riesgo de desarrollar cálculos renales y osteoporosis.

Deficiencias nutricionales. Algunas dietas ricas en proteínas y bajas en carbohidratos restringen el consumo de todo tipo de carbohidratos, tanto los complejos como los simples. Eso es malo. Muchos alimentos saludables, como las frutas y las verduras, contienen carbohidratos complejos. Eliminarlos de la dieta puede conducir a deficiencias de vitaminas y minerales, entre otros problemas de salud.

A los expertos les preocupan los efectos a largo plazo de consumir tantas proteínas y grasas saturadas y tan pocas frutas, verduras y granos enteros. Ellos recomiendan seguir estas dietas ricas en proteínas y bajas en carbohidratos solo por un plazo corto y bajo la supervisión de un médico.

La dieta adecuada estimula el ánimo

Las dietas bajas en carbohidratos pueden mejorar el estado de ánimo a corto plazo. Después de todo, no limitan las calorías y uno puede llegar a sentirse lleno y satisfecho.

A largo plazo, sin embargo, son las dietas ricas en carbohidratos las que más elevan el estado de ánimo. Esto se debe a que los carbohidratos aumentan los niveles de serotonina, la sustancia química del cerebro que nos hace sentir bien. Las grasas y las proteínas más bien disminuyen los niveles de serotonina. Los estudios asocian los niveles bajos de serotonina con depresión y ansiedad.

Los carbohidratos que ayudan a adelgazar

Las dietas de bajo índice glucémico ya no son solo para las personas con diabetes. Planes populares como *The Zone* y *Sugar Busters* las utilizan para ayudarle a adelgazar mientras come de manera saludable.

Hay dos formas de medir los efectos de los alimentos sobre el azúcar en la sangre:

- El índice glucémico (IG) mide la velocidad con la que un alimento eleva el azúcar en la sangre. Los alimentos con un IG bajo, como las frutas, las lentejas, los granos enteros y los frijoles de soya, se digieren lentamente, por lo que el aumento de los niveles de azúcar en la sangre también es más lento.

- La carga glucémica (CG) va más allá al tomar en cuenta el tamaño de la porción. Algunos alimentos que tienen un IG alto, como la sandía, tienen en realidad una CG baja, debido a que el tamaño de una porción típica no significará una gran diferencia en los niveles de azúcar en la sangre.

Sin embargo, ambos tipos de dietas, las de bajo IG y las de baja CG, le permiten disfrutar de los carbohidratos. En una dieta de bajo IG solo cambia el tipo de carbohidratos que se pueden consumir, no la cantidad. En una dieta de baja CG varía el tipo y la cantidad de carbohidratos que se consumen.

Los alimentos de IG bajo ayudan a estabilizar los niveles de insulina debido a que los carbohidratos que contienen se digieren lentamente. Esto, a su vez, calma la sensación de hambre y le ayuda a comer menos. Con menos exceso de insulina en el torrente sanguíneo, el cuerpo puede quemar más grasa como combustible en lugar de carbohidratos, sobre todo si a una dieta de bajo IG se le agrega una rutina de ejercicios. Algunos estudios también señalan que una dieta de baja CG centrada en el consumo de alimentos de IG bajo y algo de grasa, puede ayudarle a perder más grasa corporal, y a no recuperarla, de manera más efectiva que una dieta tradicional baja en grasas.

Estas dietas pueden ser más fáciles de seguir a largo plazo que las dietas bajas en carbohidratos o bajas en grasas debido a que no imponen una prohibición total de ningún alimento. Además, pueden funcionar particularmente bien para las personas afectadas por:

Diabetes. El consumo de alimentos de IG bajo puede ayudarle a adelgazar sin correr el riesgo de fluctuaciones peligrosas en los niveles de azúcar en la sangre y sin elevar el colesterol malo LDL, como puede suceder con las dietas bajas en carbohidratos. También puede mejorar la sensibilidad a la insulina en las personas con diabetes.

Síndrome metabólico. La reducción de la cintura y la disminución de la presión arterial fue mayor en las personas con síndrome metabólico que siguieron una dieta baja en carga glucémica (CG) que en las que siguieron una dieta baja en grasas. A las personas no afectadas por el síndrome metabólico parecía irles mejor con la dieta baja en grasas.

Triglicéridos elevados. Una dieta de baja CG que enfatizaba las proteínas y los carbohidratos de índice glucémico (IG) bajo funcionó dos veces mejor que una dieta baja en grasas, pero solo en personas con niveles altos de triglicéridos.

No trate de adivinar el IG de un alimento a partir de su etiqueta de información nutricional. Algunos alimentos pueden sorprenderle. La mayoría de los panes "integrales", cereales para el desayuno y otros productos de cereales procesados tienen un IG alto. Busque el índice glucémico (IG) y la carga glucémica (CG) de alimentos específicos en *www.glycemicindex.com* (en inglés), de manera gratuita.

Aplane el abdomen a la manera mediterránea

A los italianos, los españoles y los griegos se les conoce por su buena comida, pero no parecen engordar como ocurre en Estados Unidos. Eso se debe en parte a que disfrutan de lo que se conoce como la dieta mediterránea. En la dieta mediterránea tradicional:

- Las comidas se conciben a partir de los vegetales, no de las carnes.

- Se sirven porciones pequeñas de carne y pollo con las comidas.

- Se incluyen porciones generosas de cereales integrales, frutas frescas, verduras, frutos secos y legumbres.

- Las comidas se preparan con aceite de oliva extra virgen.

- Se favorecen los alimentos naturalmente ricos en fibra, nutrientes y antioxidantes.

- Se consume mucho pescado y otros productos del mar llenos de grasas omega-3 saludables.

- Los alimentos se preparan y sazonan de manera sencilla, sin cremas ni salsas espesas.

- Se evitan las carnes rojas, el huevo, la mantequilla, los dulces y otros postres, o se disfrutan solo en pequeñas cantidades.

Esta manera saludable de comer es mucho más que un estilo de vida. Un estudio encontró que las personas que optaron por la típica dieta mediterránea —rica en verduras y baja en carnes rojas, sustituyendo la carne de res y de cordero por aves de corral y pescados— perdieron más peso que aquellas que siguieron una dieta baja en grasas. En dos años, los participantes que siguieron la dieta mediterránea lograron bajar en promedio 10 libras cada uno y disminuir su presión arterial, reducir su cintura y mejorar sus niveles de colesterol "bueno" HDL.

Y lo lograron sin tener que reducir drásticamente su consumo de grasa. Un tercio de sus calorías provenía de las grasas, que incluían un puñado de frutos secos y dos o tres cucharadas de aceite de oliva cada día.

La dieta mediterránea ofrece algunas ventajas específicas para las personas en riesgo de padecer las siguientes enfermedades:

Diabetes. Esta dieta proporciona gran cantidad de ácidos grasos monoinsaturados (MUFA), gracias a su énfasis en los frutos secos y el aceite de oliva. Estas grasas pueden mejorar la sensibilidad a la insulina y, por lo tanto, los niveles de insulina y azúcar en la sangre. En el mismo estudio, las personas con diabetes presentaron una mejora en sus niveles de azúcar en sangre en ayunas con la dieta mediterránea, pero no con las dietas bajas en grasas o en carbohidratos.

Enfermedades del corazón. Las investigaciones han demostrado que la dieta mediterránea disminuye los factores de riesgo asociados con las enfermedades cardíacas. También se la ha asociado con una vida más larga y un menor riesgo de desarrollar cáncer.

Con esta dieta usted puede disfrutar de muchos alimentos ricos en carbohidratos. Asegúrese de elegir aquellos que tengan un índice glucémico bajo. Debido a que esta dieta limita el consumo de carnes rojas, usted deberá incluir alimentos ricos en vitamina C, como los pimientos rojos y los cítricos, para ayudar al cuerpo a absorber el hierro. Por último, usted puede tomar un suplemento de calcio para los huesos, ya que la dieta mediterránea tiende a restringir los productos lácteos.

SOLUCIÓNsencilla

Las comidas preparadas en casa a menudo tienen menos calorías que las de los restaurantes o que los productos preenvasados. Estos consejos le ayudarán a contar calorías a la hora de cocinar en casa:

- Compre un libro de cocina saludable que incluya información nutricional sobre cada receta.

- Mida los ingredientes con alto contenido calórico, como el aceite para sofreír, en lugar de echarlos directamente a la sartén.

- Experimente con especias y hierbas, para darle sabor a sus comidas con menos calorías que con la mantequilla o el aceite.

- Utilice las calculadoras en línea para calcular cuántas calorías tienen los distintos alimentos. Por ejemplo, el Departamento de Agricultura de EE.UU. ofrece una herramienta gratuita en *www.supertracker.usda.gov/foodapedia.aspx* (en inglés).

Un plan probado para reducir la cintura

Una dieta que puede ayudarle a combatir la grasa abdominal, sin tener que preocuparse por los carbohidratos o por contar gramos de grasa es la dieta baja en calorías.

En numerosos estudios se ha observado que se puede perder más peso controlando las calorías y consumiendo cantidades moderadas de grasa que siguiendo una dieta baja en grasas. Los resultados son asombrosos. Los participantes de un estudio que siguieron una dieta baja en calorías redujeron la cintura, bajaron su nivel de triglicéridos, y pudieron controlar los compuestos inflamatorios asociados con la diabetes, la insuficiencia renal y la acumulación de placa en las arterias.

Reducir las calorías no significa necesariamente pasar hambre. Usted puede fácilmente eliminar cientos de calorías de su consumo total diario haciendo solo unos cuantos cambios sencillos:

- Sustituya los jugos endulzados, las bebidas gaseosas o sodas, las bebidas energéticas y los cafés sofisticados por té sin endulzar o agua. Una lata de soda normal contiene 136 calorías, mientras que una taza de té negro solo tiene dos.

- Si no come la piel de la pechuga de pollo usted ahorrará otras 60 calorías. Si le quita la grasa al filete de carne dejará de consumir 40 calorías más.

- Acompañe las verduras crudas con salsa fresca en vez de usar un aliño estilo *ranch* y consumirá 70 calorías menos por cucharada.

Las dietas bajas en calorías le permiten consumir aproximadamente entre 800 y 1,999 calorías diarias, dependiendo de la cantidad de calorías necesarias para el funcionamiento del cuerpo. Usted primero deberá calcular la cantidad de calorías diarias que necesita. Vea *Fórmula infalible para una silueta más esbelta* en la página 10. Además, tenga en cuenta los siguientes consejos:

- Cuanto mayor sea la reducción de calorías, más difícil puede ser cumplir con la dieta. En un estudio, las personas que trataron de consumir tan solo 800 calorías al día tuvieron muchos problemas para hacerlo. Los expertos aconsejan adoptar un enfoque moderado al reducir las calorías.

- Consumir menos calorías puede hacer más lento el metabolismo. El cuerpo aprende a ahorrar energía al acostumbrarse a funcionar con menos. Esto ayuda a explicar por qué la pérdida de peso tiende a estabilizarse después de entre seis y 12 meses de hacer dieta. Usted puede evitar esta desaceleración haciendo ejercicio con regularidad mientras hace dieta.

- No reduzca su consumo de calorías a menos de 1,200 diarias, si no cuenta con la supervisión de un médico o un experto en nutrición. Si consume menos, usted podría no obtener suficientes nutrientes.

- Usted no tiene que contar gramos de grasa mientras sigue una dieta baja en calorías, pero tal vez quiera hacerlo. La grasa contiene más calorías que cualquier otro nutriente. Se puede reducir significativamente la cantidad de calorías con solo dejar de comer un poco de grasa.

Contar calorías es, por lo general, un método seguro para todos. De hecho, este tipo de dieta puede funcionar especialmente bien para las personas con diabetes o presión arterial alta. Las personas con diabetes que toman insulina deberán vigilar atentamente sus niveles de azúcar en la sangre.

La vía vegana para adelgazar

Las personas que no comen carne tal vez vayan por muy buen camino si lo que buscan es mantenerse delgadas y saludables. Cambiarse a una dieta vegana ayudó a los participantes de un estudio a perder el doble de peso después de un año que lo que perdieron los que siguieron una dieta típica para reducir el colesterol centrada en el consumo de cereales, frutas, verduras y carne magra. Además, transcurridos dos años, los vegetarianos dejaron de recuperar tres veces más peso que los demás.

Ser vegetariano puede significar distintas cosas, dependiendo de cuán estricto sea el régimen que se siga:

- Los veganos son los vegetarianos más estrictos. No comen ningún producto animal: nada de carnes, pescado, productos lácteos ni huevo.

- Los lacto-vegetarianos son menos estrictos. Su dieta incluye productos lácteos, más no carnes, pescado ni huevo.

- Los lacto-ovo-vegetarianos son aún más relajados. Consumen productos lácteos y huevos, pero evitan las carnes y el pescado.

- Los pescetarianos o pesco-vegetarianos son los menos estrictos y comen pescado, productos lácteos y huevos, pero no carne.

Cuanto más estricto sea un vegetariano, menor será su índice de masa corporal (IMC), una medida que calcula el nivel de grasa corporal. En general, menos es mejor. En un estudio, los veganos presentaban los IMC más bajos y el menor riesgo de sufrir diabetes tipo 2.

Los expertos creen que los vegetarianos pesan menos porque consumen mayormente alimentos con baja densidad energética. Estos alimentos pueden ocupar mucho espacio en el plato, pero tienen pocas calorías. Esto hace que la dieta vegana sea sorprendentemente fácil de seguir.

Hacer pequeños ajustes a su dieta y evitar las carnes y los productos animales es una manera rápida de adelgazar sin pasar hambre. Usted también obtendrá abundantes nutrientes para combatir enfermedades, como la fibra, el magnesio, el potasio y las vitaminas C y E, así como el folato, los carotenoides, los flavonoides y otros compuestos vegetales. A pesar de todas estas bondades, los vegetarianos también deben lidiar con algunas necesidades nutricionales específicas:

Proteínas. Las proteínas están formadas por unos compuestos llamados aminoácidos. La carne normalmente contiene todos los aminoácidos que el cuerpo necesita. A la mayoría de los alimentos de origen vegetal, sin embargo, les faltan algunos de estos aminoácidos. Por suerte, no les faltan los mismos, de modo que usted puede combinar estos alimentos y consumir a lo largo del día una variedad de verduras, almidones y frijoles para satisfacer sus necesidades de proteínas.

Ácidos grasos omega-3. Las dietas vegetarianas tienden a ser bajas en EPA y DHA, dos grasas omega-3 que se encuentran en el pescado. Para compensar esta carencia, tome suplementos de DHA y coma frutos secos, semilla de lino, aceite de *canola* o alimentos a base de soya.

Hierro. Al cuerpo le es más difícil absorber el hierro de los alimentos de origen vegetal que el de los alimentos de origen animal, como las carnes rojas. El hierro del pan con levadura y de los alimentos fermentados, como el miso y el *tempeh* a base de soya, puede ser más fácil de absorber. La vitamina C también ayuda. Asegúrese de comer cítricos y verduras con mucha vitamina C.

Calcio. Si evita los productos lácteos, usted puede obtener este mineral de un suplemento o de los jugos de frutas enriquecidos con calcio. El bok choy, el brócoli y la berza, también son alimentos ricos en calcio.

Vitamina D. La deficiencia de esta vitamina puede ser peligrosa para los veganos. Consuma leche de soya o arroz, jugo de naranja y cereales para el desayuno enriquecidos. Si no obtiene suficiente vitamina D de estas fuentes, tal vez usted deba tomar un suplemento.

Vitamina B12. Solo los alimentos de origen animal contienen este nutriente esencial. Los lacto-ovo-vegetarianos pueden obtener B12 de los productos lácteos y del huevo si los consumen regularmente. Los vegetarianos estrictos deben consumir leche de soya o arroz, "carne falsa" y cereales para el desayuno, todos ellos enriquecidos con B12, o bien tomar un suplemento.

La dieta Atkins con un nuevo giro

Hay una nueva versión de la dieta Atkins que puede ser una forma más saludable y segura para bajar de peso. Se llama "Eco-Atkins" y sustituye la carne, el huevo y los productos lácteos de la dieta Atkins por fuentes vegetales de proteínas, como la soya, los frutos secos y el gluten. También permite comer algo más de carbohidratos al día y, a diferencia de la Atkins original, limita el consumo de calorías.

En un estudio, las personas bajo la dieta Eco-Atkins perdieron casi la misma cantidad de peso que las que siguieron una dieta vegetariana rica en carbohidratos. Además, en el grupo Eco se observó una caída mayor de los triglicéridos y del colesterol "malo" LDL y una mejor proporción entre el colesterol "bueno" HDL y el colesterol total.

Siete maneras de detectar una dieta ineficaz

Las dietas de moda, como la *Blood Type* (la dieta del tipo de sangre), la *Cabbage Soup* (la dieta de la sopa de repollo) o la *Fat Flush* (la dieta de eliminación de grasa), tienen una cosa en común: grandes promesas que no pueden cumplir. Algunas son hasta peligrosas. Tenga cuidado con cualquier dieta que:

- Promete que usted bajará de peso rápidamente, a un ritmo de más de una o dos libras por semana.

- Promete que usted perderá peso y no lo recuperará, sin dejar de comer alimentos grasos no saludables y sin hacer ejercicio.

- Basa sus promesas y resultados en testimonios y fotos de antes y después de la dieta, y no en hechos científicos.

- Prohíbe el consumo de ciertos nutrientes o de todo un grupo de alimentos, como los carbohidratos, el azúcar o las grasas. Ninguno de estos nutrientes es malo si se consume con moderación y usted los encontrará en muchísimos alimentos saludables. Además, evitarlos por completo puede provocar antojos abrumadores que podrían acabar con una dieta.

- Recomienda saltarse comidas o sustituirlas por bebidas especiales o por barras de comida. La nutrición que se obtiene de estos productos no puede sustituir a la que se obtiene de una alimentación equilibrada.

- Funciona reduciendo drásticamente su consumo de calorías, como ocurre con las dietas de hambre. Estas dietas buscan que usted pierda peso rápidamente, pero lo que usted pierde es el peso del agua, no de la grasa, y lo recuperará en cuanto deje la dieta. De hecho, las dietas de hambre en realidad hacen que el metabolismo se vuelva más lento.

- Cobra por costosos seminarios, suplementos, hierbas o comidas preparadas y preenvasadas, que supuestamente usted "necesita" para que la dieta funcione adecuadamente.

Más razones para optar por lo orgánico

Algunos sospechan que los pesticidas en los productos agrícolas y las hormonas de crecimiento en la carne y los productos lácteos interfieren con el metabolismo y contribuyen a la obesidad.

La comunidad científica sigue debatiendo estos temas y la Agencia de Protección Ambiental (EPA, en inglés) está llevando a cabo un estudio para determinar si los pesticidas representan un peligro para la salud humana. Es probable que debamos esperar unos años para conocer el veredicto final. Entretanto, comprar orgánico puede darnos cierta tranquilidad.

Los productos orgánicos suelen tener una cantidad significativamente menor de residuos de pesticidas comparados con los demás productos agrícolas. El Departamento de Agricultura de EE.UU., por ejemplo, prohíbe a los productores ganaderos "orgánicos" administrar hormonas de crecimiento al ganado vacuno, a las ovejas y a las vacas lecheras.

Optar por lo orgánico puede salir caro. Estos alimentos se producen en una escala más pequeña y requieren más trabajo. Sin embargo, usted puede conseguir buenas ofertas si compra de manera inteligente. Compre las frutas y las verduras orgánicas cuando están en temporada, que es cuando su precio es casi el mismo que el de los productos agrícolas normales.

Consejos para no engordar durante las fiestas

Las fiestas pueden arruinar una dieta. Es más, las fiestas son la razón principal por la cual las personas aumentan de peso a medida que envejecen, según un estudio de los Institutos Nacionales de Salud.

La persona promedio sube poco más de una libra por año, gran parte durante las fiestas de fin de año. Las personas que ya tienen sobrepeso pueden aumentar hasta cinco libras. Desafortunadamente, la mayoría de las personas no logran perder ese peso en el transcurso del año.

Como usted sabe, estas fiestas no duran un solo día, sino más de seis semanas, a partir del Día de Acción de Gracias hasta el Año Nuevo y el Día de Reyes. Estos son algunos consejos para evitar subir de peso durante las próximas celebraciones de fin de año:

Manténgase activo. Las fiestas son una época de muchas actividades, pero no por eso deje de hacer ejercicio o caminatas diarias. Uno de los principales indicadores para predecir el aumento de peso en el estudio de los NIH fue si la persona se mantuvo activa o no. Las personas menos activas durante los días festivos fueron las que subieron más de peso.

Es fácil incorporar el ejercicio en su vida diaria. Usted puede estacionarse a una distancia mayor de las tiendas al ir de compras. O puede recorrer el centro comercial a un paso vigoroso, en lugar de pasear por él.

No vaya a las reuniones con hambre. Sírvase antes una merienda saludable. En el estudio realizado por los NIH, tener hambre fue otro indicador para predecir cuánto peso aumentaría una persona. Quienes dijeron tener hambre durante los días festivos subieron más de peso.

Reduzca el tamaño de las porciones, sobre todo en los buffets. Sírvase porciones pequeñas de sus alimentos favoritos en lugar de llenarse el plato. Espere 20 minutos antes de servirse otra porción.

Evite la comida rápida. Resístase a la comodidad de la comida rápida cuando hace diligencias durante las fiestas. Planifique su día con anticipación y prepárese un sándwich o varios bocadillos para llevar consigo. Justo antes de las fiestas, prepare y congele varias comidas saludables, que usted luego podrá calentar en el microondas tras un día ajetreado.

No haga "dieta". Procure mantener su peso actual durante las fiestas y no trate de perder peso. De lo contrario, sus esfuerzos podrían estar encaminados hacia el fracaso.

Prepare algo saludable. Cuando deba llevar un plato a una reunión, prepare algo bajo en calorías o lleve algo que usted sabe que puede comer sin riesgo de engordar. Es probable que los demás invitados aprecien este gesto y usted tendrá la garantía de que habrá por lo menos algo que usted puede disfrutar sin culpas.

Dele un giro saludable a las recetas navideñas

Hacer dieta no significa renunciar a sus platos navideños favoritos. Significa hacer sustituciones inteligentes, remplazando ingredientes que engordan por ingredientes que le permitan mantenerse en forma.

En lugar de:	Pruebe:
Pan rallado (para empanizar)	Hojuelas de salvado sin procesar, mezcladas con avena o harina de avena y trituradas
Suero de mantequilla (1 taza)	15 cucharadas de leche descremada, más 2 cucharadas de jugo de limón
Queso crema	Queso *Neufchatel* o queso crema *light*
Crema espesa	Partes iguales de crema de leche *Half & Half* (mitad crema, mitad leche) y de leche evaporada sin grasa Para sopas o guisos usar leche evaporada descremada
Aceite (para hornear)	Partes iguales de puré de manzana sin endulzar y de aceite
Aceite (para cocinar)	No utilizar o reducir a la mitad o en dos terceras partes
Crema agria	Yogur natural sin grasa
Crema batida	Crema batida sin grasa o leche evaporada descremada refrigerada
Harina blanca	Harina de avena, de soya o de trigo 100 por ciento integral
Azúcar blanca	1 cucharadita de banana machucada por cada cucharada de azúcar que se remplaza

Una nueva manera de acelerar el metabolismo

Queme hasta 500 calorías adicionales al día —sin sudar la gota gorda— y pierda todo el peso que desea, incluida esa terca grasa abdominal. Conozca como funciona NEAT, el secreto de las personas delgadas para acelerar el metabolismo.

La termogénesis por actividad sin ejercicio, conocida como NEAT por sus siglas en inglés, es una manera elegante de referirse a todas las actividades físicas que uno realiza durante el día no consideradas como ejercicio, como ir al trabajo, tocar el piano o lavar los platos. Estas actividades implican movimientos que por sí mismos no queman muchas calorías, pero estas se van acumulando a lo largo del día.

Las personas delgadas tienden a hacer más actividades NEAT que las personas con sobrepeso. Los investigadores comprobaron que las personas obesas permanecían sentadas, en promedio, 2.5 horas más cada día que las personas delgadas. Permanecer en movimiento durante ese tiempo "muerto", ya sea parándose, caminando o dando vueltas, puede ser todo lo que se necesita para frenar el aumento de peso.

Los participantes del estudio podrían haber quemado 350 calorías más al día si hubieran pasado esas 2.5 horas de pie o realizando otras actividades NEAT. A ese ritmo, podrían haber perdido hasta 33 libras en un año, sin modificar su dieta. ¿Quisiera usted acelerar la pérdida de peso? Queme 500 calorías adicionales al día dedicando tres horas a actividades NEAT, como arrancar la mala hierba en el jardín, andar en bicicleta o pintar una habitación en lugar de pasar esas tres horas frente al televisor.

NEAT no implica dedicarse solo a las tareas domésticas. Los expertos recomiendan optar por actividades que se disfrutan, como bailar en casa, salir a pasear con una amiga o hacer cualquier otra actividad placentera que implique estar de pie o en movimiento.

El siguiente cuadro muestra cuántas calorías puede quemar una persona promedio que pesa 154 libras (69 kilos) durante 30 minutos dedicados a una actividad NEAT.

Actividad	Calorías quemadas
Jardinería ligera o trabajos ligeros en el patio	165
Bailar	165
Jugar golf (caminar y cargar los clubes de golf)	165
Caminar	140

Plan de actividad física para principiantes

Nunca es demasiado tarde para volverse más activo. Está comprobado que la actividad física ayuda a adelgazar. Y no solo eso, un nuevo estudio comprobó que los beneficios de mantenerse en forma podían sentirse hasta pasados los 80 años:

- Para las personas de 70 años que habían permanecido activas, la probabilidad de morir en los próximos ocho años se reducía a casi la mitad.

- A los 85 años, la probabilidad de morir en los siguientes tres años era casi cuatro veces mayor para las personas no activas.

- Incluso empezar a hacer ejercicios a la edad avanzada de entre 70 y 85 años, ofrecía la ventaja de vivir más tiempo.

- Las personas que seguían activas a los 78 años tenían más probabilidades de mantener una vida independiente a los 85 años.

- El estudio encontró que la actividad física aumentaba la tasa de supervivencia de las personas a cualquier edad, y que los participantes de más edad fueron los más beneficiados.

- Los adultos mayores que se mantuvieron activos fueron menos propensos a sufrir caídas, fracturas de hueso, dolor de las articulaciones o dolores musculares.

Aumente su actividad física progresivamente, empezando con actividades muy sencillas, como caminar. Dedique los primeros cinco minutos al calentamiento de los músculos para no lesionarlos. Elija una actividad que no requiera mucho esfuerzo, como pasear. Poco a poco, aumente el ritmo hasta llegar a caminar vigorosamente. Al final, disminuya el ritmo para el enfriamiento y estire suavemente los músculos durante unos minutos. Recuerde beber agua antes, durante y después de una actividad física.

Lo importante es tomárselo con calma. Empiece con actividades de baja intensidad y hágalas solamente durante 5 o 10 minutos a la vez. Su fuerza y resistencia física aumentarán gradualmente.

A medida que su cuerpo se fortalece, impóngase nuevos desafíos. Propóngase mantenerse activo durante períodos de tiempo cada vez mayores. Fíjese la meta de 30 minutos. Cuando alcance la meta, exíjase más, ya sea caminando más rápido o caminando cuesta arriba.

El objetivo final es dedicar 30 minutos al día, cinco días a la semana, a una actividad aeróbica moderadamente intensa, como caminar a paso ligero. La buena noticia es que usted no tiene que mantenerse activo durante 30 minutos sin parar. Los expertos dicen que se puede dividir el bloque de 30 minutos en bloques de actividad física más breves. Por ejemplo, usted puede caminar durante 10 minutos por la mañana, otra vez por la tarde y otra vez por la noche. No importa cuándo haga la actividad física, siempre y cuando la haga durante por lo menos 10 minutos seguidos cada vez.

SOLUCIÓN*rápida*

Cuando se adquiere un hábito nuevo, los primeros meses son decisivos. Si usted logra comprometerse a hacer algún tipo de actividad física durante seis meses seguidos, es muy probable que pueda mantener ese hábito por el resto de su vida. Trate de que hacer ejercicio sea algo divertido y motivador.

- Cuelgue un espejo frente al equipo de ejercicio en casa, para así comprobar los cambios positivos en su cuerpo.

- Vea televisión mientras hace ejercicio, ya sea una de sus series favoritas, una película alquilada o un programa que grabó previamente.

- Lea algo divertido, como una revista de viajes o un libro de su autor favorito, mientras se ejercita en la banda caminadora.

- Vaya a la biblioteca pública. Busque música, películas y audiolibros que pueda disfrutar mientras se pone en forma.

Reconsidere el ejercicio

Mantenerse activo es tan importante como mantener una dieta saludable, pero no es necesario correr maratones o recorrer 20 millas en bicicleta. Siga el consejo de Pat, jardinero apasionado de 56 años. "A las personas que dicen que la jardinería no es realmente ejercicio, yo les respondo que no se saben lo que dicen".

"Trabajar en el jardín implica agacharse, levantar pesos, moverse y estirarse, además de excavar y cargar. Cualquier persona que alguna vez haya tenido un jardín sabe que mover compost con una pala, levantar bolsas de mantillo de 40 libras, transplantar y dividir plantas o arrancar la mala hierba son actividades físicas intensas".

"Siempre hay algo que hacer, desde sembrar y deshierbar en la primavera hasta rastrillar las hojas y limpiar el jardín en el otoño. ¡Estas actividades mantienen al cuerpo en movimiento!".

El secreto de los amish para mantener la línea

¿No se puede resistir a la tentación de ese rico postre? Conozca el secreto de los amish. Su dieta es rica en alimentos grasos y dulces, sin embargo tienen menos problemas de peso que la mayoría de personas.

Todo se debe al estilo de vida activo que llevan. Sin televisores en casa, los hombres amish caminan un promedio de 18,400 pasos diarios y las mujeres de 14,200 pasos diarios. Es extraordinario dado que la mayoría de las personas caminan únicamente 9,400 pasos al día.

Los amish tampoco bajan el ritmo con la edad. Entre los amish, los adultos mayores tienden a caminar el mismo número de pasos que los jóvenes. La mayoría de los demás adultos mayores solo llegan a caminar 7,000 pasos al día en sus años dorados.

Los amish no son naturalmente delgados. Algunos son genéticamente propensos a la obesidad, como tantas otras personas. La diferencia es que llevan una vida activa que contrarresta su predisposición natural a subir de peso. Los expertos dicen que los amish son prueba de que la actividad física ayuda a mantener a las personas delgadas y en forma, incluso a las que presentan una predisposición genética a la obesidad.

Caminar tanto como le sea posible es llevar un estilo de vida activo como el de los amish. Una caminata diaria ayudará a que usted:

- Derrita la grasa abdominal. Los ejercicios aeróbicos, como caminar a paso ligero, son ideales para bajar de peso. Un estudio realizado en Brasil encontró que quienes caminaron apenas 30 minutos al día, cinco días a la semana, lograron reducir la cintura y perder grasa corporal.

- Disminuya sus niveles de azúcar en la sangre. El programa de caminatas de los brasileños también redujo los niveles de azúcar en la sangre en ayunas.

- Despeje las arterias. Las personas con vasos sanguíneos bloqueados en las piernas, o enfermedad arterial periférica, que hacían ejercicios en una banda caminadora tres veces a la semana, mejoraron su flujo sanguíneo a través de las arterias, redujeron su riesgo de sufrir problemas del corazón y, con el tiempo, fueron capaces de caminar distancias aún mayores.

- Se cargue de más energía de lo que creyó posible. Dedicar 20 minutos a pasear puede activar el sistema nervioso y hacer que usted se sienta lleno de energía, según se observó en un estudio sobre la fatiga realizado por la Universidad de Georgia.

Siga estos consejos para aumentar sus probabilidades de gozar de buena salud y de adelgazar con éxito:

Fíjese un objetivo de pasos. Contar con un objetivo específico motivó a los participantes de un estudio a caminar más, incluso a aquellos que no pudieron cumplir con ese objetivo. Para mantenerse en forma, los expertos sugieren un objetivo de 10,000 pasos diarios.

Utilice un podómetro. Este dispositivo de bajo costo sirve para contar pasos y monitorear su progreso. Los participantes de un estudio caminaron 2,500 pasos más al día cuando llevaban un podómetro. Eso significa que un pequeño cuentapasos le podría ayudar a bajar cinco libras adicionales al año.

Adopte un perro. Los adultos mayores que todos los días llevan a caminar a su perro se mantienen activos a medida que envejecen. Y a diferencia de los compañeros humanos, un perro nunca intentará disuadirle para no salir a dar un paseo.

Vaya rápido y vaya despacio. Camine rápido tres días a la semana y más despacio los otros dos días. Las mujeres obesas que lo hicieron durante cuatro meses adelgazaron más en general y perdieron dos veces más grasa total, cinco veces más grasa abdominal y tres veces más grasa de los muslos, que las que caminaron siempre a la misma velocidad.

SOLUCIÓNsencilla

Si usted no puede bajar de peso a pesar de hacer dieta y ejercicios y está pensando en comer aún menos, no lo haga. No se debe consumir menos de 1,200 calorías al día. Si lo hace, el cuerpo se ve forzado a pasar hambre y el metabolismo se hace más lento para ahorrar energía.

Si usted quema 400 calorías al día haciendo ejercicio, su consumo total de calorías debe ser de 1,600 al día, para compensar las calorías quemadas. El secreto está en elegir alimentos con alto contenido de nutrientes, como las frutas y las verduras, y acompañarlos de algo de proteínas.

Baje de peso en la cama o en el sofá

No es lo que usted cree. Estos ejercicios sencillos estimulan el metabolismo, quemando más calorías, incluso mientras duerme. Los ejercicios de fuerza o resistencia pueden acelerar el metabolismo, quemar grasa abdominal y proteger los huesos a medida que se envejece.

Queme más calorías. Las personas que tienen más músculo también tienen un metabolismo más rápido. El tejido muscular quema más calorías que el tejido graso, incluso mientras usted está en reposo. Al desarrollar músculo, el entrenamiento de fuerza puede acelerar el metabolismo hasta en un 15 por ciento, de modo que usted quemará más calorías que nunca.

Acabe con la grasa abdominal. Se ha demostrado que levantar pesas dos veces a la semana combate la grasa abdominal de por vida. En un estudio reciente, este ejercicio ayudó a las mujeres a desacelerar o prevenir la acumulación de grasa abdominal.

Mantenga la independencia. ¿Cuál es la principal causa del deterioro del cuerpo a medida que envejece? La pérdida de músculo. Pero hay algo que usted puede hacer: ejercicios de resistencia. Estos ejercicios pueden desarrollar la fuerza y la masa muscular, además de mejorar la movilidad, hasta pasados los 90 años.

Como prueba está el caso de los 14 adultos mayores que pasaron seis meses en un programa de entrenamiento de fuerza. Al finalizar el programa, estaban considerablemente más fuertes, en algunos casos casi tanto como los participantes más jóvenes. El programa también les ayudó a revertir ciertos cambios asociados con la edad en el nivel más básico, en los genes de las células musculares.

Fortalezca los huesos. Las mujeres pueden perder entre uno y dos por ciento de masa ósea cada año después de la menopausia, pero el entrenamiento de fuerza puede hacer que sus huesos se vuelvan más densos y fuertes. También se ha observado que en las mujeres de entre 50 y 70 años, el desarrollo de músculo reduce el riesgo de fracturas.

- No se deje intimidar por las pesas. Usted no necesita ser un atleta musculoso para aprovechar los beneficios de levantar pesas. Empiece con pesas ligeras, de solo una o dos libras, o ejercítese sin ellas, dependiendo de su estado físico. Trate de levantar y bajar el peso ocho veces seguidas. Si no puede hacerlo, significa que es demasiado peso para usted. Levantar pesas que son demasiado pesadas, puede acabar lesionando los músculos, no fortaleciéndolos.

- Agregue más peso gradualmente. Usted necesita desafiar a los músculos para obtener el máximo provecho de este ejercicio. Poco a poco, incremente el número de veces que levanta las pesas (las repeticiones) y el número de repeticiones seguidas que puede hacer (la serie). Una vez que sienta que le es fácil hacer dos series de 10 a 15 repeticiones cada una, cambie la carga a una que solo pueda levantar ocho veces seguidas.

- Controle sus movimientos para lograr el máximo beneficio. Levante la pesa lentamente mientras exhala, y bájela aún más despacio mientras inhala. Bajar la pesa debe tomarle casi dos veces más que levantarla. Los movimientos deben ser suaves y continuos, no bruscos.

- Evite ejercitar los mismos músculos dos días consecutivos. Fortalezca la parte superior del cuerpo los días lunes, miércoles y viernes, y la parte inferior del cuerpo los días martes, jueves y sábado.

Autodefensa en los restaurantes

Un nuevo estudio revela que la comida de restaurante contiene, en promedio, casi 20 por ciento más calorías que las declaradas en la carta del restaurante. Algunas comidas contienen hasta el doble de calorías.

Parte del problema son las porciones demasiado grandes. Raciones más grandes significan más calorías. Es más, la información nutricional tal vez solo se refiera al plato principal, sin incluir las guarniciones. En cinco restaurantes, estas contenían más calorías que el plato principal, duplicando el contenido calórico de la comida.

Si usted desea bajar de peso su mejor opción es salir a comer con menos frecuencia. Y cuando lo haga, es mejor asumir que lo que va a comer contiene más calorías que las indicadas en el menú.

Maneras inteligentes de prevenir lesiones

Elegir el calzado adecuado es muy importante. Si tiene pensado hacer cierto tipo de actividad con frecuencia, como caminar o jugar tenis, entonces compre calzado diseñado específicamente para esa actividad. Independientemente del tipo de zapato que usted compre, busque un par que tenga:

- Suelas planas y antideslizantes.

- Un buen soporte para el talón.

- Suficiente espacio para los dedos del pie.

- Un arco acolchado, que no sea ni muy alto ni muy grueso.

- Cierres de velcro, si usted tiene problemas para atar cordones.

Pruébese varios pares. El par perfecto debe sentirse cómodo y le debe quedar bien desde el principio. Es especialmente importante que los zapatos no le ajusten si usted sufre de diabetes o de artritis. Reemplace sus zapatos cuando:

- Las suelas están desgastadas.

- Después de usar los zapatos siente los pies cansados, sobre todo en los arcos.

- Después de una actividad siente dolor en las caderas, las rodillas o las espinillas.

Muchas personas sufren de dolores en los pies, por lo que llevan una vida aislada y sedentaria. Los expertos aseguran que con unas cuantas soluciones fáciles se puede convertir un par de zapatos en aliados contra el dolor. En una tienda especializada en calzado ortopédico usted puede encontrar plantillas hechas a medida o aparatos ortopédicos para aliviar los problemas causados por arcos muy pronunciados, juanetes o artritis. Las alzas para elevar el talón pueden ayudar con el dolor de cadera, mientras que las taloneras amortiguadoras pueden ayudar con el dolor de pies, el dolor de talón y la fascitis plantar.

Póngase en forma sentado en una silla

Usted puede desarrollar músculo y quemar grasa en casi cualquier lugar, incluso sentado en una silla. Una buena noticia para las personas en silla de ruedas o que simplemente no pueden caminar muy lejos.

Primero hable con su médico para asegurarse de que es seguro para usted hacer ejercicio y si hay algún movimiento que no deba hacer. Una vez que obtenga el visto bueno, practique estos cinco ejercicios sencillos. Hágalo gradualmente hasta que pueda hacer dos series de cada ejercicio, de 10 a 15 repeticiones cada serie.

Levantamiento lateral de brazos. Este ejercicio fortalece los hombros, para que le sea más fácil levantar una bolsa llena de comestibles, por ejemplo. Siéntese en una silla sin reposabrazos, con los pies apoyados en el piso y alineados con los hombros. Coloque los brazos a los lados, sosteniendo pesas o mancuernas ligeros si desea, e inhale. Exhale mientras levanta los brazos lentamente a los lados, hasta que las manos estén a la altura de los hombros. Inhale nuevamente mientras baja los brazos lentamente.

Remo sentado. Para este ejercicio, usted necesitará una banda larga de resistencia, parecida a una liga o banda elástica gigante. Este ejercicio fortalece la parte superior de la espalda, los hombros y el cuello, para que le sea más fácil realizar tareas domésticas, como pasar la aspiradora o rastrillar las hojas del jardín.

Siéntese en una silla sin reposabrazos, con los pies apoyados en el piso y alineados con los hombros. Coloque el centro de la banda de resistencia debajo de sus pies y sostenga los extremos con las manos. Gire las palmas hacia adentro e inhale. Exhale mientras jala la banda lentamente hacia arriba y hacia atrás hasta tener las manos a la altura de las caderas. Sostenga esta posición durante un segundo y luego baje lentamente las manos.

Zambullida en una silla. Solo se necesita una silla con reposabrazos. Este ejercicio fortalece los músculos de los brazos, para ayudarle a levantarse de una silla.

Siéntese con los pies apoyados en el piso y alineados con los hombros. Inclínese ligeramente hacia adelante, pero mantenga la espalda y los hombros rectos, sin encorvarse. Inhale mientras agarra los reposabrazos de la silla a cada lado. Exhale y lentamente empuje y levante su cuerpo de la silla, con la ayuda de los brazos. No se pare del todo. Mantenga esta posición durante un segundo y lentamente vuelva a sentarse.

Enderezamiento de piernas. Este movimiento puede parecerle demasiado sencillo, pero es muy bueno para fortalecer los músculos de los muslos y aliviar la artritis de rodilla.

Siéntese con la espalda contra el respaldo de la silla. Solo las puntas y los dedos de los pies deben tocar el piso. Coloque una toalla enrollada debajo de uno de los muslos, al borde de la silla e inhale. Mientras exhala, lentamente levante y extienda esa pierna, lo más recta posible, pero sin bloquear la rodilla. Flexione el pie apuntando los dedos del pie hacia el techo. Lentamente baje la pierna a la posición original. Repita con la otra pierna. Cuando sienta que el ejercicio le es muy fácil, añada pesas en los tobillos para seguir desarrollando músculo.

Giro de espalda. Las cosas más sencillas se vuelven difíciles con la edad, como girar el cuerpo para hacer un tiro de golf o para mirar hacia atrás al conducir en reversa. Este ejercicio le ayudará. Consulte antes con su médico si usted ha tenido cirugía de cadera o de espalda.

Siéntese en el borde de una silla con reposabrazos, lo más erguido posible. Asegúrese de que sus pies están apoyados en el piso y alineados con los hombros. Gire el torso lentamente hacia la izquierda. Las caderas deben seguir hacia delante y no deben girar.

Gire la cabeza hacia la izquierda. Coloque la mano izquierda sobre el reposabrazos izquierdo y la mano derecha sobre el muslo izquierdo. Suavemente gire lo más que pueda a la izquierda, sin lastimarse. Sostenga esa posición durante 10 a 30 segundos. Repita hacia la derecha. Haga este ejercicio por lo menos cuatro veces hacia cada lado.

Estimulante de **ENERGÍA**

Los videojuegos adecuados le pueden ayudar a bajar de peso, no a subirlo. La nueva generación de juegos, como los Wii de Nintendo, han sido concebidos para que los jugadores se levanten y se muevan.

Usted puede jugar golf, tenis o a los bolos sin salir de casa. Son una manera divertida de cargarse de energía y quemar calorías al mismo tiempo. Los investigadores encontraron que las personas que se entretuvieron con un juego de boxeo de Wii, quemaron 148 calorías más por hora que las que permanecieron sentadas viendo televisión o las que optaron por videojuegos más tradicionales.

En suma, separar una hora al día para un juego de Wii, ya sea solo o con un compañero, puede ser una manera muy entretenida de acelerar la pérdida de peso.

Suplementos para un vientre plano

Estos nutrientes ayudan al cuerpo a quemar más grasa y a desarrollar el músculo que necesita:

CLA. El ácido linoleico conjugado (CLA, en inglés) le ayuda a activar el metabolismo, a derretir la grasa corporal y a evitar que la vuelva a acumular. Los expertos creen que esto ocurre porque el CLA ayuda al cuerpo a frenar la acumulación del exceso de calorías en forma de grasa y lo obliga a quemar más grasa como combustible. Cualquiera que sea la razón, las investigaciones parecen indicar que este suplemento podría ayudar a que las personas bajen casi una libra de grasa por cada cuatro semanas que toman CLA. Lamentablemente, el efecto parece desaparecer después de seis meses.

Algunas formulaciones de CLA pueden ser más seguras y más eficaces que otras. Busque un producto con una combinación de los isómeros cis-9, trans-11 y trans-10. Esta información no aparecerá en todas las etiquetas, pero estas sí deben indicar la cantidad de CLA que contienen. Revise la lista de ingredientes incluida en los Datos del Suplemento (*Suplement Facts*, en inglés), para asegurarse de que contiene al menos un 75 por ciento de CLA.

Arginina. El cuerpo necesita este aminoácido para producir óxido nítrico (ON) y otros compuestos importantes. Tanto la arginina como el ON ayudan a quemar grasa y a detener su almacenamiento. Los expertos creen que la arginina afecta la forma en que el cuerpo utiliza la energía, dedicando más al desarrollo de músculo y almacenando menos en forma de grasa. En un estudio, las ratas a las que se les dio arginina tenían menos grasa abdominal, pero más músculo, así como más grasa "buena" marrón, el tipo de grasa que realmente quema calorías.

L-carnitina. Este nutriente es necesario para generar energía y convertirla en una forma que el cuerpo pueda aprovechar. Las personas con problemas metabólicos, como la diabetes y la obesidad, son las que más parecen necesitarla. La deficiencia de carnitina puede causar la descomposición de las mitocondrias, esas diminutas centrales energéticas en las células.

Tomar suplementos de carnitina durante ocho semanas revirtió estos problemas mitocondriales en animales. Y en pruebas realizadas con humanos, 66 adultos mayores de 100 años lograron desarrollar más músculo, sintieron más energía física y mental, perdieron más grasa, tuvieron mejores resultados en las pruebas de razonamiento y mostraron mayor capacidad para caminar después de tomar 2 gramos de L-carnitina, una vez al día durante seis meses.

Resveratrol. Este compuesto natural que se encuentra en las uvas y el vino tinto puede ayudar a tratar la obesidad. En estudios de laboratorio, el resveratrol detuvo la multiplicación de las células grasas, frenó el crecimiento de las células grasas jóvenes e incluso provocó la muerte de estas células. Se obtiene en forma natural de los alimentos o en forma de suplementos. De cualquier manera, combínelo con otro compuesto de origen vegetal, la quercetina, para aprovechar al máximo su poder antigrasa. Algunos productos, como *Resvinatrol Complete*, ya combinan estos dos compuestos en un solo suplemento.

Las pastillas para adelgazar

Es tentador recurrir a una píldora milagrosa que promete derretir el peso que le sobra, pero tenga cuidado. La Administración de Alimentos y Fármacos (FDA, en inglés) retiró recientemente 72 productos para perder peso que contenían fármacos no declarados, a veces en dosis superiores al límite máximo de seguridad.

Incluso los llamados ingredientes "naturales" pueden ser un peligro para su salud. Las productos para adelgazar como *Fen-Phen* o *Ephedra* fueron prohibidos por causar serios problemas de salud, desde derrames cerebrales y ataques al corazón hasta arritmia y convulsiones.

Tenga cuidado con los productos para adelgazar que hacen promesas extravagantes. Si algo parece demasiado bueno para ser verdad, probablemente es un engaño. Hable con su médico sobre la forma más segura para usted de perder peso.

Mantenga niveles seguros y estables de azúcar en la sangre y disfrute de energía sin fin

Siete signos ocultos de la diabetes

Una de cada cuatro personas tiene prediabetes, pero solo el 4 por ciento de ellas lo sabe. Para el 96 por ciento restante, la diabetes aparece sigilosamente, como un asesino silencioso. No se deje sorprender. Esté atento a estos siete signos de la diabetes:

Encías enrojecidas, sensibles e inflamadas. Nueve de cada 10 personas con enfermedad de las encías tienen un alto riesgo de padecer diabetes, comparado con solo seis de cada 10 personas sin este problema. Cepíllese los dientes todos los días, vaya al dentista regularmente para una limpieza profesional y hágase una prueba para diabetes si tiene enfermedad de las encías.

Presión arterial alta. Las mujeres con presión arterial alta tenían más del doble de probabilidades de desarrollar diabetes en 10 años que las que tenían la presión arterial normal. Incluso aquellas con una presión arterial normal, pero ligeramente alta, enfrentaban un riesgo mayor, al igual que las mujeres cuya presión arterial había ido aumentando poco a poco con los años. No espere. Si usted tiene la presión arterial ya sea alta o alta dentro del rango normal, hable con un médico acerca de las pruebas para diabetes. Conozca las maneras efectivas de bajar la presión arterial en el capítulo *Remedios naturales que animan el corazón*, en la página 117.

Problemas digestivos. Las personas con diabetes son más propensas a sufrir problemas del tracto gastrointestinal superior, como acidez estomacal, reflujo ácido y dolor de pecho no causado por un mal cardíaco. La indigestión también puede ser un signo sutil. Si usted tiene hinchazón, llenura incómoda, náuseas, vómitos o dolor como de úlceras que le despierta por la noche, pero que desaparece en cuanto come algo, consulte con un médico sobre las pruebas para diabetes.

Sed. Cuando se tiene diabetes, el azúcar se acumula en la sangre y eventualmente pasa a la orina. Los riñones excretan más agua para diluirla, lo que aumenta el volumen de orina. Esto, a su vez, provoca una necesidad más frecuente de ir al baño y una sed extrema. Las calorías son expulsadas junto con la orina adicional, lo que lleva a la pérdida de peso y a una sensación de hambre inusual. Estos síntomas pueden aparecer lentamente, por lo que se aconseja estar atento.

Confusión y fatiga mental. En las personas con diabetes, las situaciones estresantes como las producidas por una infección grave, un derrame cerebral o un ataque al corazón, pueden hacer que se dispare el azúcar en la sangre. Niveles excesivamente altos de azúcar pueden causar un trastorno conocido como síndrome hiperosmolar no cetósico, que es cuando el exceso de azúcar y sodio en la sangre hace que las células pierdan agua. Esta afección se caracteriza por confusión, somnolencia, boca seca, piel seca y caliente, hambre, náuseas y vómitos. Si observa estos síntomas llame de inmediato a su médico o a una ambulancia.

Heridas que tardan en sanar. Un nivel alto de azúcar en la sangre impide que el sistema inmunitario combata las infecciones tal como debería hacerlo, por lo que cualquier infección que usted tenga tiende a complicarse. Con el tiempo, los niveles altos de azúcar en la sangre también estrechan los vasos sanguíneos, reduciendo el flujo de sangre. Esta mala circulación impide que las heridas cicatricen bien.

Esté atento a las heridas que no sanan o a infecciones más frecuentes de lo normal. Las mujeres, en particular, pueden desarrollar más infecciones de la vejiga e infecciones vaginales.

Entumecimiento, hormigueo o ardor. Estas sensaciones en manos y pies pueden indicar daño en los nervios causado por la diabetes. De hecho, para algunas personas esos son los primeros signos visibles de esta enfermedad. Los niveles altos de azúcar en la sangre y la mala circulación pueden, a la larga, dañar los nervios de las extremidades y causar lo que se conoce como neuropatía diabética. Tome estos síntomas en serio y visite a su médico. Nunca es demasiado tarde para empezar a tratar la diabetes.

SOLUCIÓNsencilla

Si bien la diabetes no tiene cura, se considera que algunos de los riesgos más graves para la salud pueden ser reducidos drásticamente cuando las personas reciben un diagnóstico temprano de esta afección y luego mantienen sus niveles de azúcar en la sangre bajo control.

Las dos cosas más importantes que usted puede hacer para reducir el riesgo de recibir un diagnóstico de diabetes tipo 2 es el control del aumento de peso y la práctica regular de ejercicios. Seguir una dieta de moda no le ayudará a reducir su nivel de riesgo. De otro lado, usted sí podrá disminuir este riesgo considerablemente si adelgaza lentamente con una dieta baja en grasas y azúcar y si, además, hace ejercicios aeróbicos o con pesas. La pérdida de tan solo un 5 por ciento del peso corporal puede reducir en hasta un 80 por ciento el riesgo de desarrollar diabetes.

Las cinco mejores maneras de prevenir la diabetes tipo 2

Para combatir la diabetes, el mejor ataque es una buena defensa. Estos cinco consejos pueden evitarle los costosos medicamentos e inyecciones de insulina, y permitirle gozar de una vida más larga y saludable.

Pierda peso. La obesidad es un importante factor de riesgo para el desarrollo de la diabetes tipo 2. Sin embargo, no es necesario adelgazar mucho para reducir ese riesgo. Perder únicamente entre 5 y 10 por ciento del peso —entre 10 y 20 libras para una persona que pesa 200 libras— ayuda a reducir los niveles de azúcar en la sangre. Según un estudio publicado en la prestigiosa revista *Lancet*, las personas reducen su riesgo de sufrir diabetes en un increíble 16 por ciento por cada 2.2 libras que pierden. Eso significa que si una persona pierde 10 libras estaría reduciendo este riesgo en un 73 por ciento.

Duerma más. Dormir muy poco puede disminuir los niveles de leptina, la hormona que le hace sentir lleno, y elevar los niveles de grelina, la hormona del hambre, la mejor receta para aumentar de peso. Además de eso, la falta de sueño, especialmente de sueño profundo, puede alterar los niveles de insulina y de azúcar en la sangre.

No se quede despierto hasta tarde viendo televisión y hable con su médico si cree que tiene apnea del sueño, que es un trastorno del sueño potencialmente mortal. Vea el capítulo *Un sueño más profundo da nueva vida a sus días*, en la página 203, para más consejos sobre cómo disfrutar de una buena noche de descanso.

Manténgase activo. Un poco de actividad ayuda a combatir la diabetes. Caminar el equivalente de 30 o 45 minutos al día, cinco días a la semana, hizo que los animales obesos observados en un estudio no desarrollaran diabetes, incluidos los que recibieron una dieta alta en grasas.

La grasa abdominal produce compuestos que causan inflamación, aumentando el riesgo de cardiopatías y diabetes. En el estudio, un poco de ejercicio bastó para aliviar la inflamación, mejorar la sensibilidad a la insulina y reducir la acumulación de grasa en el hígado, todo sin hacer un solo cambio en la dieta. "Incluso las personas que tienen problemas para hacer dieta, pueden reducir la probabilidad de sufrir una enfermedad inflamatoria asociada a la obesidad, como la diabetes tipo 2, añadiendo una cantidad modesta de ejercicio físico a su vida", dice Jeffrey Woods, profesor de la Universidad de Illinois y autor del estudio.

Cuide sus dientes. Cepillarse los dientes podría ayudar a prevenir la diabetes. Según un estudio es dos veces más probable que las mujeres que rara vez se cepillan los dientes tengan diabetes comparadas con aquellas que se cepillan después de cada comida. Los hombres que no se cepillan los dientes también corren un riesgo mayor. Las personas con encías inflamadas tienen más compuestos inflamatorios en el resto del cuerpo, y esa inflamación contribuye al desarrollo de la diabetes, la presión arterial alta y las enfermedades cardíacas.

Deje de fumar. Un estudio realizado en Alemania encontró que los adultos mayores que fumaban eran casi tres veces más propensos a desarrollar diabetes que los que nunca habían fumado. El resultado fue peor para los fumadores con prediabetes, que mostraron ser ocho veces más propensos a padecer la enfermedad en su estado más avanzado.

El humo de segunda mano también es dañino. Aumentó el riesgo de diabetes en 2.5 veces en personas que nunca habían fumado y en 4.4 veces en los no fumadores que ya tenían prediabetes.

Pregunta & Respuesta

¿Cuál es la diferencia entre diabetes y prediabetes?

En la prediabetes el nivel de azúcar en la sangre es mayor de lo normal, pero no lo suficientemente alto como para ser considerado diabetes. La mayoría de personas con prediabetes desarrollan diabetes tipo 2 en un plazo de 10 años si no cambian su estilo de vida.

Puntos de corte para el diagnóstico de diabetes (en miligramos por decilitro)

	Prueba de glucemia en ayunas	Prueba de tolerancia a la glucosa
Prediabetes	Entre 100 y 125 mg/dL	Entre 140 y 199 mg/dL
Diabetes	Más de 125 mg/dL	Más de 199 mg/dL

Tenga en cuenta que incluso si los resultados del laboratorio indican prediabetes, su médico puede no llamarla así y más bien decirle que usted presenta una "alteración de la glucosa en ayunas" o una "alteración de la tolerancia a la glucosa". Estos son otros términos utilizados por los médicos para referirse a la prediabetes.

Supere la diabetes con estos superhéroes

Estos alimentos y bebidas tienen un historial probado en la lucha contra la diabetes:

Vaya por verduras de hoja verde. El brócoli, los repollitos de Bruselas, la col rizada, la berza, las espinacas y otras verduras de hoja verde están repletos de vitamina K. En un estudio se observó que las personas que obtuvieron más vitamina K, ya sea de los alimentos o los suplementos, fueron más sensibles a la acción de la insulina y tenían un mejor equilibrio en los niveles de azúcar en la sangre. En otro estudio, tomar vitamina K en pequeñas cantidades cada día durante tres años redujo la progresión de la resistencia a la insulina en los hombres mayores.

La vitamina K ayuda a desarrollar la proteína ósea llamada osteocalcina. Se cree que esta misma proteína estimula la secreción de insulina por las células del páncreas. La vitamina K también aplasta la inflamación, lo que puede mejorar la sensibilidad a la insulina y los niveles de azúcar en la sangre. La cantidad de vitamina K que recibieron los participantes del segundo estudio —500 microgramos— es fácil de obtener de los alimentos. Solo una taza de espinacas hervidas proporciona el doble de esa cantidad.

Dese tiempo para el té y el café. Una importante revisión de 18 estudios, en los que participaron más de 450,000 personas, encontró que cada taza de café que se consume al día reduce el riesgo de sufrir diabetes en un 7 por ciento. Puede que no parezca mucho, pero el beneficio se acumula rápidamente. El té y el café descafeinado ofrecen una protección similar. Beber diariamente tres o cuatro tazas de té, disminuyó el riesgo de sufrir diabetes en un quinto, mientras que la misma cantidad de café descafeinado lo redujo en un tercio.

La cafeína parece no importar, pero sí la hora del día en que bebe el café. En otro estudio se observó que el café solo ofrecía protección si se consumía durante el almuerzo. El café con leche no parecía ofrecer beneficio alguno. Es importante recordar que el café con cafeína ha sido asociado con pérdida ósea en las mujeres de edad avanzada, así como con niveles más altos de homocisteína, colesterol y presión arterial.

No se olvide de los lácteos. Su valiosa combinación de vitamina D con calcio y magnesio podría reducir drásticamente el riesgo de diabetes:

- La deficiencia de magnesio se asocia a niveles elevados de insulina, intolerancia a la glucosa y resistencia a la insulina, todos factores de riesgo de la diabetes tipo 2. Obtener más de este mineral puede ser beneficioso, pero solo si proviene de fuentes animales, no de fuentes vegetales.

- Las células necesitan calcio para utilizar la insulina. En un estudio, las mujeres que obtuvieron la mayor cantidad diaria de calcio redujeron su riesgo de diabetes en una cuarta parte.

- Las personas con los niveles más bajos de vitamina D en la sangre parecen más propensas a tener resistencia a la insulina. Las mujeres que durante seis meses tomaron 4,000 UI diarias de vitamina D, el doble de lo que los Institutos Nacionales de la Salud señalan como seguro, lograron mejorar su sensibilidad a la insulina y reducir sus valores de insulina en ayunas.

La mayoría de las personas, especialmente los ancianos, no consumen suficiente calcio y vitamina D cada día. Enriquezca su dieta con buenas fuentes de estos nutrientes, como los productos lácteos bajos en grasa, y pregunte a su médico si usted debe tomar suplementos.

Disfrute el lichi. Es una fruta exótica que crece mayormente en China, pero que ahora también se encuentra en Florida, California y Hawai. El lichi (*lychee*, en inglés) es rico en antioxidantes que pueden frenar los problemas metabólicos. En un estudio pequeño se observó que quienes tomaban suplementos de lichi lograban reducir su circunferencia abdominal y mejorar su resistencia a la insulina.

El interior del lichi es parecido a una uva, solo que proporciona un golpe antioxidante mucho mayor. Para los científicos franceses esta fruta ocupa el segundo lugar, detrás de las fresas, en cuanto a la cantidad de polifenoles que contiene, superando a las uvas, las cerezas, los albaricoques y los higos. Los expertos dicen que estos antioxidantes silencian los genes implicados en la resistencia a la insulina y apaciguan la inflamación asociada a problemas metabólicos.

Disfrútelos frescos, o bien pele los lichis, deshuéselos y rellénelos con requesón (*queso cottage*) o pecanas. Córtelos por la mitad y colóquelos encima del jamón al horno durante la última hora de cocción. Incluso los puede comer secos. Evite la fruta envasada en almíbar azucarado.

Los cinco alimentos que se deben evitar

Uno es lo que come y hay alimentos que presentan un mayor riesgo de causar diabetes que otros. La buena noticia es que son fáciles de evitar, para así reducir las probabilidades de contraer esta enfermedad.

Dígale NO al *cheesecake*. La grasa saturada que contiene lleva al sistema inmunitario a ponerse en pie de lucha. Las células inmunitarias ven a estas grasas como invasores extranjeros y reaccionan formando compuestos que causan la inflamación relacionada con la diabetes.

Los ratones que fueron sometidos a una dieta alta en grasas desarrollaron intolerancia a la glucosa y resistencia a la insulina, ambos precursores de la diabetes. Los ratones cuyas células inmunes ignoraron la grasa, sin embargo, tuvieron menos inflamación y ningún problema de azúcar en la sangre después de comer alimentos grasos. A partir de esta observación, los científicos buscan desarrollar nuevas terapias para combatir la diabetes.

Olvídese de las papas fritas. Comer papas fritas aumenta el riesgo de diabetes tipo 2 y de resistencia a la insulina. Los expertos creen que esto se debe principalmente a las grasas trans, que también parecen promover la formación de compuestos inflamatorios en el cuerpo.

El Estudio de Salud de Enfermeras mostró que cuanta más grasas trans se consumían, mayor era la probabilidad de desarrollar diabetes. Estudios en animales han demostrado que las grasas trans pueden provocar resistencia a la insulina y afectar la manera natural en la que el cuerpo controla los niveles de azúcar en la sangre.

Aléjese del pan blanco. Varios estudios coinciden en que consumir alimentos elaborados con granos refinados, como el pan blanco, incrementa la resistencia a la insulina y altera el control de los niveles de azúcar en la sangre. Un estudio encontró que los niveles de azúcar en la sangre en ayunas fueron más altos en los adultos mayores que consumieron más granos refinados.

Los carbohidratos que se digieren fácilmente y se absorben rápidamente en el torrente sanguíneo, como los granos refinados, pueden llevar a un incremento mayor en la insulina después de comer. Opte por las versiones integrales de sus carbohidratos favoritos. Busque:

- Los productos etiquetados como "100 por ciento integral" (*100-percent whole grain*, en inglés).

- Trigo integral (*whole wheat*), centeno integral (*whole rye*), avena (*oatmeal*), cebada (*barley*), grano entero de trigo (*wheat berries*) o arroz integral (*brown rice*), como el primer ingrediente mencionado en la lista de ingredientes.

- Panes integrales con al menos 2 gramos de fibra por porción.

Sáltese las bebidas de fruta. Pueden estar repletas de fructosa añadida. Este tipo de azúcar tiene un índice glucémico bajo, por lo que alguna vez se creyó que era seguro para las personas con diabetes. En los animales, el consumo regular de grandes cantidades de fructosa lleva a la resistencia a la insulina, la obesidad, la diabetes tipo 2 y la hipertensión arterial. En los humanos ocurre algo similar. En un estudio, las personas con sobrepeso aumentaron más grasa abdominal después de consumir bebidas endulzadas con fructosa que con glucosa, otro tipo de azúcar. La fructosa también aumentó su nivel de azúcar en la sangre en ayunas y las volvió menos sensibles a la acción de la insulina.

Las bebidas de fruta, las gaseosas o bebidas sin alcohol, los productos horneados, los condimentos, los jarabes y los caramelos son las principales fuentes de fructosa añadida. Revise la lista de sus ingredientes y evite los productos que contengan este tipo de azúcar.

Deje pasar el *pepperoni*. Usted probablemente ha escuchado decir que la carne roja es mala para su salud, pero el verdadero peligro puede venir de las carnes procesadas, como las salchichas, el tocino, las carnes frías o el *pepperoni,* o de cualquier carne ahumada, salada, curada o que contenga conservantes químicos.

Investigadores de Harvard descubrieron que consumir carne procesada, no así carne roja no procesada, incrementaba el riesgo de diabetes en un 19 por ciento y de enfermedades del corazón en un 42 por ciento. Investigadores finlandeses observaron resultados similares en un estudio de seguimiento de 12 años: el consumo de carnes procesadas elevó el riesgo de diabetes tipo 2 en un 37 por ciento entre los participantes del estudio. Las carnes rojas y las aves de corral no lo hicieron.

Ponga freno a la prediabetes

Evite que la prediabetes se convierta en diabetes tipo 2 siguiendo estos consejos salvavidas:

Baje de peso. No es necesario perder mucho peso. Para evitar que la prediabetes se convierta en diabetes tipo 2, una persona de 200 libras (90.7 kilos) solo necesita bajar entre 10 y 15 libras (entre 4.5 y 6.8 kilos). Así lo demostró el importante Programa de Prevención de Diabetes (DPP, en inglés), estableciendo una serie de objetivos para los participantes con prediabetes: bajar de peso, consumir menos grasa y ser más activos. Los participantes solo llegaron a adelgazar un promedio de 12 libras (5.4 kilos), pero eso probó ser suficiente para reducir su riesgo de diabetes en más de la mitad.

Póngase en movimiento. La mejor manera de perder peso y de no volver a recuperarlo es hacer ejercicio, además de hacer dieta. La actividad física reduce el riesgo de desarrollar diabetes, enfermedades del corazón y algunos tipos de cáncer.

- Lento y sencillo al inicio. Empiece haciendo algo que disfrute y que implique movimiento tres o cuatro días a la semana: pasear por el barrio, ir de compras o jugar a la pelota con los nietos.

- Fije objetivos en la segunda semana. Intente hacer un total de 60 minutos de actividad física, como caminar a paso ligero. De ser necesario, usted puede dividirlo en partes y, por ejemplo, hacer caminatas de 10 minutos seis días a la semana.

- Aumente la intensidad. Trate de hacer un total de 90 minutos en la tercera semana. Añada unos minutos más cada semana hasta llegar a un total de dos horas y media de actividad física en el transcurso de siete días.

Lleve un diario. Los investigadores del DPP creen que este es un elemento decisivo para modificar sus hábitos. Lleve un registro de las cantidades de todo lo que come y bebe durante el día. Esto le permitirá observar cómo van cambiando sus hábitos de alimentación. Haga lo mismo con las actividades físicas que realice.

- Sea honesto y anote realmente todo lo que come.

- Sea preciso. Cuente las rebanadas de queso y no olvide mencionar la mayonesa del sándwich.

- Hágalo de inmediato. Apunte lo que come tan pronto lo haga, para evitar los olvidos.

- Lleve un registro de cualquier actividad que haga y de su duración. No cuente los descansos.

- Calcule las distancias de ser posible, por ejemplo cuando camina.

- Solo anote las actividades que realiza por lo menos durante 10 minutos. Menos no cuenta.

Reduzca la grasa. En lugar de reducir el consumo de calorías, a los participantes del DPP se les pidió que limitaran su ingesta de grasas. El exceso de grasa está asociado a niveles altos de colesterol, ataques al corazón y diabetes. Además, reducir el consumo de grasa en la dieta puede ser tan eficaz como contar calorías.

La grasa contiene más calorías que los carbohidratos o las proteínas, por lo que reducir su consumo aunque sea mínimamente tiene grandes repercusiones. Usted podría perder entre 1 y 2 libras a la semana con fijarse en que solo el 25 por ciento de sus calorías diarias provengan de la grasa. Las mujeres que mantuvieron su consumo de calorías grasas en menos del 20 por ciento del total, lograron bajar 7 libras en un año sin esforzarse.

Aprenda a controlar el estrés. Muchas personas recurren a los alimentos o se vuelven menos activas y se retraen cuando están bajo estrés. Desarrollar otras formas de hacerle frente al estrés puede ayudar a superar estos comportamientos autodestructivos. En el Programa de Prevención de Diabetes (DPP, en inglés), los participantes aprendieron a combatir el estrés con estas estrategias:

- Aprenda a decir no.

- Permita que otros le ayuden con la carga de las tareas domésticas, el trabajo en el jardín, el lavado de la ropa y las diligencias.

- Fíjese metas realistas a la hora de bajar de peso, en lugar de buscar la perfección.

- Rodéese de amigos y de personas que lo apoyen en sus metas de salud.

- Inicie nuevos hábitos para los ataques de estrés, como ir a dar un paseo en vez de picar comida.

- Tómese pausas de 10 minutos para hacer algo, que no sea comer, que le haga sentir bien, como un masaje de pies, un baño caliente o leer un libro o una revista.

- Inhale profundamente contando hasta cinco y exhale lentamente, relajando los músculos.

Elimine los pensamientos negativos. La mente puede ser su mayor enemigo. Los pensamientos negativos golpean doblemente: pueden hacer que a usted ya nada le importe y acabe abandonando el programa, y luego hacer que usted se sienta peor por haber dejado el programa. Los participantes del DPP aprendieron estos tres pasos para acabar con estos diablillos mentales.

- Reconozca cuando le está viniendo un pensamiento negativo.

- Imagine que usted le grita "Alto" a ese pensamiento negativo y visualice una enorme señal roja de alto.

- Hable consigo mismo acerca de un pensamiento positivo.

El camino para vencer a la diabetes no es fácil, pero no lo posponga. Tome el control de su salud para disfrutar de una vida más larga.

Seis alimentos que combaten la diabetes

¿Se siente siempre cansado? Los desequilibrios en los niveles de azúcar en la sangre pueden ser la razón. Por suerte, estos seis alimentos "antifatiga" pueden proporcionarle más energía y, a la vez, ofrecerle protección contra la diabetes.

Vinagre. La ciencia ha demostrado que el vinagre mejora la sensibilidad a la insulina, pero ahora los expertos afirman que también puede compensar los picos de azúcar en la sangre después de las comidas.

A diez hombres con diabetes tipo 1 se les dio ya sea una mezcla de agua con vinagre o agua pura cinco minutos antes de una comida con alto contenido de carbohidratos. En los hombres que bebieron la mezcla de vinagre el aumento de los niveles de azúcar en la sangre se redujo en casi un 20 por ciento, en comparación con los que bebieron el agua. Los investigadores dicen que apenas 2 cucharadas de vinagre con las comidas ayuda a compensar los picos y mejorar los niveles de azúcar en la sangre.

El jugo de limón tiene un efecto parecido. Usted puede disminuir su nivel de azúcar en la sangre añadiendo jugo de limón a sus alimentos. El ácido en el vinagre y en el jugo de limón hace más lenta la digestión, por lo que el cuerpo absorbe más lentamente el azúcar de los alimentos.

Champiñones. Sorprendentemente, los pequeños champiñones blancos o de botón están repletos de nutrientes que ayudan a combatir la diabetes y las enfermedades del corazón. Contienen fibra, además de las vitaminas C, D, B12 y folato, y unos poderosos antioxidantes llamados polifenoles.

Los animales con diabetes que comieron estos champiñones blancos redujeron drásticamente sus niveles de azúcar en la sangre y de triglicéridos. Y los animales con colesterol alto, también redujeron su colesterol total y su colesterol "malo" LDL, a la vez que mejoraron sus niveles de colesterol "bueno" HDL.

Soya. Los suplementos de soya pueden no ofrecerle protección contra la diabetes, pero sí los alimentos preparados con soya fermentada. La soya contiene proteínas y compuestos conocidos como isoflavonas, que pueden ayudar a controlar los niveles de azúcar en la sangre. Obtener estos compuestos de los suplementos no ayudó a los participantes de un estudio. Sin embargo, la fermentación de los frijoles de soya altera las isoflavonas, con efectos posiblemente beneficiosos. Las investigaciones indican que el consumo de alimentos con frijol de soya fermentado mejora la resistencia a la insulina y promueve la secreción de insulina, una combinación que podría hacer más lento el avance de la diabetes.

Semillas de cilantro. Un extracto hecho de estas semillas redujo los niveles de azúcar en la sangre de animales diabéticos y ayudó a que las pocas células beta que aún tenían en funcionamiento produjeran más insulina. Las semillas de cilantro tienen un sabor agradable. Utilícelas como base para preparar *curry* en polvo o para los adobos y los caldos. Ya que una vez molidas pierden su aroma rápidamente, compre las semillas enteras y muélalas en un molinillo de pimiento.

Té negro. El té verde suele recibir toda la atención, pero el té negro podría ser más eficaz en tratar los niveles altos de azúcar en la sangre. Es rico en compuestos que hacen lenta la digestión de almidones, lo que resulta en un incremento menor del nivel de azúcar en la sangre después de las comidas. También tiene mayor poder antioxidante para acabar con los dañinos radicales libres.

Nueces. Un puñado de nueces podría aplastar la diabetes. Cuesta creerlo, pero es cierto. Los diabéticos con sobrepeso que comieron una onza de nueces al día redujeron dramáticamente sus niveles de insulina en ayunas en los primeros tres meses.

Esto se debe a las grasas saludables conocidas como ácidos grasos poliinsaturados o PUFA, por sus siglas en inglés. Las grasas que usted ingiere terminan en el tejido muscular. Más PUFA en el músculo significa más receptores de insulina en las células musculares y mejor acción de la insulina en el cuerpo. Estas grasas también contribuyen a la salud cardíaca. Según otro estudio, comer dos onzas de nueces al día promovió la salud de los vasos sanguíneos en personas con diabetes.

Pregunta & Respuesta

¿Se puede curar la diabetes?

En algunos casos, sí. Un transplante de páncreas puede curar la diabetes tipo 1, pero usted tendrá que tomar medicamentos inmunosupresores por el resto de su vida. Sin embargo, si el transplante es exitoso, usted ya no padecerá la enfermedad.

La diabetes tipo 2 se puede controlar con dieta, ejercicios y medicamentos, pero la única "cura" hasta el momento parece ser la cirugía gástrica para algunas personas con obesidad mórbida. La pérdida de peso inducida por métodos quirúrgicos cura la diabetes en tres de cada cuatro personas según una revisión de estudios. Los niveles de glucemia e insulina mejoraron en los días posteriores a la cirugía, incluso antes de que empezara la pérdida de peso.

No todos son buenos candidatos para este tipo de procedimiento. Hable con su médico sobre cuál es la mejor opción para usted.

Cúrese usted mismo con alimentos integrales

No todos los panes son malos para su salud. Los panes elaborados con granos integrales en realidad mejoran su control sobre los niveles de azúcar en la sangre. La fibra que contienen ayuda al páncreas a secretar más insulina. Además, una dieta alta en fibra puede reducir los niveles de azúcar en la sangre y de colesterol de forma natural en personas con diabetes tipo 2. Estas son algunas opciones integrales:

Trigo blanco integral. Es blanco, pero no es refinado. El trigo blanco es la versión albina del trigo rojo, a partir del cual se obtienen la mayoría de las harinas. A diferencia de la harina blanca refinada, la harina integral de trigo blanco aun contiene las partes del grano ricas en nutrientes: el salvado, el germen y el endospermo. Además, tiene un sabor más suave que el trigo integral normal, por lo que es mejor para hornear.

King Arthur, Farmer Direct Foods y Hodgson Mill son tres empresas que venden harina integral de trigo blanco (*whole wheat pastry flour*, en inglés). Asimismo, una serie de alimentos listos para el consumo están elaborados con esta harina integral, como los panes de *Pepperidge Farm, Nature's Own, Cobblestone Mill* y *Wonder*; las galletas saladas *Dr. Kracker*; y el *Organic Bulgur Wheat* (trigo *bulgur* orgánico) de *Arrowhead Mills*.

Centeno blanco. En lugar de provocar un repentino aumento y caída de los niveles de azúcar en la sangre, el pan de centeno produce un aumento y caída gradual, lo que significa una menor demanda de insulina de las células agotadas del páncreas. La harina blanca de centeno también ofrece más fibra soluble que los panes de trigo integral.

En un estudio, el pan de centeno provocó una respuesta glucémica menor que otros panes y mejoró los niveles de insulina. La harina blanca de centeno funcionó incluso mejor que el salvado de centeno y que las harinas de trigo integral.

Masa fermentada. En las personas con sobrepeso, el pan de masa fermentada (pan agrio o *sourdough bread*, en inglés) provocó un aumento menor en los niveles de azúcar en la sangre que los panes integrales de trigo y de trigo y cebada. Es más, también parece que mejoró la sensibilidad a la insulina en un asombroso 25 por ciento.

La masa fermentada contiene ácidos naturales que hacen que la digestión sea más lenta que con otros panes. Estos mismos ácidos también pueden impedir que el intestino absorba una parte del almidón del pan.

Trigo sarraceno. Esta humilde harina podría ayudar a contener los niveles de azúcar en la sangre después de las comidas, gracias al compuesto D-quiro-inositol (DCI, en inglés). Comer galletas elaboradas con harina de trigo sarraceno redujo los niveles de azúcar en la sangre en personas con diabetes, mientras que en animales diabéticos el extracto de trigo sarraceno hizo que dichos niveles cayeran en un 20 por ciento.

Si a usted le gusta la pasta, pruebe los fideos japoneses de soba, hechos de trigo sarraceno. O prepare panqueques caseros utilizando harina de trigo sarraceno en lugar de harina blanca.

Receta natural para limpiar las arterias

La diabetes expone a quienes la padecen a un alto riesgo de sufrir una enfermedad del corazón o un ataque cardíaco. Pero no tema. Las investigaciones muestran que usted puede evitar (e incluso revertir) estas complicaciones, a menudo fatales.

En la ateroesclerosis, un depósito graso llamado placa se acumula al interior de las paredes arteriales, haciendo que estas se estrechen. Cuando esto ocurre con las arterias que proveen de sangre y oxígeno al corazón, se le conoce como enfermedad coronaria (CHD, en inglés) o enfermedad de las arterias coronarias o arteriopatía coronaria (CAD, en inglés). La CHD es una complicación común de la diabetes, que puede provocar ataques cardíacos, insuficiencia cardíaca, angina y muerte.

Es bastante serio, pero no es una sentencia de muerte. Los participantes de un estudio revirtieron la CHD con solo hacer estos cinco cambios básicos en sus vidas:

- Cámbiese a una dieta vegetariana muy baja en grasas, donde la grasa represente menos del 10 por ciento del total de las calorías diarias consumidas.

- Evite los azúcares simples y procure consumir carbohidratos complejos y alimentos no procesados.

- Capacítese y aprenda a controlar el estrés, con la meta de practicar el manejo del estrés durante una hora al día.

- Empiece a hacer más ejercicios aeróbicos, sobre todo caminar, durante un total de tres horas a la semana.

- Deje de fumar.

En las personas que no hicieron estos cambios en su estilo de vida, la CHD empeoró en los cinco años siguientes. Además, tuvieron el doble de problemas cardíacos, como ataques al corazón y muertes relacionadas con problemas cardíacos, así como la necesidad de angioplastia, cirugía de revascularización coronaria (cirugía de *bypass*) y hospitalización.

Las personas que sí hicieron los cambios redujeron sus niveles de colesterol LDL en un asombroso 40 por ciento en solo un año, perdieron 24 libras en el primer año y no volvieron a recuperar más de la mitad de ese peso en los cinco años siguientes. La edad y la gravedad de la enfermedad coronaria no fueron factores determinantes. Cumplir con el programa sí pareció importar. Los que lo hicieron mejoraron más.

Investigaciones posteriores demostraron que las personas con diabetes también se beneficiaron de estos cambios. Después de apenas tres meses, habían reducido considerablemente sus factores de riesgo de CHD, como el peso, la grasa corporal y el colesterol LDL. Además, se observaron mejoras significativas en su calidad de vida en general. Tres de cada cuatro personas con diabetes que cumplieron con el programa pudieron evitar cirugías relacionadas con la CHD durante al menos tres años.

Hable con el equipo médico que trata su diabetes acerca de cómo hacer estos cambios en su vida diaria. Ellos pueden ayudarle a elaborar un plan realista y brindarle el apoyo y el aliento que usted necesitará para cumplir con él.

Carbohidratos y el control de la diabetes

Muchas personas creen que no pueden consumir carbohidratos —azúcares y almidones— si tienen diabetes. No es cierto. La Asociación Estadounidense de Diabetes (ADA, en inglés), dice que los carbohidratos deben representar una gran parte del total de las calorías diarias del diabético. Los carbohidratos son una de las principales fuentes de la energía que el cuerpo necesita para funcionar, además de ser importantes fuentes de vitaminas, minerales, fibra y otros nutrientes.

La ADA recomienda que las personas con diabetes empiecen por anotar la cantidad de carbohidratos consumidos en cada comida. Este sistema le permite disfrutar de una amplia variedad de alimentos y es más fácil de seguir que los planes de intercambio. Contar carbohidratos también le permite controlar y mantener estables los niveles de glucosa e insulina, para así tener energía y poder bajar de peso.

Fíjese un objetivo. La cantidad de carbohidratos que una persona debe consumir depende de cuánta actividad física realiza, qué medicamentos toma y de su edad, peso y estatura, entre otros factores. La ADA sugiere empezar con una cantidad de entre 45 y 60 gramos (g) de carbohidratos en cada comida. Haga seguimiento de sus niveles de azúcar en la sangre y determine la cantidad de carbohidratos a consumir según la reacción de su cuerpo. Asegúrese de que por lo menos el 25 por ciento de esos gramos de carbohidratos provengan de la fibra.

Hable con su médico, con un nutricionista certificado o con el equipo médico que trata su diabetes. Ellos pueden ayudarle a determinar la cantidad de carbohidratos que es la adecuada para usted.

Calcule el contenido de carbohidratos. Hay dos maneras de hacerlo:

- Los alimentos preenvasados lo indican en la etiqueta. Verifique el panel de información nutricional, para conocer cuántos gramos de carbohidratos hay en cada porción. Luego fíjese en el tamaño de la porción. Si usted consume más de una porción, al contar los carbohidratos consumidos usted tendrá que sumar los carbohidratos consumidos por porción.

- Es más complicado contar los carbohidratos de los alimentos frescos, pero guíese por estas reglas sencillas: una porción de fruta o de alimentos con almidón contiene, por lo general, alrededor de 15 g de carbohidratos, una porción de lácteos 12 g, de verduras 5 g, y de carnes o grasas, como la mantequilla, 0 g. Estas cantidades son aproximadas. Para conocer con más precisión el contenido de carbohidratos de los alimentos, vaya a sitios como *www.carb-counter.org* (en inglés).

Descubra los alimentos con "descuento". La fibra es un tipo de carbohidrato, pero el cuerpo no la puede digerir como lo hace con el azúcar o los almidones. De modo que si un alimento contiene 5 gramos de fibra o más por porción, usted puede anotarse un "descuento" en carbohidratos. Divida la cantidad de gramos de fibra por la mitad y reste el resultado del total del contenido de carbohidratos, para calcular cuántos gramos de carbohidratos debe contar. Los sustitutos de azúcar le ofrecen un descuento similar. Los edulcorantes bajos en calorías, como el xilitol, el sorbitol, el manitol, el maltitol y la isomaltosa que se encuentran en los caramelos, la goma de mascar y los postres sin azúcar, sí cuentan hacia el total de carbohidratos, pero con "descuento". Si una porción contiene más de 5 g de estos edulcorantes, utilice la misma fórmula para calcular el total de carbohidratos con descuento.

Mantenga el azúcar en la sangre en equilibrio. Contar carbohidratos también ayuda a equilibrar los altibajos de los niveles de azúcar en la sangre. Controle su nivel de azúcar en la sangre antes de las comidas. Si es bajo, puede nivelarlo comiendo unos cuantos gramos adicionales de carbohidratos. Si es alto, coma menos carbohidratos. Hable con su médico o nutricionista acerca de esta estrategia para evitar fluctuaciones peligrosas en sus niveles de azúcar en la sangre.

Los expertos recomiendan consumir la misma cantidad de carbohidratos en cada comida para un mayor control de los niveles de azúcar en la sangre. A veces, es posible desear comer más carbohidratos de lo acostumbrado. Solo recuerde, si lo hace el azúcar en su sangre se elevará a niveles más altos de lo habitual, y lo opuesto ocurrirá si come menos. Asegúrese de ajustar su insulina cada vez que altere sus rutinas de alimentación.

El mito del conteo de carbohidratos

Alimentos como la carne y el queso tienen nada o casi nada de carbohidratos. "Pensé que como no tenían carbohidratos, podía servirme tanto como quería. Mi esposa decía que no", recuerda Arturo. "Así que le pregunté a mi médico".

El médico le explicó que incluso un alimento que contiene pocos carbohidratos puede ser malo para la salud. Los alimentos con mucha grasa saturada, grasas trans, sodio, colesterol o calorías vacías no benefician al corazón.

"Ahora cuento los carbohidratos, pero también presto atención al contenido de grasas, sodio y otras cosas. Me siento mejor y sé que viviré más tiempo".

Un método sencillo para comer sano

Es casi demasiado fácil. Con el Método del Plato se puede controlar la diabetes sin complicarse la vida contando carbohidratos, gramos de grasas ni calorías. Este método incluso puede ayudar a bajar de peso.

Usted no tendrá que seguir una lista de alimentos que puede o no comer. Este método busca que usted aprenda a comer porciones adecuadas de todos los alimentos. La clave está en el tamaño de las porciones. La cantidad de comida que usted se sirve debe estar determinada por la cantidad de calorías que usted necesita al día.

No es necesario comprar platos especiales. Simplemente utilice los que ya tiene, pero mídalos antes. Este método no le será de mucha utilidad si elige comer en platos demasiado grandes. Los expertos recomiendan usar platos de 9 pulgadas (23 cm) de diámetro para el almuerzo y la cena, y ligeramente más pequeños para el desayuno.

Empiece por trazar una línea imaginaria en el centro del plato. Trace otra línea para dividir una de las mitades en dos partes iguales:

- Para el desayuno, llene la mitad del plato con alimentos ricos en almidón, como tostadas integrales, cereales para el desayuno ricos en fibra, avena, sémola, maíz precocido o crema de trigo. Llene un cuarto del plato con frutas y el otro cuarto con proteínas, como tocino magro o huevos. Si desea, acompañe el plato con un vaso de leche.

- Para el almuerzo y la cena, llene la mitad del plato con verduras sin almidón, como brócoli, zanahoria, lechuga, repollo, pepino o habichuelas verdes. Llene un cuarto del plato con un almidón, como arroz, pasta, tortillas, frijoles cocidos, papas, calabazas de invierno o maíz. Llene el otro cuarto del plato con proteínas saludables, como carnes magras, pollo, pescado o queso bajo en grasa.

Usted puede acompañar ese plato con una porción de fruta y un vaso de leche baja en grasa. Si no toma leche, puede servirse una porción muy pequeña de carbohidratos, como un panecillo suave para la cena o una taza de yogur bajo en grasa.

Consejos sencillos para bajar el IG

El índice glucémico (IG) y la carga glucémica (CG) miden la velocidad con la que los alimentos elevan el azúcar en la sangre después de ser consumidos, y pueden hacer más preciso el control sobre la diabetes. Los alimentos con un IG bajo, como la fruta, los cereales integrales, las lentejas y la soya, se digieren lentamente, por lo que el azúcar en la sangre se eleva también lentamente. Los alimentos con un IG alto, como el pan, la papa blanca y las pastas, se digieren rápidamente, produciendo picos agudos en los niveles de azúcar en la sangre.

La carga glucémica toma en cuenta el tamaño de la porción. Algunos alimentos con un IG alto, como la sandía, en realidad tienen una CG baja, porque la porción que usted se sirva nunca será lo suficientemente grande como para afectar sus niveles de azúcar en la sangre.

Controlar el IG y la CG de los alimentos que consume puede ser útil, pero al mismo tiempo es complicado. Es por esa razón que la Asociación Estadounidense de Diabetes aconseja concentrarse primero en contar carbohidratos. Usted podrá luego afinar aún más su control del azúcar en la sangre haciendo uso del IG y la CG.

Usted puede buscar el IG de alimentos específicos en sitios como *www.glycemicindex.com* (en inglés). Reduzca el índice glucémico de sus alimentos favoritos que tienen un IG alto con estos trucos de cocina:

- Refrigere las papas hervidas y sírvalas frías. El enfriarlas aumenta el almidón resistente, el cual tiene menos efecto sobre el azúcar de la sangre.

- Evite la pasta demasiado cocida. La pasta al dente, o ligeramente firme, tiene un índice glucémico más bajo que la pasta blanda.

- Agregue a sus comidas un chorrito de vinagre, de jugo de limón verde o limón amarillo. El ácido que contienen retarda la digestión, de modo que los azúcares son absorbidos en la sangre mucho más lentamente.

- Cocine el arroz en una olla a presión en vez de a vapor. Según un estudio realizado en Dinamarca esto hará que su IG se reduzca en 30 por ciento.

- Hierva los camotes, no los hornee. El ñame, la papa y el plátano verde preparados al horno o asados suelen tener un índice glucémico más alto que si los hierve.

SOLUCIÓNsencilla

Vigile su consumo de carbohidratos a toda hora con la ayuda de estos ingeniosos dispositivos portátiles.

El *Track3*, de Coheso, es un pequeño *gadget* de mano que cuenta carbohidratos y calorías, monitorea los medicamentos y hace las veces de un diario de alimentos y ejercicios. Usted puede adquirirlo por $80 en *www.coheso.com* o llamando al 877-750-2300.

Si ya tiene un iPod, iPhone, Palm Pilot u otro dispositivo de mano, usted puede adquirir una aplicación por una fracción de ese precio. La aplicación de *Track3*, por ejemplo, cuesta cerca de $6 a través de iTunes.

El *Diabetes Pilot* es compatible con más dispositivos, entre ellos las computadoras de mano (PDA), los iPhones, los iPod Touch y los teléfonos con Windows Mobile. Sirve para llevar control de los carbohidratos, las calorías, las grasas, las proteínas, la fibra, el sodio y el colesterol, así como de las lecturas de los niveles de azúcar en la sangre y de presión arterial, de la insulina y otros medicamentos, de las rutinas de ejercicio, etc. Descárguelo en *www.diabetespilot.com*.

Tres formas seguras y sencillas de adelgazar

Eliminar la flacidez del estómago es una manera de recuperar el control de los niveles de azúcar en la sangre, pero no todas las dietas son seguras para las personas con diabetes. Las investigaciones han demostrado que estas tres, además de ser seguras, ayudan a bajar de peso y, al mismo tiempo, a regular el azúcar en la sangre.

El plan mediterráneo. Más de 200 personas con sobrepeso y recién diagnosticadas con diabetes tipo 2 siguieron ya sea una dieta tradicional baja en grasas o una dieta mediterránea. Las que siguieron el plan mediterráneo redujeron sus probabilidades de necesitar medicación para la diabetes al cabo de cuatro años. Además, perdieron más peso y pudieron controlar mejor su nivel de azúcar sanguínea.

El plan de comidas de la dieta mediterránea era rico en verduras y cereales integrales, pero bajo en carnes rojas. Incluía platos a base de pescado o aves de corral, con una cantidad diaria de grasa importante, mayormente en forma de dos a cuatro cucharadas de aceite de oliva.

Ambos grupos perdieron peso, pero los de la dieta mediterránea perdieron más. Esta pérdida de peso, sin embargo, no fue la razón de los mayores beneficios que se observaron. Los expertos creen que estos se deben al aceite de oliva. Este aceite está repleto de grasas monoinsaturadas saludables que pueden mejorar la sensibilidad a la insulina. Pruébelo en ensaladas con vinagre balsámico y para aderezar las verduras al vapor en lugar de utilizar mantequilla.

La dieta vegana. Optar por una dieta baja en grasas, que consista únicamente en alimentos de origen vegetal, puede ir más allá del consejo dietético estándar ofrecido por la Asociación Estadounidense de Diabetes (ADA, en inglés). Casi la mitad de las personas con diabetes tipo 2 que optaron por la dieta vegana pudieron reducir sus medicamentos para la diabetes al cabo de seis meses. Si bien ambas dietas, la vegana y la aconsejada por la ADA, mejoraron la diabetes y redujeron el colesterol, los vegetarianos vieron mayores beneficios. Perdieron 14 libras comparadas a las 7 libras del grupo de la ADA, y tuvieron una mayor reducción en sus niveles de colesterol LDL.

Al eliminar todos los alimentos de origen animal, como las carnes y las aves de corral, los lácteos, los huevos y el pescado, e incluir solo alimentos de origen vegetal, la dieta vegana tiende a ser baja en grasas. Por esa razón, a los veganos de este estudio se les permitió comer tanto como quisiesen. Los del grupo de la dieta de la ADA, sin embargo, tuvieron que apretarse el cinturón y reducir una cantidad considerable de calorías. Los veganos del estudio tomaron 100 microgramos de vitamina B12 un día sí y otro no. Si usted prueba este plan, probablemente necesite alimentos enriquecidos con B12 o suplementos de B12, ya que esta vitamina solo se encuentra naturalmente en productos animales.

El plato para una dieta balanceada. Nuevas pruebas parecen indicar que se puede bajar de peso y mejorar los niveles de azúcar en la sangre sin necesidad de cambios en la dieta. Los expertos creen que la mayoría de casos de diabetes tipo 2 son causados directamente por la obesidad.

Controlar el tamaño de las porciones podría ayudarle a perder peso, incluso si usted toma insulina. En un estudio, personas con diabetes recibieron ya sea platos especiales para ayudarles a calcular las porciones o consejos nutricionales. La probabilidad de que los participantes que usaron el plato perdieran el 5 por ciento de su peso corporal era mayor que la de quienes solo recibieron asesoramiento dietético.

Cinco por ciento es un número mágico, porque una reducción del peso de tan solo 5 por ciento disminuye considerablemente el riesgo de cáncer, infarto y muerte relacionados con la obesidad. Los usuarios del plato también pudieron reducir su consumo de medicamentos para la diabetes.

Una dulce manera de derrotar a la diabetes

Los edulcorantes naturales no le están necesariamente prohibidos, si usted tiene diabetes. Solo tiene que saber cuáles elegir y cómo usarlos. La mayoría de los alimentos con azúcar agregada son endulzados con azúcar refinado y jarabe de maíz, los cuales casi no tienen vitaminas, minerales ni compuestos fitoquímicos saludables. Otros edulcorantes naturales sí los tienen.

Un estudio reciente, por ejemplo, encontró que una onza de azúcar de dátil o una cucharada de melaza residual contienen casi tantos antioxidantes como una taza de arándanos azules o una copa pequeña de vino tinto. La melaza oscura, el jarabe de malta de cebada y de arroz integral, el azúcar moreno oscuro y el jarabe de arce no se quedan atrás.

La miel también contiene más antioxidantes que el azúcar refinado y algunas investigaciones sugieren que puede ayudar a disminuir los niveles de azúcar en la sangre.

En un estudio, 25 personas con diabetes tipo 2 sustituyeron gradualmente otros edulcorantes en su dieta diaria por miel natural sin procesar. En el transcurso de ocho semanas no realizaron ningún otro cambio en su dieta. Los participantes del estudio bajaron de peso, incrementaron su colesterol bueno HDL y redujeron sus triglicéridos, colesterol total y colesterol LDL. El crédito le corresponde probablemente a los minerales y antioxidantes de la miel natural. Las personas que prefieren este edulcorante tienden a tener más vitamina C, betacaroteno y otros antioxidantes en la sangre, algunos de los mismos compuestos del té verde que se cree estimulan la pérdida de peso.

Use la miel con precaución. Los participantes que consumieron la miel pueden haber visto algunos cambios saludables, pero sus niveles de HbA1c también se elevaron. El HbA1c muestra el nivel promedio de azúcar en la sangre durante los meses anteriores. Hable con su médico o con un nutricionista antes de hacer un cambio como este.

Recuerde que la miel contiene algo más de carbohidratos y calorías que el azúcar blanco granulado. Al planificar sus comidas, tenga en cuenta que una cucharadita de miel equivale a 4.5 carbohidratos y 21 calorías.

Satisfaga su afición a los dulces sin culpas

Los edulcorantes artificiales tienen un sabor dulce como el azúcar, pero contienen poco o nada de carbohidratos y calorías, haciéndolos perfectos para la gente con diabetes.

Usted encontrará a menudo edulcorantes bajos en calorías, o alcoholes de azúcar, en los alimentos "sin azúcar" (*sugar free,* en inglés) y "sin azúcar agregada" (*no sugar added*), como los caramelos, la goma de mascar, los helados, las galletitas dulces y el pudín. Entre ellos están el manitol, el sorbitol, el xilitol, el lactitol, el eritritol y el maltitol, así como la isomaltosa y los hidrosilatos de almidón hidrogenados. Estos contienen aproximadamente la mitad de los carbohidratos y calorías del azúcar común, pero siguen contando hacia su total diario. Para contar los carbohidratos:

- Revise el panel de información nutricional en la etiqueta de los alimentos.

- Divida la cantidad de carbohidratos de los alcoholes de azúcar por la mitad si una porción del alimento contiene más de 5 gramos de alcoholes de azúcar.

- Reste esa cantidad del total de gramos de carbohidratos de una porción.

- Incluya ese número dentro del cálculo de carbohidratos permitidos de su dieta.

Los edulcorantes con calorías reducidas elevan el azúcar de la sangre, pero no tanto como el azúcar regular o los almidones. Su efecto sobre el nivel de azúcar en la sangre varía de persona a persona.

Los edulcorantes bajos en calorías, por otro lado, no afectan el azúcar de la sangre en absoluto porque no contienen carbohidratos. Los edulcorantes bajos en calorías, como el aspartamo (*NutraSweet, Equal*), la sacarina (*Sweet'n Low, Sugar Twin*), la sucralosa (*Splenda*) y el acesulfamo potásico (*Sweet One, Swiss Sweet, Sunett*) son comunes en los refrescos dietéticos, los productos horneados, el yogur *light o* bajo en calorías y los caramelos.

El aspartamo ha sido asociado a dolores de cabeza y migrañas en algunas personas. Si usted nota estos síntomas, pruebe la sucralosa. Las personas con la enfermedad genética fenilcetonuria (PKU, en inglés) deben evitar el aspartamo. Los edulcorantes artificiales parecen ser seguros para las personas que sufren diabetes, tomando algunas precauciones. Los productos horneados sin azúcar, en particular, tienden a estar repletos de grasa saturada y grasas trans. Revise las etiquetas de nutrición cuidadosamente y compare los productos sin azúcar con los productos con azúcar, para ver si usted está obteniendo realmente un producto más saludable. Usted también puede preparar sus propias recetas utilizando edulcorantes con calorías reducidas o bajos en calorías:

- Utilice acesulfamo potásico (*Sweet One*) y azúcar granulada para cocinar y hornear. Es 200 veces más dulce que el azúcar, así que usted necesitará menos cantidad. Sustituya cada cuarto de taza de azúcar por seis paquetes de 1 gramo cada uno.

- Agregue aspartamo a los pudines, los pasteles que no necesitan hornearse y a otros platos después de la cocción. Se descompone a altas temperaturas, así que no lo utilice para hacer galletitas dulces o tortas. Para mejores resultados, sustituya cada cuarto de taza de azúcar por seis paquetes de 1 gramo.

- Vigile el horno. Las recetas hechas con sucralosa (*Splenda*) tienden a cocinarse más rápido que las hechas con azúcar. Sustituya el azúcar por sucralosa, taza por taza.

- Cocine con sacarina, pero no utilice más de la mitad del equivalente de azúcar en cada receta. Utilice seis paquetes de 1 gramo por cada cuarto de taza de azúcar.

SOLUCIÓN*rápida*

Las almohadillas de calor y las mantas eléctricas presentan un riesgo especial para las personas con diabetes que han perdido la sensibilidad en los brazos o piernas. En esos casos, es posible que no pueda distinguir si la manta se ha calentado demasiado o no, y se podría quemar sin saberlo. Y debido a que la diabetes dificulta el proceso de curación del cuerpo, eso sería un problema. Es más seguro utilizar una manta eléctrica si la enciende solo para calentar la cama y la apaga antes de acostarse. No deje la manta prendida mientras esté en la cama, y no utilice las almohadillas de calor.

Curas culinarias para síntomas preocupantes

La hipoglucemia, o bajos niveles de azúcar en la sangre, puede cogerle por sorpresa. Usted podría sentirse débil, mareado o sudoroso, y podría sentir hambre o tener dolor de cabeza. Otros síntomas comunes son los cambios repentinos de humor o confusión, palidez de la piel, sensación de hormigueo alrededor de la boca y movimientos torpes o erráticos.

Si usted presenta estos síntomas, utilice un medidor de glucosa para determinar su nivel de azúcar en la sangre. Si está por debajo de los 70 miligramos por decilitro (mg/dL), actué rápidamente para normalizarlo. Es sencillo. Para normalizar los niveles de azúcar sanguínea basta con comer algo que contenga entre 15 y 20 gramos (g) de carbohidratos. Entre las opciones adecuadas están las meriendas, como los jugos de fruta, los caramelos o las galletas saladas. Aléjese del chocolate o las galletitas dulces, puesto que su alto contenido en grasa impide que el azúcar en la sangre se eleve rápidamente. Usted también puede tener a la mano tabletas de glucosa o glucosa en gel.

Estos artículos de despensa contienen aproximadamente 15 g de azúcar:

- 1/2 taza de jugo de fruta o de un refresco no dietético
- 4 o 5 galletas saladas
- 2 cucharadas de pasas
- 4 cucharaditas de azúcar
- 1 cucharada de miel

Lleve siempre alguna forma de azúcar con usted. Después de tratar el bajo nivel de azúcar en la sangre, espere 15 minutos y vuelva a medir su nivel de azúcar sanguínea. Si aún está por debajo de los 70 mg/dL, coma otra porción de carbohidratos.

Asegúrese de comer sus comidas y meriendas regulares después de que la hipoglucemia pase, para mantener sus niveles de azúcar sanguínea en el rango normal.

Pregunta & Respuesta

¿Pueden las personas con diabetes comer frutas dulces, como fresas o piña?

Por supuesto. Es verdad, la fruta contiene azúcares naturales, como la fructosa, pero también está cargada de vitaminas, minerales y fibra. Si usa un método basado en contar carbohidratos para controlar la diabetes, asegúrese de contar los carbohidratos de la fruta como parte del total de carbohidratos consumidos.

Algunas frutas, particularmente las secas, tienen más carbohidratos que otras. No hay problema. Simplemente sírvase porciones más pequeñas. Las siguientes meriendas son dulces y contienen aproximadamente 15 carbohidratos cada una. ¡Disfrútelas!

- La mitad de una banana mediana
- Media taza de mango cortado en cubitos
- Una taza y cuarto de fresas enteras
- Tres cuartos de taza de piña cortada en cubitos

La causa oculta de los niveles inestables de azúcar en la sangre

Un problema estomacal poco conocido podría ser la verdadera causa de que el azúcar en la sangre rebote fuera de control.

Una de cada 10 personas con diabetes también puede sufrir de gastroparesia, una dolencia en la que el estómago tarda más de lo normal en transportar los alimentos al intestino delgado. Este retraso puede producir náuseas y acidez estomacal, hacer que usted se sienta lleno antes de lo habitual y causar vómitos. Puede que usted también se sienta hinchado, baje de peso y tenga dificultades para mantener estable el azúcar en la sangre. El daño a los nervios asociado a la diabetes es a menudo el culpable, pero altos niveles de azúcar en la sangre pueden empeorar su situación.

Los síntomas no son el verdadero problema, a pesar de lo molestos que puedan ser. Cuando su estómago se vacía más lentamente de lo normal, desequilibra completamente sus niveles de azúcar en la sangre. No ignore este problema. Hable con su médico y pruebe las siguientes sugerencias.

Revise su botiquín. Cambiar uno de sus medicamentos puede ser todo lo que usted necesita hacer. Los siguientes medicamentos pueden hacer que su estómago se vacíe lentamente. Hable con su médico sobre posibles alternativas.

- Agentes anticolinérgicos, utilizados para tratar una variedad de trastornos.

- Agonistas de los receptores beta-adrenérgicos para asma, bronquitis, enfisema y otras enfermedades pulmonares.

- Analgésicos opioides.

- Antagonistas H2 de la histamina para la acidez estomacal y las úlceras.

- Antiácidos con hidróxido de aluminio.

- Antidepresivos tricíclicos.

- Bloqueadores de los canales de calcio para la hipertensión arterial.

- Inhibidores de la bomba de protones para el reflujo ácido, las úlceras y la esofagitis erosiva.

- Interferón alfa para la hepatitis y ciertos tipos de cáncer.

- Levodopa para la enfermedad de Parkinson.

- Medicamentos que contengan difenhidramina (*Benadryl*).

- Sucralfato (*Carafate*) para las úlceras.

Prefiera la compota de manzana a las manzanas enteras. Los alimentos con abundante líquido pueden moverse a través del estómago mejor que los alimentos sólidos. Beba más líquidos, consuma alimentos que sean fáciles de digerir o prepárelos en puré para ayudar a la digestión.

Opte por comidas más pequeñas más a menudo. Seis comidas pequeñas al día en lugar de tres grandes facilitan la digestión. Este plan de comidas pone cantidades más pequeñas de alimentos en el estómago cada vez, facilitando la digestión y evitando que se sienta incómodo y demasiado lleno.

Reduzca su consumo de grasas y fibra. A las personas con diabetes por lo general se les recomienda consumir más fibra, no menos, pero la fibra puede empeorar la gastroparesia puesto que es difícil de digerir. Las grasas y el alcohol también pueden agravar el problema. Su médico puede recomendar que deje de tomar suplementos de fibra y que evite los alimentos con mucha fibra insoluble, como la naranja y el brócoli.

Evite el vinagre. Puede suavizar los picos de azúcar en la sangre después de una comida, pero también hace que el estómago se vacíe más lentamente, algo que usted debe evitar si sufre de gastroparesia. Si estos cambios sencillos no son suficientes, su médico puede recetarle medicamentos que alivien las náuseas y que le ayuden a digerir los alimentos más rápidamente.

La "varita mágica" para una mejor salud

Imagine una píldora de bajo costo que pudiera reducir radicalmente el exceso de azúcar en la sangre, reducir el riesgo de muerte por problemas cardíacos, aumentar la fuerza y la resistencia e, incluso, aumentar la densidad ósea. ¿La tomaría? ¿Quién no lo haría?

Eso es exactamente lo que el ejercicio puede hacer por usted. Los músculos queman la glucosa y la grasa como combustible. Cuando los músculos trabajan, extraen grandes cantidades de glucosa de la sangre, lo cual evita que el azúcar se acumule en el torrente sanguíneo.

Cuánto más músculo tiene usted, más glucosa quema, y el ejercicio desarrolla los músculos. También ayuda al cuerpo a hacer mejor uso de la glucosa y la insulina. Mover los músculos enciende unos pequeños transportadores que llevan la glucosa de la sangre a las células, justo lo que las personas con diabetes tiene dificultades en hacer. La actividad también ayuda a revertir la resistencia a la insulina, haciendo que el cuerpo sea más sensible a sus efectos. De hecho, la razón por la cual las personas dejan de responder a la insulina cuando envejecen es que se vuelven menos activas.

Hacer ejercicio con regularidad puede reducir los niveles de HbA1c. Además, usted podrá cosechar los beneficios de mejores niveles de azúcar en la sangre independientemente de si baja de peso o no. Y también es excelente para el corazón. Se ha demostrado que el ejercicio reduce la frecuencia cardíaca, la presión arterial, el colesterol y los triglicéridos. Eso es clave, porque las personas con diabetes tienden a desarrollar ateroesclerosis, que causa enfermedades cardíacas, angina de pecho y ataques al corazón y puede resultar en accidentes cerebrovasculares y enfermedad arterial periférica en las piernas.

Hacer ejercicio no significa necesariamente levantar pesas en el gimnasio, aunque levantar pesas ayuda a combatir la diabetes. Algo tan simple como salir a caminar le ayudará a reducir su nivel de HbA1c. En un estudio realizado en los Países Bajos, una caminata enérgica de 60 minutos, tres días a la semana durante un año, redujo los niveles de HbA1c tanto como hacer ejercicio con pesas y máquinas de gimnasia. Piense en maneras de incrementar su actividad en la vida cotidiana:

- Bájese del autobús una parada antes de lo habitual.

- Levántese y muévase mientras habla por teléfono.

- Estaciónese lejos de la tienda y camine.

- Vaya de paseo a ver vitrinas.

- Lleve a sus nietos, o a su perro, a dar un paseo.

- Inicie un grupo de caminata con amigos.

- Haga su propia jardinería en vez de pagar a otra persona.

SOLUCIÓN*rápida*

Las sesiones de ejercicios aeróbicos, al igual que salir a caminar, son ideales para el control de la diabetes. Solo asegúrese de cuidar de sus pies antes, durante y después:

- Utilice gel de sílice o entresuelas llenas de aire.
- Póngase calcetines de poliéster o de algodón con poliéster para evitar las ampollas y mantener los pies secos.
- Elija zapatos cómodos que le queden bien.
- Antes y después de hacer ejercicios, revise sus pies cuidadosamente para ver si tienen ampollas, cortes y otras lesiones.

Detenga la diabetes en sus primeras etapas

Usted no tiene que ser un boxeador para enfrentarse a la diabetes, pero una combinación inteligente de caminatas y pesas le dará una ventaja a su favor.

Ponga su corazón a trabajar. Tan solo una semana de actividad aeróbica moderada puede ayudar al cuerpo a controlar naturalmente el azúcar en la sangre y aumentar su respuesta a la insulina. Los expertos ahora saben que los ejercicios aeróbicos o de resistencia, como caminar y montar bicicleta, reducen los niveles de HbA1c, el principal marcador para controlar los niveles de azúcar en la sangre.

Una nueva investigación de la Universidad de Michigan lanza luz sobre este tema. Durante una semana, 12 adultos mayores pasaron una hora diaria haciendo ejercicios en una caminadora o en una bicicleta estacionaria. Al final de la semana habían mejorado, tanto su sensibilidad a la insulina como la función de las células del páncreas que la producen.

Desarrolle los músculos. El entrenamiento de fuerza o ejercicios de resistencia, como el levantamiento de pesas, mejoran la tolerancia a la glucosa y la sensibilidad del cuerpo a la insulina. De hecho, pueden ayudar a controlar el azúcar en la sangre tan efectivamente como el ejercicio aeróbico. El entrenamiento de fuerza desarrolla más músculo, lo que ayuda al cuerpo a utilizar la glucosa. También hace que su fuerza aumente, lo que le permite permanecer activo y vivir de manera independiente durante más tiempo.

No trate de levantar pesos pesados si es un adulto mayor o si ha tenido diabetes por mucho tiempo. Empiece con pesas ligeras y haga más repeticiones. Para obtener más consejos sobre este tipo de ejercicios, vea *Baje de peso en la cama o en el sofá* en la página 52.

Haga el doble. Usted revertirá la diabetes aún más haciendo una combinación de ejercicios aeróbicos y de resistencia, especialmente si sus niveles de HbA1c son de 7.5 por ciento o superiores. Las personas con diabetes tipo 2 que realizaron ejercicios aeróbicos o levantamiento de pesas tres veces por semana disminuyeron su HbA1c en 0.5 por ciento al cabo de cinco meses y medio. Pero quienes hicieron una combinación de ambos lo redujeron el doble —un asombroso uno por ciento—, lo suficiente para reducir drásticamente el riesgo de problemas cardíacos graves entre 15 y 20 por ciento.

Para obtener una mejoría duradera en sus niveles de azúcar en la sangre, usted necesita quemar unas 1,000 calorías a la semana haciendo ejercicio. Para una persona de 154 libras (70 kilos), eso equivale a trabajar en el jardín una hora a la semana y salir cinco días a la semana a caminar 30 minutos diarios.

Su recompensa será aún mayor si logra quemar 2,000 calorías a la semana. Para una persona de 154 libras, eso equivaldría a trabajar en el jardín durante dos horas a la semana, levantar pesas ligeras 30 minutos, tres días a la semana; y caminar 30 minutos todos los días. Cuanto más peso tenga usted, más calorías quemará con estas actividades.

Estos objetivos pueden resultar difíciles si usted no está acostumbrado a estar activo o si ha sufrido de diabetes durante mucho tiempo. En ese caso, comience de manera lenta. Usted obtendrá beneficios con solo hacer entre 5 y 10 minutos de ejercicio por sesión. Gradualmente incremente unos minutos de ejercicio conforme se vaya fortaleciendo hasta alcanzar su meta. Usted también puede dividir los ejercicios en sesiones cortas a lo largo del día. Procure mantenerse tan activo como pueda. Pídale a su médico que le recomiende un fisiólogo del ejercicio o un fisioterapeuta que le ayude a establecer un programa seguro basado en su estado de salud y diabetes y en sus metas personales.

Cuándo y cómo hacer ejercicio de forma segura

Las personas con diabetes que tienen lesiones en los nervios y en los vasos sanguíneos de los pies y los ojos, o padecen de males cardíacos, obstrucciones en los vasos sanguíneos o artritis, tal vez deban realizar ejercicios de bajo impacto, como nadar o andar en bicicleta. Consulte con su médico para averiguar qué actividades puede realizar y cuáles debe evitar.

Daño a los nervios. Usted necesitará evitar ciertos ejercicios si ha perdido sensibilidad en los pies debido a la neuropatía periférica. Pruebe estos sustitutos suaves:

- Nadar en vez de hacer ejercicio en la caminadora.
- Pasear en bicicleta en vez de hacer caminatas largas.
- Remar en vez de salir a correr.
- Hacer ejercicios sin levantarse de la silla, ejercicios de brazo y otras rutinas sin soporte de peso, en vez de subir y bajar de una plataforma como en las sesiones de ejercicios aeróbicos de *step*.

Problemas cardíacos. La neuropatía autonómica puede aumentar el riesgo de problemas cardíacos durante el ejercicio, especialmente cuando recién se empieza. Esta dolencia puede hacer que sea difícil controlar la temperatura del cuerpo, así que evite hacer ejercicio en ambientes calientes o fríos si la padece, y asegúrese de beber mucha agua.

Las personas con diabetes también son más propensas a sufrir otros problemas del corazón. La probabilidad de un problema relacionado con el corazón durante el ejercicio es mayor para las personas que tienen:

- Mal estado físico.

- Más de 60 años.

- Retinopatía diabética.

Su médico puede realizar pruebas para determinar si usted presenta un riesgo mayor de problemas cardíacos y asesorarle sobre qué ejercicios hacer y cuáles evitar. Puede que le haga una prueba de esfuerzo, sobre todo si usted ha tenido diabetes durante más de cinco años, tiene más de 70 años o tiene dos o más factores de riesgo cardíaco.

Problemas de visión. Niveles altos de azúcar en la sangre pueden dañar los vasos sanguíneos en los ojos, causando retinopatía diabética. Actividades vigorosas, como levantar pesas muy pesadas, pueden agravar los problemas de visión en pacientes con retinopatía diabética proliferativa (PDR, en inglés), provocando hemorragia en el ojo o desprendimiento de retina.

Si usted tiene PDR, evite las actividades que involucren mucho esfuerzo (levantamiento de pesas), golpes por rebote (trotar), movimientos forzados (aeróbicos de alto impacto) y deportes de raqueta. En cambio, nade, camine o pruebe la bicicleta estacionaria.

Las personas con retinopatía diabética no proliferativa pueden realizar más actividades, pero deben evitar el levantamiento de pesas de potencia, el boxeo y los deportes o pasatiempos muy competitivos.

SOLUCIÓNsencilla

Algunas mujeres con sobrepeso reconocen que no van al gimnasio porque se sienten cohibidas y les da vergüenza. No deje que la preocupación de cómo se ve en manga corta eche por tierra todo el esfuerzo que está haciendo por vencer la diabetes. Las mujeres pueden optar por ir a un centro solo para mujeres, como *Curves*, para no sentirse incómodas y poder cumplir con sus metas.

SOLUCIÓN*rápida*

Si usted tiene diabetes tenga en cuenta estas precauciones cuando haga ejercicio:

- Lleve un brazalete u otro tipo de identificación médica que, en caso de hipoglucemia, permita a los demás saber que usted tiene diabetes. Incluya su nombre, dirección y número de teléfono; el nombre y número de teléfono de su médico; más una lista de medicamentos y dosis.

- Lleve consigo un monitor de glucosa sanguínea.

- Tenga a mano tabletas de glucosa, *Life Savers* u otro tipo de azúcar de emergencia en caso de hipoglucemia.

- Beba agua antes de iniciar la sesión de ejercicios y manténgase hidratado durante la sesión.

- Haga ejercicio con un amigo o en grupo. Será una manera de motivarse unos a otros, además de contar con alguien en caso de una caída drástica del nivel de azúcar en la sangre.

Protéjase contra los cambios bruscos en el nivel de azúcar sanguínea durante el ejercicio

El ejercicio puede bajar el nivel de azúcar sanguínea de forma natural, ya que los músculos utilizan la glucosa de la sangre como combustible. Eso está bien el 99 por ciento del tiempo. Pero en ocasiones, el ejercicio puede desencadenar un episodio hipoglucémico. Cuando esto sucede, en poco tiempo el azúcar en la sangre puede dispararse a medida que el cuerpo intenta compensar el haber usado mucha energía. Protéjase contra estas oscilaciones con estos consejos fáciles de seguir:

Hágase la prueba antes de empezar. Mida su azúcar en la sangre antes de empezar a hacer ejercicio. Tiene que estar entre 100 y 130 mg/dL si usted tiene diabetes tipo 2. Si está en menos de 100 mg/dL, coma una merienda con alto contenido de carbohidratos, como un pedazo de fruta o una barra de granola, antes de empezar. No haga ejercicio si está por encima de los 300 mg/dL.

Esté preparado. Lleve consigo una fuente de glucosa de acción rápida cuando va a hacer ejercicio, como tabletas de glucosa o caramelos.

Manténgase alerta. Esté atento a los síntomas de hipoglucemia. Deténgase y mida su nivel de azúcar en la sangre si siente mareos, debilidad, palpitaciones u otros síntomas. Si es necesario, coma una merienda para elevar su nivel de azúcar en la sangre.

Vuelva a medirlo. Mida su nivel azúcar en la sangre después de hacer ejercicio y nuevamente un par de horas más tarde. Este puede continuar descendiendo durante varias horas.

Ajuste sus horarios. Intente programar los ejercicios para después de una comida o merienda si su nivel de azúcar en la sangre tiende a caer después del ejercicio. Una buena merienda antes de hacer ejercicio, como las siguientes, proporciona 15 gramos de carbohidratos:

- Tres galletas de jengibre
- 2 cucharadas de pasas
- Una manzana o plátano pequeños
- Media taza de yogur congelado, bajo en grasa
- Una barra de merienda *Glucerna*
- Seis galletas saladas
- Un cuarto de taza de granola baja en grasa
- La mitad de un *muffin* o panecillo inglés

Hable con su médico acerca de un posible ajuste a su medicación para la diabetes, si su nivel de azúcar en la sangre tiende a bajar demasiado después de una actividad.

Pregúntele al experto. Pregúntele a su médico a qué hora del día le conviene hacer ejercicio teniendo en cuenta sus condiciones particulares. Él puede ayudarle a planificar un horario que tome en cuenta el ejercicio, las comidas y los medicamentos que usted está tomando.

Estimulante de **ENERGÍA**

Póngase en movimiento y siga estos consejos sencillos si desea estar más alerta y tener energía todo el día:

- Comience con un calentamiento de entre 5 y 10 minutos de actividad aeróbica de baja intensidad, como caminar o andar en bicicleta. Así prepara sus pulmones, su corazón y otros músculos para la sesión de ejercicios.

- Haga estiramientos suaves durante otros 5 a 10 minutos. Concéntrese en los músculos que piensa ejercitar.

- Al finalizar, reduzca lentamente su ritmo cardíaco con otros 5 a 10 minutos de actividad suave.

- Beba unas 16 onzas (dos tazas) de líquido en las dos horas previas a la sesión de ejercicios y siga bebiendo sorbos continuamente durante la sesión. La deshidratación afecta los niveles de azúcar sanguínea y la función cardíaca.

Trío de suplementos para tratar la diabetes

Estos suplementos ampliamente investigados ayudan a estabilizar el nivel de azúcar sanguínea y a aliviar las dolorosas complicaciones de la diabetes. Tómelos bajo la supervisión de su médico.

Ácido alfalipoico. Este antioxidante ayuda al cuerpo a luchar contra los dañinos radicales libres y a convertir la glucosa en la energía que alimenta las células. Parece que:

- Mejora la sensibilidad a la insulina y el control de la glucemia en la diabetes tipo 2, pero no disminuye los niveles de HbA1c.

- Alivia los síntomas de neuropatía periférica, como el ardor, el dolor, el entumecimiento y la sensación de hormigueo en las piernas y los pies.

- Ayuda a proteger contra daños al corazón, los riñones y los vasos sanguíneos pequeños —daños asociados a la diabetes—.

Para la diabetes y la neuropatía, la dosis suele ser de entre 200 y 400 miligramos (mg) de ácido alfalipoico tres veces al día.

Cromo. La insulina normalmente se adhiere a las células para hacer que estas absorban azúcar de la sangre. Cuando existe resistencia a la insulina, este sistema deja de funcionar. El cromo se une a la insulina para ayudarle a abrir la "puerta" de las células a la glucosa. Más de 200 personas con diabetes tipo 2 experimentaron mejoras significativas en sus niveles de azúcar de la sangre en ayunas y de HbA1c al tomar una combinación de 600 microgramos (mcg) de picolinato de cromo y 2 mg de biotina.

Hay tipos diferentes de cromo. El cuerpo absorbe el picolinato de cromo y el polinicotinato de cromo mejor que el cloruro de cromo. Los expertos afirman que tomar 500 mcg de cromo dos veces al día debería bajar su HbA1c en dos meses. Hable con su médico acerca de la dosis adecuada para usted. La mayoría tolera bien este mineral, pero algunas personas reaccionan negativamente incluso con dosis bajas. Sea cauteloso al tomarlo si sufre de depresión o de desorden bipolar.

Elija con cuidado. Un laboratorio independiente encontró que solo dos de seis marcas de suplementos de cromo pasaron pruebas de calidad recientes. Tres de los cuatro que no pasaron contenían cantidades peligrosas de cromo hexavalente, el tipo de cromo vinculado con el cáncer. Para más información, visite el sitio *www.consumerlab.com* (en inglés).

Ginseng. Dos tipos de *ginseng* pueden ofrecer ayuda para la diabetes. El *ginseng* americano, o *Panax quinquefolius*, parece disminuir el nivel de azúcar sanguínea y ayudar a estabilizarlo después de las comidas. Los expertos creen que:

- Protege a las células del páncreas productoras de insulina, evitando que mueran antes de tiempo.

- Incrementa la producción de insulina.

- Reduce la resistencia a la insulina en los tejidos muscular y graso.

Busque un suplemento de raíz en polvo con al menos 2 por ciento de ginsenósidos totales (20 mg por gramo de polvo de *ginseng*) o un extracto con al menos 4 por ciento de ginsenósidos totales (40 mg por gramo).

El *ginseng* rojo coreano es en realidad *ginseng* asiático (*Panax ginseng*) que, a diferencia del *ginseng* asiático "blanco" sin procesar, ha sido sometido al vapor y secado. Las personas que tomaron 2 gramos del rojo coreano tres veces al día antes de las comidas mejoraron su control sobre el azúcar sanguínea y la insulina. Búsquelo en polvo con al menos 1.5 por ciento de ginsenósidos totales (15 mg por gramo), o un extracto con al menos 3 por ciento de ginsenósidos totales (30 mg por gramo).

Evite cualquier tipo de suplemento de *ginseng* si toma antidepresivos o el medicamento anticoagulante warfarina (*Coumadin*).

Pregunta & Respuesta

He oído que no debo tomar glucosamina para la artritis porque eleva el nivel de azúcar en la sangre. ¿Es cierto?

La glucosamina es un suplemento popular para las articulaciones, a menudo combinado con la condroitina. En teoría, podría hacer menos efectivos los medicamentos para la diabetes, pero esto aún no ha sido probado por las investigaciones. En estudios realizados con personas con diabetes, la glucosamina no ha afectado la sensibilidad a la insulina ni ha causado resistencia a la insulina.

Los expertos hoy coinciden en que este suplemento es seguro para las personas con diabetes. Sin embargo, la Fundación de Artritis aún recomienda a las personas que empiezan a tomarlo monitorear su nivel de azúcar sanguínea con más atención.

Elimine el estrés para un control más estricto

Poder aliviar el estrés adquiere una nueva dimensión cuando usted tiene diabetes, porque el estrés, a pesar de todos sus esfuerzos, puede disparar por las nubes el nivel de azúcar en la sangre.

Algunas fuentes de estrés son de corta duración, como quedarse atrapado en un atasco de tráfico o tener un examen difícil. Otras duran más, como cuidar de un familiar de edad avanzada. En las personas con diabetes tipo 1 el nivel de azúcar en la sangre aumenta o disminuye en tiempos de estrés. En aquellas con diabetes tipo 2, el estrés suele hacer que el azúcar de la sangre suba.

Establezca la conexión. ¿Cómo puede usted saber si el estrés afecta su nivel de azúcar en la sangre? La Asociación Estadounidense de Diabetes sugiere que lleve un diario.

- Antes de medir su nivel de azúcar en la sangre, anote su nivel de estrés en una escala del 1 al 10.

- Luego mida el nivel de azúcar en la sangre y anote la lectura junto al valor asignado al estrés.

- Continúe llevando el diario durante un par de semanas.

- Busque un patrón en los altos y bajos del azúcar. Puede que necesite hacer una gráfica que relacione ambas series de valores para encontrar un patrón.

Si su nivel de azúcar en la sangre tiende a ser mayor cuando la tensión es alta, el estrés está afectando sus niveles de glucosa.

El estrés afecta el azúcar en la sangre de dos maneras principales. Primero, una situación estresante desencadena la secreción de ciertas hormonas, lo que produce un aumento de azúcar en la sangre. Segundo, cuando el nivel de azúcar en la sangre es crónicamente alto, el cerebro intenta protegerse fortaleciendo la barrera que impide que la glucosa se desplace de la sangre a las células cerebrales.

Desafortunadamente, cuando el cerebro necesita más glucosa, reacciona enviando una señal pidiendo más azúcar y no bajando esa barrera. El cuerpo reacciona incrementando aún más los niveles de azúcar en la sangre, creándose un círculo vicioso de hiperglucemia.

La diabetes por sí misma ya es estresante al tener que lidiar con los medicamentos y a la vez controlar el azúcar en la sangre y lo que come. Las personas bajo estrés pueden sentirse inclinadas a beber más alcohol y hacer menos ejercicio. Hasta pueden olvidarse de medirse el azúcar en la sangre o de comer comidas balanceadas. En casos extremos, el estrés puede incluso hacer que a algunas personas no les importe controlar sus niveles de azúcar sanguínea.

El estrés puede tener un enorme impacto en el curso de su diabetes. De hecho, algunos expertos creen que algunas personas con diabetes podrían no necesitar medicamentos para bajar el azúcar en la sangre si son capaces de hacer que su nivel de azúcar en la sangre descienda a un rango seguro simplemente con técnicas de relajación.

Bájese de la montaña rusa del estrés. Pruebe estos trucos sencillos para bajar sus niveles de estrés:

- Evite las situaciones que le causan ansiedad.

- Cambie su manera de pensar acerca de sus problemas. Las personas que tratan de resolver sus problemas y aquellas que se dicen a sí mismas que un problema no es gran cosa son menos propensas a tener un alto nivel de azúcar en la sangre.

- Opte por hacer ejercicio. Eso ayuda a aliviar el estrés.

- Considere aprender una nueva técnica de relajación, como los ejercicios de respiración, la terapia de relajación progresiva o la biorretroalimentación. Para más información sobre las técnicas de la relajación, vea el capítulo *Enemigos del estrés*, en la página 271.

- Únase a un grupo de apoyo para diabéticos.

- Busque un consejero o terapeuta que le ayude a lidiar con el estrés.

Cómo elegir un medidor para sus necesidades

Medirse el azúcar en la sangre en casa es fundamental para manejar la diabetes. Los estudios muestran que las personas que utilizan medidores de glucosa caseros desarrollan menos complicaciones con la diabetes.

La medición regular de sus niveles de azúcar en la sangre le permite saber rápidamente si estos han subido demasiado o han descendido peligrosamente y le permite tratarse de forma adecuada. Sepa cómo comprar el medidor de glucosa con las características que usted necesita.

Tamaño. Los medidores pueden ser minúsculos y caber fácilmente en la cartera, pero asegúrese de que el suyo sea lo suficientemente grande para que usted pueda sostenerlo cómodamente sin que se le caiga.

Presentación de resultados. Los medidores de glucosa presentan los resultados ya sea en pantalla o como mensajes audibles. Busque un medidor con una pantalla lo suficientemente grande para que usted pueda leer los números fácilmente. Si tiene problemas de visión, elija un medidor con audio.

Tiras de prueba. A veces son muy pequeñas, haciendo difícil su manipulación cuando se sufre de artritis o de entumecimiento de los dedos. Busque un medidor que utilice tiras de prueba más grandes o que dispense las tiras. O busque tiras en envases fáciles de abrir.

Sitio de prueba. Típicamente, los medidores examinan una gota de sangre de la yema del dedo, el sitio más exacto. Algunos medidores le permiten usar sitios alternativos, como el brazo o la pierna. No utilice un sitio alternativo si tiende a sufrir episodios de hipoglucemia.

Almacenamiento de memoria. La mayoría de los medidores almacenan los resultados de las pruebas, pero la capacidad de almacenamiento varía: hay medidores que almacenan hasta 400 resultados, por ejemplo. Algunos almacenan datos adicionales, que le permiten hacer un seguimiento de los patrones en sus niveles de azúcar en la sangre. Esta información puede ayudarle a manejar mejor su diabetes. También hay medidores que permiten descargar los resultados de las pruebas a una computadora.

Costo. Lo primero es el precio del medidor. Usted puede encontrar descuentos mediante reembolsos, y algunos fabricantes permiten que entregue su medidor viejo para obtener un descuento en uno nuevo. Pero el costo mayor será el de las tiras de prueba, no del medidor mismo. Medicare o su seguro de salud deberían cubrir parte del costo de las tiras y el medidor, pero asegúrese de ello antes de comprar.

Método de codificación. Algunos medidores reconocen el código de una tira de prueba automáticamente, en otros usted debe introducir la información. Ese proceso se conoce como codificación. Puede tomar varios pasos y un error puede invalidar los resultados. Si eso le preocupa, busque un medidor que no necesite codificación manual.

A la hora de elegir un medidor usted también puede consultar con su médico, farmacéutico o consejero sobre la diabetes.

Maneras de evitar las lecturas falsas

Su medidor de glucosa podría estarle dando lecturas falsas, poniéndole en riesgo de niveles de azúcar peligrosamente bajos, incluso de coma. Los medidores en su mayoría dependen de las tiras reactivas que contienen productos químicos para medir el azúcar en la sangre. Cuando se coloca una gota de sangre en estas tiras, se inicia una reacción química compleja. Cuando las condiciones son perfectas, la lectura debería ser exacta.

Pero ciertos medicamentos y enfermedades pueden interferir con la reacción, y a veces distorsionar peligrosamente los resultados. En particular, esto es un problema con tiras reactivas que contienen la enzima GDH-PQQ. Estas tiras son muy comunes, incluidas algunas fabricadas por ACCU-CHEK, Freestyle y TRUEtest.

Interacciones con medicamentos. El medicamento más común que puede afectar los resultados de la prueba es el paracetamol (*Tylenol*). Una dosis normal de paracetamol (acetaminofén) tal vez no tenga mucho efecto en su lectura de glucosa, pero cada uno procesa los medicamentos a distintas velocidades. Eso significa que algunas personas podrían obtener mediciones inexactas incluso con una dosis estándar. El paracetamol (acetaminofén) no es el único problema. Tenga cuidado si usted toma uno de estos suplementos o medicamentos:

- Vitamina C
- Levodopa (L-dopa), para la enfermedad de Parkinson
- Tolazamida, un medicamento para la diabetes

Estado de salud. Ciertas dolencias y tratamientos pueden alterar la química de su cuerpo, y distorsionar los resultados de la prueba de azúcar en la sangre. Sea cauteloso si tiene anemia, enfermedad de células falciformes, presión arterial baja o insuficiencia renal en fase terminal. Incluso la deshidratación puede cambiar los resultados.

Otras situaciones. Fumar, estar en diálisis peritoneal o sometido a terapia de oxígeno también pueden interferir con la exactitud de los resultados. Y las condiciones atmosféricas, como altitudes altas, exceso de humedad y temperaturas extremas, también pueden ser un problema.

Lea las advertencias que vienen con su medidor de glucosa y tiras de prueba para ver qué medicamentos o trastornos afectan la precisión en los resultados. De ese modo, usted sabrá que la lectura de su nivel de azúcar en la sangre puede no ser fiable bajo ciertas circunstancias. Antes de medicarse a sí mismo, asegúrese de evaluar cómo se siente además de tomar la lectura.

SOLUCIÓNsencilla

El calor del verano puede dañar la insulina y afectar la cantidad que usted necesita para conseguir determinado efecto. Mantenga su insulina a la temperatura adecuada en el calor del verano con estos consejos:

- Nunca deje su insulina dentro de un auto caliente, ni expuesta a la luz directa del sol.

- Utilice bolsas de hielo o de gel congelado para mantener fría la insulina dentro de una lonchera o hielera. Asegúrese de que la insulina no esté en contacto con el hielo.

- Considere la posibilidad de invertir en una "cartera de refrigeración". Vienen en varios tamaños para llevar viales, bolígrafos y bombas de insulina, manteniendo fría la insulina por hasta dos días. Una marca popular es *Frio*, disponible en línea o en tiendas especializadas en productos para diabéticos.

Todo sobre la terapia intensiva de insulina

Los médicos solían creer que reducir los niveles de HbA1c lo más bajo posible era lo mejor para el control de la diabetes tipo 2, una práctica a veces llamada control estricto de la glucosa o control glucémico intensivo. La idea consistía en evitar las complicaciones de la diabetes manteniendo los niveles de HbA1c en alrededor de 6.5 o 7 por ciento, es decir, más cerca de los niveles normales.

Nuevas investigaciones demuestran que esto podría hacer más daño que bien. En el estudio ACCORD, esta estrategia aumentó el riesgo de muerte para algunas personas, y el riesgo puede superar los beneficios en aquellas personas con:

- Diabetes desde hace mucho tiempo y que además padecen enfermedades cardíacas o tienen un alto riesgo de contraerlas.

- Episodios graves o frecuentes de hipoglucemia.

- Una esperanza de vida corta.

Otro estudio, el *VA Diabetes Trial*, obtuvo resultados similares. Los participantes que comenzaron un control estricto de la glucosa dentro de los 15 años posteriores a su diagnóstico de diabetes sí obtuvieron protección, reduciendo drásticamente en un 40 por ciento su riesgo de incidentes relacionados con el corazón y los vasos sanguíneos, como ataques cardíacos y accidentes cerebrovasculares.

Comenzar este régimen estricto más tarde, sin embargo, no ayudó y fue incluso peligroso en algunos casos. Los participantes del estudio que empezaron el control estricto de la glucosa entre 16 y 20 años después de su diagnóstico no obtuvieron protección alguna para el corazón. Y los ataques cardíacos y accidentes cerebrovasculares se duplicaron en las personas que lo empezaron 20 años o más después de su diagnóstico de diabetes.

Los expertos dicen que el control estricto de la glucosa puede ser bueno para algunas personas, como las recién diagnosticadas con diabetes, pero puede ser dañino o representar una carga muy grande para otras. Una meta más realista para muchos puede ser un nivel de HbA1c de entre 7 y 7.5 por ciento. Incluso eso puede ser muy difícil para personas que producen muy poca insulina.

Converse con su médico acerca de lo que usted prefiere y puede tolerar, y acerca de la seguridad y efectos secundarios potenciales de reducir estos valores. Con su ayuda, establezca metas personalizadas para usted.

Desencadenantes ocultos de la hiperglucemia

Las reacciones del cuerpo pueden ser imprevisibles cuando se tiene diabetes. No permita que estos desencadenantes ocultos de la hiperglucemia, o exceso de azúcar en la sangre, le tomen desprevenido.

Medicamentos para el colesterol. Ciertas estatinas parecen elevar el azúcar en la sangre en ayunas. Esto también les sucede a personas que no tienen diabetes. Sin embargo, en un estudio, las personas con diabetes vieron elevarse su azúcar en la sangre dos veces más que aquellas sin la enfermedad. Las estatinas pueden ocasionar cambios en el cuerpo que impiden que las células absorban el azúcar y hacen que el páncreas deje de producir insulina.

Algunos estudios, no todos, parecen indicar que las siguientes estatinas pueden aumentar el azúcar en la sangre y los niveles de HbA1c:

- Atorvastatina (*Lipitor*)
- Simvastatina (*Zocor*)
- Rosuvastatina (*Crestor*)

La pitavastatina (*Livalo*) y la pravastatina (*Pravachol*) no parecen afectar el azúcar en la sangre. Algunos expertos recomiendan la pitavastatina, un medicamento más nuevo, para el control del colesterol en personas con diabetes, porque es tan efectiva como la atorvastatina, pero no perturba el control del azúcar en la sangre. Hable con su médico sobre los riesgos y las ventajas de estos medicamentos, y nunca deje de tomar una estatina por cuenta propia. A pesar de este efecto secundario, hay pruebas contundentes que indican que las estatinas ayudan a disminuir significativamente el riesgo de ataques al corazón, derrames cerebrales y otros problemas cardíacos en las personas con diabetes.

Los resfriados y la gripe. Algo tan minúsculo como un resfriado común puede hacer subir por los cielos el azúcar en la sangre ya que el cuerpo produce hormonas en respuesta al estrés que produce una enfermedad. Estas hormonas le dicen al hígado que libere más glucosa en el torrente sanguíneo para darle al cuerpo más energía para combatir la enfermedad.

Lamentablemente, esta estrategia resulta contraproducente cuando usted tiene diabetes. Las mismas hormonas pueden trabajar contra la insulina, incrementando la resistencia de las células a la insulina. Las personas que no tienen diabetes simplemente producen más insulina para superar la resistencia, pero el páncreas puede no ser capaz de hacer frente a la demanda si usted tiene diabetes. El resultado final: más azúcar acumulada en el torrente sanguíneo.

Cuando está enfermo, usted necesita prestar especial atención a las peligrosas oscilaciones en el nivel de azúcar en la sangre:

- Nunca se salte una dosis de la medicación de la diabetes o de la insulina cuando está enfermo, incluso si no puede comer.

- Mídase el azúcar en la sangre cada tres o cuatro horas, incluso durante la noche, o haga que alguien se la mida.

- Llame a su médico si su nivel de azúcar en la sangre se eleva por encima de 250 mg/dL.

- Intente comer su asignación diaria normal de carbohidratos durante la enfermedad.

- Descanse y manténgase abrigado.

- Beba abundantes líquidos. El cuerpo elimina más agua cuando el azúcar en la sangre está alta, y usted tiene que reemplazarla. Beba 8 onzas de líquido sin cafeína cada 30 a 60 minutos. Alterne líquidos salados, como los caldos, con otros con bajo contenido de sodio, como el agua.

El cuidado de sus pies es muy importante

El cuidado de los pies debería ser un menester diario cuando se sufre de diabetes. Eso se debe a que los pies corren dos tipos de riesgos. Primero, está el daño a los nervios, que puede impedir que sienta una lesión en los pies o en los dedos del pie. El otro problema grave es la reducción del flujo sanguíneo. Los problemas de circulación hacen que las infecciones o heridas tarden más en curarse.

Este es un ejemplo de cómo un problema menor en el pie puede tener consecuencias mayores. Digamos que le sale una ampolla por usar zapatos nuevos, pero usted no siente ninguna molestia debido al daño a los nervios. La ampolla puede infectarse si usted no la cuida. Si su azúcar en la sangre es alto, la glucosa extra alimenta a las bacterias estimulando la infección. La pequeña herida puede entonces hacerse más grande, ya que la mala circulación interfiere con la curación. En el peor de los casos, la infección puede no sanar, causando gangrena y obligando a la amputación. Suena horrible, pero la existencia de esta posibilidad hace que el cuidado de los pies sea muy importante si usted tiene diabetes.

Permanezca en guardia. Revísese los pies diariamente para ver si hay cortes, ampollas, callos y otros problemas, especialmente si tiene daño a los nervios o mala circulación. Pida ayuda o utilice un espejo si tiene problemas para ver todos los ángulos.

Practique una higiene cuidadosa. Lávese los pies diariamente en agua tibia. Pruebe la temperatura del agua con el codo para asegurarse de que no esté demasiado caliente. Séquese los pies con cuidado, especialmente entre los dedos del pie. Aplique loción a las zonas con piel seca. Las uñas deben recortarse al menos una vez por semana, y es más fácil hacerlo después del baño, cuando están suaves. No las recorte demasiado y lime los bordes cuidadosamente con una lima de esmeril suave. Con una lima de esmeril o una piedra pómez trate suavemente los callos y callosidades antes de que causen problemas.

No ande descalzo. Sus pies necesitan protección, incluso en interiores. Use zapatillas o zapatos dentro de la casa para protegerse de lesiones.

Use calcetines o medias, nada demasiado apretado, con los zapatos para evitar las ampollas. Y elija zapatos que le queden cómodos. Use sus zapatos nuevos solo unas cuantas horas al día durante las primeras semanas. Pregúntele a su médico que revise sus pies en cada chequeo de diabetes y hágase un examen completo de pies al año.

Ponga fin a los picos de glucosa en la madrugada

No deje que el "fenómeno del amanecer" desbarate su control de la diabetes. Este aumento del azúcar en la sangre se da con más frecuencia entre las 2 a.m. y las 8 a.m. Para la mayoría es un misterio. ¿Por qué se eleva el nivel del azúcar incluso antes tomar desayuno? Los expertos señalan varias posibles razones:

- Las hormonas que el cuerpo segrega en la fase temprana del sueño podrían elevar el azúcar en la sangre.
- Tomar muy poca insulina la noche anterior.
- Una merienda llena de carbohidratos antes de acostarse.
- La dosis equivocada del medicamento para la diabetes.

Determinar la causa es sencillo. Ponga la alarma para despertarse a eso de las 2 a.m. o 3 a.m. varias noches seguidas. Levántese, controle su nivel de azúcar en la sangre y anote el resultado. Muestre los resultados a su médico en la próxima cita.

Sea exigente con las pedicuras

Mimarse los pies es clave cuando se tiene diabetes, pero una mala pedicura puede ser contraproducente. Una pedicura puede ser peligrosa si el salón de belleza no sigue prácticas sanitarias adecuadas y si las herramientas están sucias. Aunque tenga diabetes, usted puede hacerse una pedicura si no sufre complicaciones de la enfermedad. Pero si tiene una infección, úlcera o corte en los pies o en las piernas, o si sufre de neuropatía en los pies, entonces las pedicuras no son para usted.

Elija un salón de alto nivel. Investigue para asegurarse de que el salón sea seguro y limpio. En primer lugar, pregunte si los técnicos en uñas tienen licencias. Luego, averigüe qué tipo de baños de pies utilizan. Las tuberías de algunas tinas pueden propagar bacterias, así que los baños de pies "sin tuberías" ayudan a reducir este riesgo.

El uso de cubetas o tazones individuales es otra alternativa segura. Asegúrese también de que el salón de belleza limpia las tinas para los baños de pie entre cada cliente utilizando un desinfectante para baños de pies de pedicura de uso hospitalario y aprobado por la EPA.

Solicite una manicura para poder inspeccionar las instalaciones del salón y ver cómo se desinfectan las herramientas y las tinas para los baños de pies. Los expertos dicen que las herramientas se deben limpiar después de cada uso en una autoclave, que es una cámara con vapor presurizado y caliente. Observe si abren un nuevo paquete de herramientas esterilizadas antes de trabajar con usted. Asegúrese también de que el salón utilice herramientas de acero inoxidable, que son más fáciles de limpiar que las limas porosas o los utensilios de madera para cutículas.

Solicite cuidados especiales. Informe a su técnico que usted padece de diabetes y pídale que tome estas medidas adicionales de seguridad:

- Los masajes de pies deben ser suaves.
- El agua debe estar tibia, no caliente.
- No permita que le corten las cutículas ni que le limen los callos. Tampoco deben usar las cuchillas de pedicura, que se parecen a una maquinilla de afeitar.
- Pida que le recorten las uñas en línea recta.
- La loción debe aplicarse con un masaje suave hasta que se absorba por completo, especialmente entre los dedos de los pies.

Se recomienda no afeitarse las piernas durante los dos días anteriores a recibir una pedicura. Así usted podrá evitar las raspaduras y las irritaciones de la piel, posibles puntos de entrada para las bacterias.

Pregunta & Respuesta

¿La canela es buen tratamiento para la diabetes?

Es aún tema de debate. Varios estudios pequeños parecen indicar que esta especia ayuda a controlar los niveles de azúcar sanguínea, pero otros no llegan a la misma conclusión. Según un estudio, sazonar los alimentos con poco más de una cucharadita de canela podría reducir los niveles de insulina después de las comidas.

La canela tiene una larga historia como especia que combate la diabetes y es indudable que contiene compuestos con el potencial de reducir el azúcar en la sangre. Sin embargo, hasta el momento, las investigaciones no han demostrado que así sea. Puede que la canela no sea más que un remedio popular, pero sazonar la avena de la mañana con esta deliciosa especia sigue siendo buena idea.

El cuidado dental reduce el costo de la diabetes

Las personas con diabetes son más propensas a tener problemas en los dientes y en las encías. Eso se debe a que la hiperglucemia permite que las bacterias en la boca prosperen, fomentando la formación de una película blanca y pegajosa sobre los dientes llamada placa. Si no se limpia, puede endurecerse y convertirse en sarro, preparando el escenario para una inflamación e infección crónica en la boca.

Además, las úlceras y llagas en las encías actúan como puertas, que permiten que los compuestos inflamatorios y las bacterias ingresen en el torrente sanguíneo. Cuando eso sucede, el cuerpo tiene más problemas para extraer la glucosa de la sangre, lo cual eventualmente lleva a complicaciones en los ojos, el corazón, los riñones y otros órganos.

La diabetes debilita la resistencia del cuerpo a las infecciones, así que las personas con diabetes mal controlada sufren de enfermedades periodontales más a menudo. Esta infección de las encías y los huesos que sostienen a los dientes en su lugar conduce a la pérdida del diente, o a algo aún peor, si su diabetes está mal controlada.

Proteja su dinero y su salud. Cuidar sus encías podría reducir sus costos médicos en un 10 por ciento si usted tiene diabetes. Los investigadores de la Universidad de Michigan encontraron que las personas con diabetes que se hacían limpiezas dentales o raspados periodontales una o dos veces al año tenían un gasto médico mensual 11 por ciento más bajo que otras personas. Aquellos que recibieron tratamiento aún más frecuente, tres o cuatro veces al año, ahorraron un 12 por ciento. En este caso, realmente se ahorra dinero gastando.

Tome el asunto en sus propias manos. La protección de los dientes y encías comienza en casa:

- Cepíllese por lo menos dos veces al día con una pasta dental con fluoruro. Mejor aún, cepíllese después de cada comida o merienda usando un cepillo de cerdas suaves. Si la artritis le impide maniobrar fácilmente el cepillo de dientes, considere la posibilidad de comprar un cepillo de dientes eléctrico.

- Use hilo dental o una herramienta para limpiar entre los dientes una vez al día.

- Pregúntele a su dentista acerca de un enjuague bucal o pasta de dientes antisépticos.

- Mídase el azúcar en la sangre.

- No fume, especialmente si es mayor de 45 años.

- Vea a su dentista si sus encías se ponen rojas, están hinchadas o adoloridas, sangran con facilidad o se retraen. Otras razones para ir al dentista incluyen el persistente mal aliento o mal sabor en la boca, un cambio en la forma que los dientes encajan al morder o un cambio en el ajuste de su dentadura postiza parcial.

Aproveche al máximo su visita. Informe a su dentista sobre su diabetes y programe sus citas dentales y cirugías en la mañana o cuando la insulina tiende a estar más alta. Si usted necesita diferentes tratamientos dentales, como por ejemplo múltiples empastes, programe varias citas cortas. No olvide traer meriendas pequeñas y su medicación para la diabetes, en caso de que le baje el nivel de azúcar en la sangre. Por último, si usted sufre de infecciones frecuentes, pregúntele a su dentista acerca de los antibióticos que puede tomar.

Consejos para sobrevivir a la menopausia

La menopausia plantea desafíos especiales para las mujeres con diabetes, pero usted puede enfrentarlos armándose con un poco de información.

Sofocos. Puede ser difícil percatarse de la diferencia entre los cambios normales de la vida, como son los sofocos o bochornos y el exceso de sudoración, y los síntomas de un nivel bajo de azúcar en la sangre. Equivocarse puede ser peligroso si usted deja sin tratar un episodio de bajo nivel de azúcar en la sangre pensando que se trata de una oleada de calor propia de la menopausia.

Para evitar esos errores, mídase el azúcar en la sangre con más frecuencia de lo habitual cuando empiece la menopausia.

Terapia hormonal. Los expertos afirman que es poco probable que la terapia de reemplazo hormonal (TRH) afecte el control glucémico. De hecho, algunos estudios sugieren que la TRH puede ayudar a controlar el azúcar en la sangre, mientras que otros señalan que no tiene efecto alguno. De cualquier modo, mídase con frecuencia el azúcar en la sangre al iniciar o detener la TRH o cuando cambie la dosis.

Cambios en el peso. Los cambios hormonales durante la menopausia hacen que el cuerpo pierda músculo y gane grasa, especialmente alrededor de la cintura. Este cambio puede significar un mayor riesgo de problemas cardíacos y mayores dificultades para controlar sus niveles de azúcar en la sangre.

Eso hace que sea más importante que nunca que usted controle su peso a través de la actividad física.

Remedios naturales que animan el corazón

Cuatro maneras simples de proteger el corazón

Los medicamentos no son la única opción para prevenir o tratar las enfermedades cardíacas. Ciertos cambios en el estilo de vida y en la nutrición pueden ser tan efectivos como los medicamentos con receta, mientras que otros pueden mejorar su salud en cuestión de minutos.

Un estudio realizado por la Universidad de Cambridge encontró que las personas que mantenían apenas cuatro hábitos saludables redujeron significativamente su riesgo de morir de enfermedad cardíaca, de cáncer o de cualquier otra causa durante los 11 años que duró el estudio. Cuando los investigadores compararon a las personas que practicaban estos cuatro hábitos con personas que no practicaban ninguno de ellos, comprobaron que el riesgo de morir que presentaba el grupo de "hábitos saludables" era solo una cuarta parte del riesgo que presentaba el grupo "sin hábitos saludables". Otros estudios sugieren que estos cuatro hábitos también pueden ayudar a prevenir la diabetes y el cáncer. El estudio de Cambridge encontró que estos hábitos sencillos son los más eficaces para combatir las enfermedades cardíacas.

Coma más frutas y verduras. El grupo de hábitos saludables consumió por lo menos cinco porciones de frutas y verduras todos los días, una práctica que produjo altos niveles de vitamina C en la sangre. En combinación con una dieta adecuada, esta práctica puede ser casi tan eficaz contra las enfermedades cardíacas como algunos medicamentos de venta con receta médica.

- La dieta estadounidense típica puede ser escasa en frutas y verduras, pero no la llamada dieta DASH (siglas en inglés de *Dietary Approaches to Stop Hypertension*), que propone una serie de medidas dietéticas para detener la hipertensión arterial. Un estudio encontró que las personas con presión arterial alta que siguieron la dieta DASH durante ocho semanas redujeron su presión arterial 11 puntos más que las personas que siguieron la dieta estadounidense típica. Los expertos afirman que 11 puntos de diferencia es similar a lo que la mayoría de personas puede esperar de un medicamento con receta.

- En otro estudio, las personas siguieron una dieta rica en esteroles vegetales, así como en fibra de avena y cebada, y en proteínas de almendra y soya, y baja en grasas saturadas. Esto redujo su colesterol "malo" LDL en 29 por ciento, casi tanto como algunos medicamentos reductores del colesterol.

Lleve un estilo de vida activo. Si su trabajo le mantiene físicamente activo, o si camina a paso ligero unos 30 minutos al día, usted está siguiendo el ejemplo del grupo de hábitos saludables. La lectura de la presión arterial se indica con dos números. La actividad física moderada y regular es importante porque reduce el primer número en casi cuatro puntos y el segundo número en tres puntos. El ejercicio también ayuda a prevenir las enfermedades cardíacas.

Deje de fumar. El riesgo de problemas cardíacos empezará a reducirse de inmediato. La presión arterial empezará a disminuir en tan solo 20 minutos después de dejar de fumar. Al cabo de un año, el riesgo adicional de enfermedad cardíaca en comparación con un no fumador será la mitad del que tenía cuando recién dejó de fumar. Después de cinco años, el riesgo de sufrir un derrame cerebral será el mismo que tendría si nunca hubiese fumado. Después de 15 años, el riesgo de sufrir una enfermedad cardíaca será igual al de un no fumador.

Limite el consumo de alcohol. Beber cantidades moderadas de alcohol se ha vinculado a un menor riesgo de enfermedad cardíaca. Pero beber demasiado alcohol puede aumentar el riesgo de enfermedad cardíaca y puede contribuir al cáncer. Es más, beber cantidades pequeñas de alcohol puede incluso afectar el riesgo de cáncer de mama en las mujeres, así que si no bebe, no empiece a hacerlo, recomiendan los expertos. Si usted ya bebe, no consuma más de un trago al día si es mujer o dos al día si es hombre. Un trago equivale a una botella de cerveza de 12 onzas, una copa de vino de 4 onzas o 1 1/2 onzas de licor fuerte. Todos contienen la misma cantidad de alcohol.

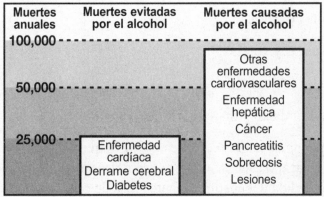

Muertes anuales	Muertes evitadas por el alcohol	Muertes causadas por el alcohol
100,000		
		Otras enfermedades cardiovasculares
50,000		Enfermedad hepática
		Cáncer
25,000	Enfermedad cardíaca Derrame cerebral Diabetes	Pancreatitis Sobredosis Lesiones

Si usted no bebe, por el bien de su corazón no empiece a hacerlo. La tasa de mortalidad anual por consumo de alcohol supera con creces las muertes evitadas por el alcohol.

El asesino silencioso: lo que toda mujer debe saber sobre la enfermedad cardíaca

Acidez estomacal, falta de apetito, fatiga, mareos. Si usted tuviera estos síntomas, ¿sospecharía que está sufriendo un ataque al corazón? Aunque las mujeres pueden sufrir dolor en el pecho, son más propensas que los hombres a tener síntomas menos comunes como estos.

La enfermedad cardíaca es la causa número uno de muerte en las mujeres mayores de 64 años en Estados Unidos, y mata casi a un tercio de todas las mujeres en el mundo entero. A pesar de ello, muchas personas todavía la consideran una enfermedad masculina. A eso se debe que hasta hace unos años no se oía mucho acerca del riesgo cardíaco en las mujeres.

Reconozca los signos del peligro. Debido a la dificultad para reconocer los síntomas, las mujeres tienden a demorarse en pedir ayuda de emergencia. Este puede ser un error costoso porque los tratamientos para limitar el daño cardíaco deben aplicarse en el lapso de una hora a partir de la primera señal de un ataque al corazón. Las mujeres necesitan ser conscientes de los siguientes síntomas:

- Dolor o malestar fuerte o leve en el centro del pecho; puede durar más de unos minutos, o desaparecer y volver.

- Falta de aire

- Náuseas y vómito

- Sudor frío repentino

- Aturdimiento y mareo

Entre los síntomas menos comunes de un ataque al corazón están la acidez estomacal, la sensación de fatiga o debilidad, las palpitaciones, la tos y la pérdida del apetito. Cuantos más de estos síntomas estén presentes, mayor la probabilidad de que se trate de un ataque al corazón. Incluso si usted no está seguro, busque atención médica de inmediato.

Prevenga los problemas cardíacos. Es bueno conocer los signos de un ataque al corazón, pero tomar medidas para prevenirlo es aún mejor. Afortunadamente, hoy en día las mujeres tienen mayores oportunidades de hacerlo. Basándose en estudios recientes de mujeres, los expertos ahora recomiendan lo siguiente para proteger el corazón:

- No fume y evite el humo de otros fumadores. Si fuma, pídale a su médico que le recomiende un método para dejar de hacerlo.

- Procure hacer 30 minutos de actividad física moderada —como una caminata a paso rápido—, todos o casi todos los días de la semana. Dedique entre 60 y 90 minutos diarios a esta actividad si usted necesita adelgazar o controlar su peso.

- Consuma una dieta rica en frutas, verduras, cereales integrales y alimentos ricos en fibra.

- Coma pescado, preferiblemente del tipo graso, por lo menos dos veces por semana.

- Limite las calorías provenientes de grasas saturadas a no más del 7 por ciento de sus calorías diarias. (*Vea el recuadro más abajo.*)

- Limite el colesterol diario de los alimentos a 300 mg al día.

- No consuma más de una bebida alcohólica al día.

- Limite el sodio a 2,300 mg o una cucharadita de sal al día.

- Lea las etiquetas y coma tan pocos ácidos grasos trans como le sea posible.

- Mantenga la medida de su cintura por debajo de las 35 pulgadas y su índice de masa corporal (IMC) entre 18.5 y 24.9 kg/m2.

- Mantenga su presión arterial por debajo de 120/80 mm/Hg.

- Procure tener niveles de colesterol LDL por debajo de 100 mg/DL, niveles de triglicéridos por debajo de 150 mg/dL y una lectura de colesterol HDL igual o superior a 50 mg/DL.

Pregunta & Respuesta

¿Cómo calcular las grasas saturadas que puedo comer?

La Asociación Estadounidense del Corazón recomienda que menos del siete por ciento de las calorías diarias provengan de grasas saturadas. Lea primero *Fórmula infalible para una silueta más esbelta* (página 10) para calcular la cantidad de calorías que usted necesita consumir al día. Multiplique esa cantidad por 0.07 para determinar cuántas calorías deben provenir de grasas saturadas. Por ejemplo: 2,000 calorías x 0.07 = 140 calorías.

Por último, divida las calorías de las grasas saturadas por nueve (140/9 = 15.5). Esa es la cantidad diaria de gramos que usted puede consumir de manera segura. Verifique las etiquetas de los alimentos para ver la cantidad de grasas saturadas que contiene cada producto.

Combata los males cardíacos sin fármacos

Algunos médicos recomiendan el uso de estatinas potentes si los niveles de proteína C reactiva (PCR) son altos, incluso si la persona no padece de enfermedad cardíaca, pero otros no están tan seguros. La PCR ayuda a medir los niveles de inflamación. Una PCR elevada significa mayor nivel de inflamación en los vasos sanguíneos y mayores probabilidades de sufrir una enfermedad cardíaca. Si su médico le receta estatinas porque su nivel de PCR es superior a 1 mg/L, pero su colesterol es normal y no presenta mucho riesgo de padecer una enfermedad cardíaca, pregúntele si puede primero probar los siguientes cambios de estilo de vida:

Disfrute de una taza de té. Un estudio encontró que los hombres que bebieron té negro regularmente redujeron la PCR en seis semanas.

Piense en alimentos frescos de granja. Un estudio observó que las mujeres que comían más frutas y verduras tenían niveles de PCR inferiores a los de las mujeres que comían menos. Los investigadores creen que los antioxidantes en los productos agrícolas ayudan a reducir la PCR. Para comer como las participantes de este estudio, sírvase más manzanas, melones, sandías, uvas, bananas, cebollas, tomates, lechuga, pepinos, habichuelas verdes y otras verduras variadas.

Controle la PCR con fibra. Las personas que obtuvieron la mayor cantidad de fibra de las frutas, las verduras y los cereales integrales redujeron en un 63 por ciento la probabilidad de tener niveles elevados de PCR en comparación con las que consumieron menos, según estudios realizados en Estados Unidos. La mayoría de las personas solo consumen la mitad de los 20 a 35 gramos de fibra que se recomienda a los adultos. Así que obtenga más fibra consumiendo avena, frutos secos, frijoles, manzanas, pan integral, cereales de grano integral para el desayuno, salvado de trigo y verduras como la zanahoria, el calabacín y el tomate.

Prefiera el pescado. Según un estudio reciente, las personas con mayores niveles de ácidos grasos omega-3 en la sangre tenían niveles menores de PCR. En investigaciones realizadas en Japón también se encontró que las personas que comían más pescado rico en omega-3 eran menos propensas a tener niveles elevados de PCR. La Asociación

Estadounidense del Corazón recomienda que los adultos mayores coman pescado al menos dos veces por semana. Los pescados más pequeños, como las sardinas, tienen menor contenido de mercurio.

Pruebe el chocolate oscuro. Los italianos que comieron una sola porción de 20 gramos de chocolate oscuro cada tres días tenían niveles de PCR más bajos que los que comieron más chocolate oscuro o los que lo evitaron por completo. Veinte gramos equivalen aproximadamente a la mitad de una barra de chocolate *Special Dark*, de Hershey's.

Obtenga su vitamina C diaria. Un estudio encontró que entre las personas con niveles de PCR de 2 mg/L o más, un suplemento de 1,000 mg de vitamina C al día redujo la PCR casi tanto como las estatinas utilizadas en estudios anteriores. Recuerde, la cantidad diaria recomendada de vitamina C es de 90 mg para el hombre y 75 mg para la mujer, mientras que el límite superior es de 2,000 mg. Antes de probar estos suplementos, pregúntele a su médico sobre los riesgos y beneficios de la vitamina C y los riesgos y beneficios de las estatinas.

Controle su peso. Un estudio reciente de laboratorio sugiere que las células grasas producen PCR. Tal vez es por ello que las personas obesas o con sobrepeso tienen más PCR. Los estudios demuestran que los niveles de PCR pueden disminuir cuando la persona baja de peso.

Muévase. Las personas con niveles de PCR por encima de 2 mg/L tienen un mayor riesgo de sufrir accidentes cerebrovasculares o ataques cardíacos. Las investigaciones indican que la actividad física puede ayudar a disminuir los niveles de PCR.

Tome una aspirina al día. Se ha demostrado que la aspirina reduce los niveles de PCR, pero puede ser peligrosa para algunas personas. Hable con su médico antes de probarla.

Una enfermedad reciente, una lesión o una extracción dental antes de un examen de PCR pueden provocar una lectura inexacta de los niveles de PCR. Esto también puede ocurrir si usted sufre de gota, artritis reumatoide, infecciones del tracto urinario, prostatitis, presión arterial alta, diabetes o alguna infección. Hable con su médico en estos casos para determinar si es necesario que se haga un segundo examen de PCR.

Pregunta & Respuesta

Si tomo psilio para bajar el colesterol total, ¿también se reducirá el colesterol "bueno" HDL?

La fibra soluble del psilio o *psyllium* —el principal ingrediente de *Metamucil*— puede reducir los niveles de colesterol total en hasta un 10 por ciento si se utiliza de manera regular. Los niveles de colesterol total por lo general se reducen cuando disminuyen ya sea los niveles de colesterol "bueno" HDL o de colesterol "malo" LDL. Afortunadamente, las investigaciones parecen indicar que si bien los niveles del colesterol "malo" LDL disminuyen cuando usted toma psilio, los niveles del HDL beneficioso se mantienen igual.

Nueve maneras naturales para aumentar el colesterol "bueno"

Si su examen de colesterol muestra niveles bajos de lipoproteína de alta densidad (HDL, en inglés), que es el "buen" colesterol que protege las arterias, y usted no está seguro de cómo elevar sus niveles de HDL naturalmente, comience con estos consejos:

Coma más tomate. Un estudio en Israel encontró que consumir apenas 10 onzas y media de alimentos a base de tomate al día durante un mes eleva el colesterol HDL en 15 por ciento. Si usted quiere probar esto, concéntrese en platos tentadores y saludables para el corazón, como la sopa de tomate y verduras baja en sodio, o la pasta con salsa marinara.

Beba jugo de arándano rojo. En un estudio, los hombres con sobrepeso elevaron sus niveles de HDL bebiendo 8 onzas y media de jugo de arándano rojo al día durante cuatro semanas. Los investigadores creen que los polifenoles del arándano rojo pueden ser la clave. Pruebe sustituir su bebida diaria por un delicioso jugo de arándano rojo para aumentar los niveles de HDL y cuidar de su corazón.

Mejore su salud con DASH. La dieta DASH para la presión arterial alta puede aumentar los niveles de HDL hasta en un 21 por ciento en los hombres y un 33 por ciento en las mujeres.

Guarde los dulces para ocasiones especiales. Según un estudio reciente realizado en Atlanta, cuanto mayor es la cantidad de azúcares agregados en la alimentación de una persona, menores son sus niveles de HDL. Estos azúcares agregados pueden ser tanto los edulcorantes que los fabricantes añaden a los alimentos procesados, como los que se añaden a los alimentos al prepararlos, ya sea en el restaurante o en el hogar.

En un estudio realizado en Canadá se observó que consumir menos porciones de refrescos, jugos y refrigerios endulzados con azúcar estaba asociado con niveles más elevados de HDL. También ayudaba limitar los carbohidratos, así que intente reducir su consumo de bebidas azucaradas y de carbohidratos con azúcar adicional. Un análisis señala que limitar el consumo de este tipo de carbohidratos puede elevar los niveles de HDL hasta en un 10 por ciento.

Evite las grasas trans. Cuanto menor sea su consumo de grasas trans, mejores serán sus niveles de HDL. Las grasas trans se ocultan mayormente en los alimentos con aceites parcialmente hidrogenados, como los productos horneados de tienda, las comidas fritas de restaurante y las barras de margarina. Al comprar alimentos envasados, revise las etiquetas para asegurarse de que el contenido de grasas trans es de 0 gramos y que "parcialmente hidrogenado" (*partially hydrogenated*, en inglés) no aparece en la lista de ingredientes.

Realice más actividad física. Unos pocos meses de ejercicio aeróbico de moderado a vigoroso pueden elevar los niveles de HDL hasta en un 25 por ciento en las mujeres, según las investigaciones. Antes de iniciar cualquier programa de ejercicio, consulte con su médico. Encuentre una actividad aeróbica que le apasione y empiece con períodos cortos de ejercicio ligero y aumente gradualmente hasta alcanzar unos 30 minutos de actividad moderada o vigorosa casi todos los días de la semana.

Baje de peso. Si usted tiene sobrepeso, cuenta con otra manera de solucionar su problema de colesterol. Por cada 2 libras de exceso de peso que pierda, sus niveles de HDL se incrementarán en 0.5 mg/dL.

Deje el hábito. Dejar de fumar ayudará a su corazón de muchas maneras, incluso aumentará sus niveles de HDL en unos 4 mg/dL.

Conozca las reglas para beber. Beber moderadamente puede ayudar a elevar el HDL. Eso equivale a uno o dos tragos diarios para los hombres y a un trago al día para las mujeres. Un trago equivale a una copa de 5 onzas de vino o a 12 onzas de cerveza. Pero si usted no bebe, este no es motivo para empezar.

Si estas medidas naturales no bastan para que sus niveles de HDL alcancen el nivel óptimo de 60 mg/dL, hable con su médico.

Ocho recomendaciones para medirse la PA

Si las lecturas de presión arterial (PA) tomadas en el consultorio de un médico son inexactas, usted puede acabar tomando medicamentos que no necesita. Estas son maneras de asegurarse de que la medición de su presión arterial sea correcta:

Omita el café. Evite el café y cualquier otro alimento o bebida que contenga cafeína por lo menos 60 minutos antes de hacerse la prueba. La cafeína puede provocar un aumento de la presión arterial.

Vaya al baño. Haga una parada antes de ir al consultorio del médico. Una vejiga llena eleva la presión arterial.

Entre a la zona de no fumadores. No fume por lo menos 30 minutos antes de su examen de presión arterial.

No haga ejercicio. Programe su día de modo que no tenga que realizar ninguna actividad física ligera, moderada o vigorosa por lo menos media hora antes de llegar al consultorio de su médico.

Revise el botiquín. Informe a su médico acerca de los medicamentos de venta sin receta que haya tomado ese día y de los que toma con regularidad. Revise la etiqueta de los medicamentos y asegúrese de verificar los ingredientes que contienen antes de tomarlos.

Varios medicamentos de venta libre pueden causar subidas temporales o incluso duraderas de la presión arterial. Estos incluyen:

- Analgésicos como el acetaminofeno (*Tylenol*), el naproxeno sódico (*Aleve*) y el ibuprofeno (*Advil*).

- Medicamentos para el resfriado y las alergias que contengan descongestionantes, como la seudoefedrina o la fenilefrina.

- Aerosoles nasales descongestionantes que contienen oximetazolina, fenilefrina o nafazolina.

- Gomas de mascar y parches de nicotina de venta sin receta para dejar de fumar.

Pregúntele a su médico acerca de alternativas a estos productos. En algunos casos, un medicamento diferente puede proporcionarle el mismo alivio sin afectar la presión arterial.

Enumere sus medicamentos con receta. Asegúrese de que su médico sepa qué medicamentos con receta está usted tomando, incluidos los medicamentos recetados por otros médicos. Algunos de los medicamentos que aumentan la presión arterial:

- Píldoras anticonceptivas

- Ciclosporina (*Neoral, Sandimmune*)

- Metilprednisolona (*Medrol*)

- Antidepresivos como el bupropión (*Wellbutrin*), la venlafaxina (*Effexor*), la desipramina (*Norpramin*) y la fenelzina (*Nardil*)

Permanezca en silencio. No hable mientras tenga el manguito para medir la presión arterial en el brazo. Si es posible, siéntese en silencio durante cinco minutos antes del examen.

No cruce las piernas o los tobillos. Un estudio realizado en Turquía encontró que esto por si solo puede aumentar la presión arterial temporalmente. Mantenga los pies apoyados en el suelo.

Si la lectura de presión arterial en el consultorio de su médico es más alta que la esperada, solicite nuevas mediciones para determinar si la primera fue un error. Los expertos recomiendan promediar los resultados de tres lecturas para una mayor exactitud.

Cómo bajar la presión arterial cinco puntos en cinco minutos

Usted puede reducir su presión arterial en hasta 10 puntos en apenas cinco minutos. Faye, de setenta años, lo ha venido haciendo desde hace mucho tiempo. Cuando su presión arterial es demasiado alta, Faye cierra los ojos y respira profundamente. Luego visualiza un lugar tranquilo, como su destino preferido para ir de vacaciones, y trata de recordar todos los detalles de ese lugar, incluidos los colores, los sonidos y los olores. Unos minutos más tarde abre los ojos y se vuelve a medir la presión. Siempre está entre 5 y 10 puntos más baja que la primera lectura.

Lo que usted necesita saber sobre la aspirina

Tomar una aspirina para bebés al día para protegerse de los problemas del corazón es una forma de vida para muchos adultos mayores. Pero este acto sencillo podría convertirse en un desastre para algunas personas que combinan la aspirina con otros analgésicos. Para otros, solo el hecho de tomar una aspirina diaria puede aumentar su riesgo de sufrir un derrame cerebral y otras complicaciones graves.

Tenga cuidado con las combinaciones peligrosas. Los coágulos de sangre pueden causar ataques cardíacos y derrames cerebrales. El poder anticoagulante de la aspirina ayuda a prevenir los coágulos. Desafortunadamente, estudios recientes indican que el naproxeno, el ibuprofeno y el celecoxib interfieren con la habilidad anticoagulante de la aspirina. Así que si usted toma analgésicos como *Naprosyn*, *Motrin* o *Celebrex* junto con aspirina, puede ser más vulnerable de lo que creía a un derrame cerebral o a un ataque al corazón. Esto puede ser particularmente peligroso si usted tiene alto riesgo de sufrir un segundo ataque al corazón o si padece de angina inestable.

Para aminorar este problema, algunos expertos sugieren tomar ibuprofeno o naproxeno ocho horas antes o 30 minutos después de tomar aspirina. También puede que necesite tomar aspirina una hora antes de tomar celecoxib. Pero se necesitan más investigaciones, así que hable con su médico para recomendaciones más actualizadas.

Determine su riesgo de hemorragia. Las personas que no sufren de enfermedad cardíaca deberían pensarlo dos veces antes de empezar a tomar aspirina diariamente, opinan los doctores. En los hombres, la aspirina puede aumentar el riesgo de accidente cerebrovascular hemorrágico provocado por un sangrado fuerte en el cerebro. También puede elevar el riesgo de hemorragia grave —o incluso mortal— en el tracto digestivo, tanto en hombres como en mujeres. El riesgo de hemorragia estomacal grave causada por la aspirina se triplica a partir de los 60 años y se cuadruplica a los 70 años.

Es por ello que tal vez usted no debería tomar una aspirina diaria si su salud general es buena, si nunca se le ha diagnosticado una enfermedad cardíaca o dolencias relacionadas, si nunca ha sufrido un ataque al corazón o un derrame cerebral, y si no presenta factores de riesgo para la enfermedad cardíaca y el derrame cerebral.

El Grupo de Trabajo de Servicios Preventivos de Estados Unidos recomienda una aspirina al día para reducir el riesgo de sufrir un ataque cardíaco en hombres de 45 a 79 años o para reducir el riesgo de accidentes cerebrovasculares en mujeres de 55 a 79 años, pero solo si el riesgo de enfermedad cardíaca y de accidente cerebrovascular es mayor que el riesgo de hemorragia estomacal.

Para determinar esto, su médico calculará su riesgo de sufrir un derrame cerebral o un ataque al corazón en los próximos 10 años y lo comparará con su riesgo de sufrir una hemorragia estomacal. Su médico le recomendará la aspirina para bebés únicamente si es más probable que esta prevenga un accidente cerebrovascular o un ataque al corazón a que provoque una hemorragia en el cerebro o en el estómago.

Supere los obstáculos para hacer ejercicio y tener un corazón sano

Todos le recomiendan que haga ejercicio para un corazón sano, pero nadie le dice cómo superar los obstáculos que le impiden hacer ejercicio. Utilice esta guía para cambiar las "reglas del ejercicio":

Obstáculo número 1: *Soy demasiado viejo.* Nunca se es demasiado viejo para beneficiarse del ejercicio adecuado para usted. De hecho, si usted lleva una vida sedentaria, iniciar una vida muy activa puede reducir su riesgo de sufrir una enfermedad cardíaca en un asombroso 90 por ciento. En un sorprendente estudio realizado en Alemania se observó que esto es cierto incluso para las personas mayores de 40 años. Todos los adultos deberían tener como meta hacer 30 minutos de ejercicio moderado, cinco días a la semana, o 20 minutos de ejercicio vigoroso, tres días a la semana.

Usted no tiene que jadear, sudar y extenuarse para mejorar la salud del corazón. Para la Asociación Estadounidense del Corazón (AHA, en inglés) el ejercicio moderado es aquel que acelera la respiración e incrementa de forma notoria el ritmo cardíaco. Esto varía dependiendo de su nivel de acondicionamiento físico. Para algunas personas, ejercicio moderado significa una caminata a paso ligero, para otras será un paseo lento. Para quienes no pueden realizar este tipo de ejercicio durante 30 minutos seguidos, la AHA recomienda empezar con tres sesiones de 10 minutos de actividad cada una, en lugar de una sesión continua.

Obstáculo número 2: *El ejercicio duele.* Antes de realizar cualquier actividad física, especialmente una que es dolorosa o le deja adolorido, hable con su médico. A menudo, el dolor es un signo de que usted se está ejercitando ya sea demasiado tiempo o demasiado fuerte, o que está realizando un ejercicio que no es adecuado para usted. Comience con movimientos suaves, o disminuya la duración e intensidad del ejercicio. Si el dolor es debido a un problema de salud, deje de hacer ejercicio y hable con su médico acerca de otras alternativas.

Obstáculo número 3: *Estoy demasiado cansado.* Trate de hacer ejercicio por la mañana, cuando está más fresco. Si esto no es posible, tome la determinación de moverse siempre que le sea posible. Aunque no lo crea, el ejercicio aumentará su energía.

Obstáculo número 4: *Hacer ejercicio es demasiado aburrido.* Experimente con distintas actividades divertidas, como el baile, la natación, el ciclismo o el golf. O acepte un consejo de los pacientes con problemas cardíacos y en recuperación que participan en el programa *Cardiac Friends,* de Wisconsin: tres veces por semana, ellos se ofrecen voluntariamente a pasear a los perros de un refugio local para mascotas abandonadas.

Obstáculo número 5: *El ejercicio no funciona.* Puede que el ejercicio no funcione de la misma manera que un medicamento con receta médica, pero los estudios demuestran que sí es efectivo.

- Investigadores encontraron que caminar entre 30 y 45 minutos tan solo tres veces por semana redujo el riesgo de sufrir un ataque al corazón en un 50 por ciento en mujeres postmenopáusicas.

- Un estudio realizado con más de 13,000 mujeres descubrió que aquellas que habían sido físicamente más activas entre los 40 y los 60 años tenían más probabilidades de vivir al menos hasta los 70 años sin discapacidades físicas, problemas de salud mental, demencia o enfermedades crónicas, como el cáncer, la diabetes, las enfermedades cardíacas o el derrame cerebral. Incluso las mujeres cuyo único ejercicio consistió en caminar obtuvieron este beneficio.

- Muchos estudios demuestran que la actividad física reduce la presión arterial, reduce el colesterol "malo" LDL, aumenta el colesterol "bueno" HDL y reduce otros factores de riesgo que contribuyen a la enfermedad cardíaca.

Obstáculo número 6: *El ejercicio toma demasiado tiempo.* Combine el ejercicio con otras actividades. Por ejemplo, en vez de encontrarse con una amiga para tomar un café, den un paseo juntas. Siempre que el ejercicio alcance una intensidad moderada y sea un agregado a sus actividades regulares, cuenta hacia sus 30 minutos diarios.

La amenaza oculta para las personas delgadas

Ser una persona delgada podría significar que usted corre un riesgo mayor de lo que cree de sufrir un ataque al corazón. De hecho, hasta 30 millones de estadounidenses delgados pueden estar expuestos a este peligro, sostienen los científicos de la Clínica Mayo. Averigüe si usted es uno de ellos y lo que puede hacer al respecto.

Calcule su riesgo. El exceso de grasa corporal incrementa el riesgo de sufrir ataques cardíacos y accidentes cerebrovasculares. Es por ello que los expertos recomiendan mantener un índice de masa corporal (IMC) de entre 18.5 y 24.9. Este IMC "normal" significa que su peso es el apropiado para su estatura y que usted no es ni obeso ni tiene sobrepeso.

Pero cuando los científicos de la Clínica Mayo examinaron a más de 6,000 personas con IMC normal, descubrieron que algunas personas tenían mucha grasa corporal a pesar de su aspecto delgado. Y aquellas con el mayor porcentaje de grasa tenían un riesgo mucho mayor de padecer problemas cardíacos que las personas con un porcentaje mínimo. También encontraron que:

- Una cantidad mayor de grasa corporal estaba asociada con niveles menores de colesterol "bueno" HDL y mayores de colesterol "malo" LDL, triglicéridos y proteína C reactiva (PCR), un marcador de inflamación.

- Las personas con el mayor porcentaje de grasa corporal tenían cuatro veces más factores de riesgo asociados con el síndrome metabólico que las personas con menos grasa corporal.

- Los hombres con más grasa corporal presentaban un riesgo mayor de sufrir presión arterial alta y de tener niveles elevados de colesterol LDL y de triglicéridos, y niveles bajos de colesterol HDL.

- Las mujeres con más grasa corporal tenían más probabilidades de morir de enfermedad cardíaca.

Una persona delgada puede tener más riesgo de sufrir una enfermedad cardíaca que otra porque dos personas con el mismo IMC pueden tener cantidades diferentes de grasa corporal. El IMC incluye tanto el peso de la grasa como el peso de los huesos y los músculos. Así que una persona que corre todos los días y que levanta pesas en los días de lluvia puede tener menos grasa y más músculo que alguien que lleva una vida sedentaria, aunque ambos tengan el mismo IMC.

Los investigadores de la Clínica Mayo llaman "obesidad de peso normal" cuando el IMC de una persona es normal, pero el porcentaje de grasa corporal es de por lo menos el 23 por ciento para los hombres o el 33 por ciento para las mujeres. Eso es importante porque las células grasas secretan compuestos que promueven la inflamación en el cuerpo, y la inflamación aumenta el riesgo de problemas cardíacos. Esa es una de las razones que hacen que sea más seguro y saludable tener un cuerpo con más músculo y menos grasa.

Tome medidas si es necesario. Los investigadores y los médicos especialistas aún no se han puesto de acuerdo en cuál es el porcentaje adecuado de grasa corporal, así que la prueba de grasa corporal no es un requisito para calcular el riesgo de enfermedad cardíaca. Puede que futuras investigaciones determinen que sí debe ser parte de un examen médico. Por ahora, es más probable que su gimnasio, y no su médico, le ofrezca hacerle esta prueba de grasa corporal.

Algunos expertos recomiendan medirse la cintura para calcular de forma aproximada la grasa corporal. Según un estudio de la Clínica Mayo, los hombres con una cintura de 34 pulgadas o más y las mujeres con una cintura de 32 pulgadas o más tienen un riesgo mayor de sufrir problemas cardíacos. Las personas en este rango pueden necesitar reducir su grasa corporal, aun cuando su IMC sea normal. Los expertos recomiendan dos maneras de hacerlo:

- Siga una dieta saludable para controlar su peso. Informe a su médico que usted desea enfocarse en perder grasa y siga sus indicaciones. Si usted solo restringe su consumo de calorías, usted perderá a la vez tejido muscular y grasa corporal, con lo cual pesará menos, pero posiblemente seguirá con el mismo porcentaje de grasa corporal que antes.

- Haga más ejercicio y rutinas de levantamiento de pesas para aumentar su masa muscular magra. Pregúntele antes a su médico para asegurarse de que la actividad extra y las pesas son recomendables para usted, y para averiguar cuánto peso debe levantar y con qué frecuencia. Para ejercicios sencillos que puede realizar estando sentado, vea *Póngase en forma sentado en una silla*, en la página 56.

SOLUCIÓN*rápida*

Usted puede mejorar su salud cardíaca en seis formas con solo hacer un cambio en su día a día: subir las escaleras en vez de tomar el ascensor. Cuando los empleados inactivos del Hospital de la Universidad de Ginebra lo hicieron, lograron bajar sus niveles de presión arterial y colesterol LDL, reducir sus medidas de cintura, perder peso y grasa corporal y mejorar su estado físico aeróbico en tan solo 12 semanas. Los empleados subieron un promedio de 20 tramos de escaleras al día. Si usted no tiene tantas escaleras para subir, estaciónese a mayor distancia cuando vaya de compras, camine mientras habla por teléfono o salga a dar un paseo durante las pausas para el café o después de la cena.

La supervitamina que cuida el corazón

Si usted tiene una deficiencia de vitamina D, sus probabilidades de sufrir un ataque al corazón, un derrame cerebral o una insuficiencia cardíaca aumentan hasta en un 80 por ciento, aun cuando no tenga problemas cardíacos. Conozca los beneficios de esta supervitamina:

Enfermedades cardíacas. Comparadas con las personas de edad con los niveles más altos de vitamina D, las personas con los niveles más bajos estaban más propensas a morir de una enfermedad cardíaca, así como de otras causas, fue la conclusión de un estudio realizado por la Universidad de Colorado.

Síndrome metabólico y diabetes. Las personas con los niveles sanguíneos más altos de vitamina D tienen un riesgo 43% menor de sufrir enfermedad cardíaca, diabetes o síndrome metabólico.

Accidentes cerebrovasculares. Los niveles más altos de vitamina D en la sangre también están asociados a un menor estrechamiento de las arterias del cuello, lo cual puede disminuir su riesgo de sufrir un derrame cerebral.

Insuficiencia cardíaca. Las personas con deficiencia de vitamina D pueden reducir su riesgo de insuficiencia cardíaca y enfermedad de las arterias coronarias elevando la vitamina D a niveles normales, señala un estudio de la Universidad de Utah.

Hipertensión arterial. Investigaciones de Harvard muestran que los hombres que no reciben suficiente vitamina D pueden tener un riesgo cinco veces mayor de desarrollar hipertensión arterial. Otros estudios sugieren que la vitamina D puede ayudar a bajar la presión arterial.

Enfermedad arterial periférica. Las personas con los niveles sanguíneos más bajos de vitamina D corren un riesgo mayor de enfermedad arterial periférica.

La mayoría de los adultos no recibe suficiente vitamina D, sobre todo a medida que envejecen. La cantidad recomendada de vitamina D es de 400 unidades internacionales (UI) o de 10 microgramos (mcg) para personas entre 51 y 70 años, y 600 UI o 15 mcg para personas a partir de los 71 años. Pero muchos expertos sostienen que estas cantidades son demasiado bajas y que pronto serán modificadas.

Para asegurarse de que no le falta vitamina D, averigüe si su compañía de seguros cubre un examen de sangre para medir la vitamina D, que se conoce como examen de 25-hidroxivitamina D. Si lo cubre, pídale a su médico que lo solicite. Si su seguro no cubre el examen, solicite a su médico que le recomiende una manera barata de examinarse.

Si usted necesita más vitamina D, hable con su médico. Algunos expertos recomiendan pasar unos minutos bajo el sol varias veces a la semana, pero esta opción es controversial y puede no funcionar todo el año si vive demasiado al norte. El pescado y los alimentos enriquecidos con vitamina D, como los cereales para el desayuno, la leche y el jugo de naranja, pueden ayudar a añadir vitamina D. Pero si su nivel es demasiado bajo, su médico también puede recomendarle un suplemento. Antes de comprar suplementos adicionales, revise cualquier suplemento multivitamínico o de calcio que ya esté tomando, para determinar cuánta vitamina D ya está ingiriendo.

Delicias para bajar la presión arterial

Cereales para el desayuno con pasas y almendras, yogur con frutos secos tropicales, batidos de plátano. Puede que estas delicias no parezcan saludables para el corazón, pero proporcionan magnesio, calcio y potasio, tres minerales que ayudan a controlar la presión arterial. Deléitese con ellos y despídase del alto riesgo de enfermedades cardíacas y accidentes cerebrovasculares.

Calcio. Cuatro de cada cinco mujeres le dan la espalda al mineral que podría salvarlas de la diabetes, la presión arterial alta, el cáncer de colon, la debilidad ósea y mucho más. Lo dicen los científicos.

- Diabetes. Un estudio realizado en China encontró que cuanto más calcio y magnesio obtenían las mujeres a través de la alimentación, menores eran sus probabilidades de desarrollar diabetes en el curso de siete años.

- Presión arterial alta. No obtener el calcio suficiente aumenta el riesgo de desarrollar hipertensión arterial. Los estudios parecen indicar que la adición de calcio a la dieta es beneficiosa. El calcio también ayuda a bajar la presión arterial si ya la tiene alta.

- Cáncer de colon. Cuanto mayor sea el consumo de calcio, menor será el riesgo de sufrir cáncer de colon, observa un estudio del Instituto Nacional del Cáncer. Pero procure consumir no más de 1,300 mg al día. Cantidades mayores no parecen ayudar.

- Huesos frágiles. El cuerpo necesita un suministro regular de calcio para mantener los huesos fuertes. Es más, muchos estudios muestran que los suplementos de calcio pueden frenar la pérdida ósea en las mujeres mayores. Así que dele una oportunidad a este salvavidas. Lo único que usted tiene que hacer es comer alimentos sabrosos y fáciles de conseguir como yogur, leche baja en grasa, quesos bajos en grasa, espinacas, cereales para el desayuno *Total,* salmón en lata y frijoles cocidos enlatados.

Magnesio. Los alimentos como la banana, las pasas y las almendras le pueden ayudar a prevenir el síndrome metabólico, que es un conjunto de factores de riesgo asociado con las enfermedades cardíacas y la diabetes. Estos alimentos son ricos en magnesio y los estudios demuestran que más magnesio significa menos riesgo de este peligroso síndrome. Una persona tiene síndrome metabólico si presenta tres de las siguientes condiciones:

- Demasiada grasa alrededor de la cintura

- Presión arterial alta

- Niveles bajos de colesterol HDL

- Niveles altos de triglicéridos

- Niveles altos de azúcar en la sangre

Pero las investigaciones han encontrado que cuanto mayor es el consumo de magnesio, menores tienden a ser los niveles de azúcar en la sangre y el índice de masa corporal (IMC). Un IMC menor puede indicar menos grasa alrededor de la cintura. Los estudios también asocian un consumo elevado de magnesio con niveles más altos de HDL, una presión arterial más baja y niveles más bajos de triglicéridos. Así que disfrute de más alimentos ricos en magnesio, como las mezclas tropicales de frutos secos y fruta seca, que se conocen como *Trail Mix*, las semillas de calabaza, los frijoles, el arroz integral, los frutos secos y las papas al horno.

Potasio. Si bien una dieta con alto contenido de sal puede elevar la presión arterial, una cantidad mayor de potasio en los alimentos puede atenuar los efectos de la sal sobre la presión arterial. Es por ello que se le llama la "antisal", debido a su asombrosa capacidad para mantener la presión arterial baja. Para comenzar, pruebe estos tres sabrosos refrigerios repletos de potasio: dátiles, uvas y una mezcla tropical de frutos secos y fruta seca.

Si bien el Instituto de Medicina recomienda 4.7 gramos de potasio al día, cantidades elevadas pueden ser peligrosas para algunas personas, así que hable con su médico antes de agregar más potasio a su dieta. Si su médico está de acuerdo, coma más alimentos ricos en potasio, como la papaya, el yogur, la banana y la ciruela pasa.

SOLUCIÓNsencilla

Las personas con claudicación intermitente (CI) que probaron caminar con la ayuda de bastones similares a los utilizados para esquiar, tuvieron menos dolor de piernas, pudieron caminar más lejos antes de empezar a sentir dolor y aumentaron la distancia total recorrida.

La "marcha nórdica" es como el esquí a campo traviesa, salvo que se camina en vez de esquiar. Caminar con bastones ofrece un punto de apoyo a las piernas, a la vez que es un gran ejercicio. Eso es importante porque las dificultades para caminar de la CI pueden hacer que las actividades diarias sean extremadamente difíciles y que las personas dejen de salir o se vuelvan dependientes de otras. Estudios parecen indicar que el ejercicio ayuda a prevenir que esto ocurra.

Para lecciones y bastones de marcha nórdica, hable con su médico o su fisioterapeuta, o busque información en hospitales, gimnasios e Internet.

Coma con inteligencia para un corazón sano

Bajar la presión arterial y bajar el colesterol son dos formas inteligentes de mantener su corazón en forma. Dos dietas que le ayudarán a cumplir con esos objetivos son la dieta DASH (siglas en inglés de *Dietary Approaches to Stop Hypertension*), que propone una serie de medidas dietéticas para detener la hipertensión arterial, y la dieta TLC (siglas en inglés de *Therapeutic Lifestyle Changes*), que propone cambios terapéuticos de estilo de vida. Ambas dietas cumplen con las directrices de protección del corazón establecidas por la Asociación Estadounidense del Corazón (AHA, en inglés), pero la dieta DASH ayuda principalmente a bajar la presión arterial mientras que la TLC reduce el colesterol. Estas dietas ayudan a prevenir ataques cardíacos y derrames cerebrales al equilibrar el consumo de fibra, grasa, colesterol, productos lácteos, sal y proteínas. El siguiente cuadro explica cómo funcionan.

Ingrediente	DASH	TLC
Fibra	Por lo menos 30 gramos diarios de fibra proveniente de cereales (entre 6 y 8 porciones), de frutas (entre 4 y 5 porciones) y de verduras (entre 4 y 5 porciones). Entre 4 y 5 porciones semanales de frutos secos, legumbres o semillas.	Por lo menos 6 porciones diarias de granos, cereales y panes. Entre 3 y 5 porciones diarias de verduras, frijoles o chícharos. Entre 2 y 4 porciones diarias de fruta.
Grasa	Limite el consumo total de grasa a un 27 por ciento de las calorías diarias. Limite las grasas saturadas a un 6 por ciento de las calorías diarias. Elija aceites monoinsaturados, como el aceite de oliva.	Obtenga entre el 25 y el 35 por ciento de sus calorías de las grasas. Obtenga menos del 7 por ciento de sus calorías diarias de las grasas saturadas.
Colesterol	Limite su consumo a 150 mg diarios.	Limite su consumo a 200 mg diarios.
Productos lácteos	Incluya entre 2 y 3 porciones de productos lácteos sin grasa o bajos en grasa.	Limite su consumo de lácteos a 2 o 3 porciones sin grasa o bajas en grasa al día, y de huevos a 2 yemas o menos a la semana.
Proteínas	Elija raciones modestas de pescado y pollo sin piel, limite su consumo diario a no más de 6 onzas.	Limite su consumo de carne, aves de corral y pescado a 5 onzas o menos al día.
Sal	Limite su consumo a 2,300 mg o 1 cucharadita al día.	Limite su consumo a 2,300 mg o 1 cucharadita al día.

En los últimos años, la AHA ha emitido recomendaciones adicionales que pueden hacer que las dietas DASH y TLC sean aún más efectivas. Para obtener mejores resultados, pruebe estas recomendaciones:

- Limite las grasas trans a menos del uno por ciento de las calorías.

- Haga que la mitad de su consumo de cereales sea de cereales integrales.

- Limite el consumo de alimentos y bebidas con azúcar agregada.

- Coma pescado por lo menos dos veces por semana.

Dos dietas famosas para el corazón

Es posible que le sorprenda que una dieta pueda ser buena para su corazón aunque no cumpla con las recomendaciones dietéticas de la Asociación Estadounidense del Corazón (AHA). Ni la dieta mediterránea ni la dieta Ornish cumple con los lineamientos de grasas de la AHA, pero ambas son famosas por sus poderes de protección del corazón. Sin embargo, estas dietas no son necesariamente apropiadas para todos.

Una mirada a la dieta mediterránea. Esta dieta refleja la forma tradicional de comer de la gente que vive cerca del mar Mediterráneo en Grecia, Creta e Italia Meridional. Los estudios parecen indicar que la dieta mediterránea puede no solo proteger contra las enfermedades del corazón, también puede ayudar a aquellos que han padecido de ataques al corazón o angina. Pero para obtener esa protección, usted debe seguir pautas como estas:

- Coma principalmente alimentos vegetales, como frutas, verduras, granos, frutos secos y semillas.

- Obtenga entre el 25 y 40 por ciento de sus calorías de la grasa, sobre todo de grasas no saturadas, como el aceite de oliva.

- Limite su consumo diario de productos lácteos a una cantidad entre baja y moderada de queso y yogur.

- Coma pescado o aves de corral dos veces por semana.

- Limite los dulces a unas cuantas veces por semana.

- Limite la carne roja a unas cuantas veces por mes.

- Sazone sus comidas con ajo, cebolla y hierbas.

Pero tenga cuidado, porque la dieta mediterránea tiene algunos defectos. Por ejemplo, el mayor contenido de grasas de esta dieta puede causar aumento de peso. También podría producir una carencia de hierro y calcio.

Conozca el plan Ornish. La dieta de Ornish es una dieta muy baja en grasas, que permite que solo el 10 por ciento de las calorías provengan de la grasa, a la vez que incrementa los carbohidratos al 75 por ciento. Debido a que es un programa exigente, a la mayoría de la gente le resulta difícil seguir esta dieta por mucho tiempo.

Según los expertos de la AHA, algunas personas con niveles altos de colesterol LDL o con enfermedades del corazón, y con mucha motivación, podrían beneficiarse de un consumo muy bajo de grasas, pero deben ser cuidadosamente supervisadas por su médico. No opte por una dieta muy baja en grasas si tiene niveles altos de triglicéridos o diabetes insulinodependiente. Y, por supuesto, hable siempre con su médico antes de modificar su dieta.

Cuatro verduras "malas" que debería comer

Algunas verduras naturalmente saludables son como el fallecido comediante Rodney Dangerfield, "no reciben ningún respeto". Sin embargo, la papa blanca, el apio, la lechuga *iceberg* y el maíz dulce deben salir de su lista de "no comer" y pasar a su lista de "sí comer", sobre todo si usted desea bajar de peso, salvar la vista y reducir la presión arterial.

Papa blanca. Disminuya la hipertensión arterial rápidamente con una papa caliente. La papa es más saludable de lo que la gente cree, e incluso puede ayudarle a mantenerse en forma.

La papa se considera perjudicial para la salud porque a menudo se consume en la forma de papas fritas grasientas, papitas fritas de bolsa con alto contenido de grasa o como papa al horno cubierta de mantequilla, crema agria, queso, tocino y *chili*. Pero sin estos aderezos grasosos, la papa al horno es una buena fuente de potasio, almidón resistente, fibra y mucho más.

Gracias al potasio que contiene, la papa es una estupenda adición a la dieta DASH para bajar la presión arterial. Niveles demasiados bajos de potasio en la dieta pueden aumentar la presión arterial, pero una dieta rica en potasio puede ayudar a reducirla. Además, en investigaciones recientes se ha descubierto que la papa contiene unos compuestos llamados *kukoaminas*, que también ayudan a bajar la presión arterial.

La papa también puede ayudarle a adelgazar, gracias a su contenido de almidón resistente. El almidón resistente es un compuesto parecido a la fibra que le deja sintiéndose más lleno y satisfecho después de una comida. Eso ayuda a consumir menos calorías, a mantenerse en forma e, incluso, a bajar de peso. Pruebe una papa al horno con salsa picante y disfrute de otras buenas fuentes de almidón resistente, como los frijoles. Usted quedará agradablemente sorprendido con los resultados.

Apio. Al igual que la papa, el apio es una buena fuente del potasio reductor de la presión. Pero el apio contiene además unos compuestos llamados *ftalidos*. Los ftalidos relajan las arterias, lo que les permite dilatarse y aliviar la presión arterial. Los ftalidos también ayudan a reducir las hormonas que contraen los vasos sanguíneos y aumentan la presión arterial. Estudios realizados con animales parecen indicar que los ftalidos pueden ayudar a bajar la presión arterial hasta en 14 por ciento, pero usted necesitaría comer cuatro ramas de apio al día para conseguir resultados similares. Para agregar ftalinos a su dieta, añada apio picado a la ensalada de atún, las sopas, los guisos y la ensalada de pollo.

Maíz dulce. Una pequeña mazorca de maíz puede proporcionar hasta seis por ciento del requerimiento diario de potasio. Eso es importante porque la hipertensión puede ser una amenaza para la visión, así como para el corazón. La presión arterial alta no controlada durante demasiado tiempo, puede dañar los vasos sanguíneos que llevan sangre y oxígeno a la retina, un problema grave llamado retinopatía hipertensiva.

Esto estrecha gradualmente esos vasos sanguíneos hasta que se forman obstrucciones, lo que provoca pérdidas de sangre y otros líquidos. En el peor de los casos, el nervio óptico se inflama, resultando en pérdida de la visión. Afortunadamente, este trastorno suele tomar años antes de afectar la vista, pero no espere. Añada más potasio a su dieta con maíz, papas, apio y otros alimentos de la dieta DASH y tome medidas adicionales para reducir la presión arterial y nunca tener que enfrentarse a esta amenaza para su visión.

Lechuga *iceberg*. Investigaciones iniciales parecen indicar que las personas con un consumo bajo de vitamina K pueden ser más propensas a desarrollar endurecimiento de las arterias. Es por ello que servirse una buena fuente de vitamina K, como la lechuga *iceberg* y otras verduras de hoja verde, puede constituir una protección adicional contra ataques cardíacos y derrames cerebrales. Pero eso no es todo. Un estudio descubrió que las personas que comían tres tazas de ensalada baja en calorías antes de una comida consumían menos calorías totales.

Tres secretos para querer volver a desayunar

Puede que usted crea que saltarse el desayuno es una buena manera de dormir más, adelgazar o tener tiempo para hacer más cosas, pero nuevas investigaciones sugieren que desayunar puede ayudarle a lucir mejor, sentirse mejor y pasar menos tiempo en el consultorio médico.

Ayuda a adelgazar. Usted puede hacer las dos cosas —tener más tiempo disponible y tomar desayuno cada mañana— si opta por los cereales integrales para desayuno. Este desayuno rápido puede ayudarle a mantener su peso bajo control e, incluso, a adelgazar si usted tiene sobrepeso. Un estudio reciente encontró que las personas que se saltan el desayuno son cuatro veces y media más propensas a ser obesas que las personas que toman desayuno de manera regular.

El desayuno tal vez sea otro secreto del Registro Nacional para el Control de Peso, que reúne a más de 4,000 personas que han perdido por lo menos 30 libras y que no las han vuelto a recuperar en por lo menos un año. Los científicos han observado que tres de cada cuatro personas del Registro toman desayuno todos los días, y que los cereales para desayuno y las frutas son sus favoritos. No es de sorprenderse. Los alimentos ricos en fibra, como los cereales integrales para desayuno, hacen que uno quede satisfecho por más tiempo, de modo que ayudan a evitar las meriendas entre comidas y a no comer en exceso durante las comidas.

Acelera el metabolismo. Muchas personas experimentan una baja de energía en la última mitad de la mañana. Les da sueño, pierden concentración y, en general, se sienten mal hasta la hora del almuerzo. Saltarse el desayuno es a menudo una de las principales causas. El cuerpo sencillamente se queda sin combustible. Una manera de llenar su tanque personal de combustible es tomando desayuno. Su metabolismo se pondrá en marcha y usted se sentirá mucho mejor a media mañana.

Mantiene alejado al médico. Cuantos más factores de riesgo cardíaco tenga, más probable es que deba ir seguido al médico. Curiosamente, tomar desayuno puede ayudar. A diferencia de tomar medicamentos o de ir al médico, tomar desayuno es algo fácil que usted puede hacer todos los días para reducir su colesterol. Un pequeño estudio británico comprobó que las mujeres que se habían saltado el desayuno todos los días durante dos semanas aumentaron significativamente sus niveles de colesterol total y de colesterol LDL, en comparación a cuando desayunaban un plato de cereal integral frío cada mañana. En otros estudios se observaron resultados similares.

Los cereales integrales para desayuno pueden ser incluso mejores si se sirven calientes. Un análisis de varios estudios encontró que comer avena podría ayudar a reducir el colesterol LDL hasta en 4.9 por ciento. Si su nivel de colesterol es de 200, eso sería una caída de casi 10 puntos sin tomar medicamentos reductores del colesterol. Así que pruebe estos trucos para que le sea más fácil tomar desayuno todos los días.

- Prepare la avena en una olla de cocción lenta durante la noche, para que esté lista cuando se despierte a la mañana siguiente.

• Prepare un desayuno portátil y llévelo consigo. Vierta una mezcla de cereales integrales y de frutos secos en una bolsa resellable y lleve consigo un bol o un plato hondo desechable. Para un desayuno frío, lleve además una caja individual de leche o disfrútelo como un surtido de frutos secos y cereales. Para un desayuno caliente, lleve agua caliente en un termo pequeño.

Dele un toque de sabor saludable al desayuno

Puede que los pastelillos en el desayuno no sean buenos para el corazón, pero eso no significa que usted no pueda disfrutar de algo dulce por las mañanas. Ya sea que le gusten los panecillos con arándanos azules, la avena con frambuesas o los batidos de fresas, las bayas o frutas del bosque son ideales para el desayuno. Es más, en un estudio reciente, las bayas redujeron significativamente los niveles de colesterol total, de triglicéridos, de insulina y de azúcar en la sangre.

Conozca el poder de estas pequeñas frutas. En un estudio con tres grupos de animales propensos a la obesidad, se puso a dos grupos bajo una dieta que contenía dos por ciento de polvo liofilizado de arándanos azules, mientras que el tercer grupo siguió una dieta normal. Al cabo de tres meses, los que comieron la dieta con arándanos azules tenían niveles más bajos de colesterol y de triglicéridos, una mejor sensibilidad a la insulina y menos azúcar en la sangre, cuatro importantes factores de riesgo de enfermedad cardíaca y síndrome metabólico. También perdieron grasa abdominal, la grasa que promueve la inflamación e incrementa aún más el riesgo de un ataque cardíaco.

Eso no es todo. Al comienzo del estudio, se puso a los grupos que debían comer la dieta con arándanos azules ya sea en una dieta alta en grasas o en una baja en grasas. Al final del estudio, los que siguieron la dieta baja en grasas pesaban menos y tenían menos grasa corporal que los que siguieron la dieta alta en grasas. Otros estudios también parecen indicar que las bayas o frutos del bosque pueden contribuir a la prevención de enfermedades del corazón.

Reduzca su riesgo cardíaco. Investigadores en Finlandia pidieron a los participantes de mediana edad de un estudio que comiesen cantidades moderadas de bayas y de jugo de bayas cada día. Dos meses más tarde, los participantes habían elevado su colesterol HDL en cinco por ciento y reducido su presión arterial. Según los expertos, estos cambios equivalen a una reducción del 10 por ciento en el riesgo cardíaco. Los investigadores sospechan que la clave está en los polifenoles de las bayas, debido a que los participantes del estudio adquirieron mayores niveles de polifenoles en la sangre, tales como la quercetina, el ácido p-cumárico y el ácido vanílico.

Los participantes no tuvieron problema alguno para consumir cada días las 3 onzas de bayas requeridas, ya que se les ofreció una deliciosa variedad de estas pequeñas frutas: mirtilos enteros (primos del arándano azul), grosellas negras o puré de fresa, así como porciones pequeñas de jugos, como un néctar de arándano rojo del norte o un jugo de frambuesa con aronia. Sin embargo, no es necesario utilizar ingredientes exóticos para enriquecer su desayuno. Para empezar, pruebe estas ideas:

- Prepare un batido de desayuno mezclando arándanos azules, zarzamoras, fresas o frambuesas con leche, yogur o jugo.

- Agregue bayas frescas a las crepas integrales o bayas secas a los *muffins* o panecillos bajos en grasa.

- Disfrute de tostadas integrales untadas generosamente con mermelada de fresa, zarzamora o arándano azul.

- Añada bayas frescas, congeladas o secas al cereal frío para desayuno o a la avena caliente.

- Coma bayas frescas solas.

Cuando no las pueda comer en el desayuno, mezcle un poco de bayas con yogur o requesón (*cottage cheese*) para una merienda, añada bayas frescas a las ensaladas o agregue bayas secas a los surtidos tropicales de frutos secos o a las mezclas preparadas listas para hornear.

SOLUCIÓNsencilla

Disfrute de estos cinco alimentos que mantienen las arterias limpias.
Son deliciosos y de bajo costo:

- Manzanas. Coma una al día. Los estudios señalan que la pectina
  de la manzana ayuda a evitar la absorción del colesterol.

- Arroz integral. Este grano integral puede ayudar a suprimir el
  colesterol al brindarle 14 por ciento del valor diario de fibra.

- Garbanzos. Los garbanzos en lata ayudaron a bajar el colesterol
  en 3.9 por ciento en un estudio realizado en Australia.

- Frijoles rojos. En estudios recientes se observó que los frijoles
  rojos, los frijoles negros y las lentejas pueden ayudar a evitar
  que el colesterol LDL se convierta en LDL oxidado, el tipo de
  colesterol que tiende a acumularse en las paredes de las arterias
  y a estrechar las arterias.

- Avena. Gracias a su fibra soluble, la avena es reconocida
  por su poder para reducir los niveles de colesterol LDL.

Cuatro formas en que los granos integrales protegen el corazón

Los integrantes del equipo de baloncesto *Philadelphia Phillies* empezaron
a utilizar cereales integrales y otras estrategias nutricionales para mejorar
su rendimiento en el año 2007. En el 2008, se coronaron campeones de
la Serie Mundial. Los cereales integrales no son la única razón por la
que los Filis jugaron bien, pero los jugadores están convencidos de que
estos alimentos ricos en fibra son importantes para el buen rendimiento.

Disminuyen la presión arterial. Elija el pan meticulosamente. En
lugar de pan blanco y blando, sírvase un rico pan integral que reduce
la presión arterial. En un pequeño estudio se observó que agregar más

cereales integrales a la dieta ayuda a reducir tanto la presión arterial como el peso. Esto puede deberse a que los cereales integrales conservan más fibra y nutrientes que los cereales refinados. Tanto la fibra soluble como la insoluble han sido asociadas a una presión arterial menor.

Ayudan a bajar de peso. Las mujeres que consumen cereales integrales tienen índices perceptiblemente menores de masa corporal (IMC) y cinturas más pequeñas que las mujeres que evitan los cereales integrales, según demuestran las investigaciones. De otro lado, consumir cereales refinados, como el pan blanco, puede tener consecuencias negativas para su salud. En un estudio reciente, las personas que comieron pan blanco aumentaron el tamaño de su cintura tres veces más rápido que las que siguieron una dieta saludable rica en cereales integrales, similar a la dieta DASH para la hipertensión arterial.

Asimismo, una ingesta mayor de fibra de cereales, especialmente de cereales integrales, ha sido asociada a menos grasa corporal en los adultos mayores. Y en un estudio realizado en Pensilvania se observó una mayor reducción de grasa abdominal en las personas con sobrepeso que consumían cereales integrales que en aquellas que consumían cereales refinados.

Reducen la amenaza al corazón en los diabéticos. Las personas con diabetes tienen dos veces más probabilidades de tener enfermedades cardíacas, pero el salvado de los cereales integrales puede ayudar. Investigadores comprobaron que las mujeres con diabetes que consumieron más salvado presentaban menos probabilidades de morir de una enfermedad cardíaca.

Previenen la insuficiencia cardíaca. La insuficiencia cardíaca congestiva es una enfermedad en la cual el corazón no puede bombear suficiente sangre para satisfacer las necesidades del cuerpo. Un estudio con más de 14,000 participantes encontró que las personas que consumían más cereales integrales estaban menos propensas a desarrollar esta enfermedad discapacitante.

A la hora de comprar cereales integrales es bueno saber qué es lo que se debe buscar. Algunos se elaboran con mezclas de harinas integrales y refinadas. Para evitar comprar un producto con solo una fracción de los cereales integrales que usted espera encontrar, siga estos consejos:

- Busque productos etiquetados como "100% integrales".

- Los productos que contienen el 51 por ciento o más de su peso en ingredientes integrales pueden declarar lo siguiente en sus etiquetas: "Las dietas ricas en cereales integrales y otros alimentos de origen vegetal, y bajas en grasa total, grasa saturada y colesterol, pueden reducir el riesgo de sufrir cardiopatías y algunos tipos de cáncer".

- El pan integral debe tener por lo menos 2 gramos de fibra en cada porción.

- Palabras como *"multigrain"*, *"7-grain"*, *"enriched flour"*, *"bran"* (salvado) y *"wheat flour"* (harina de trigo) no significan que un pan sea verdaderamente integral. Busque, en cambio, trigo integral (*whole wheat*), centeno integral (*whole rye*), avena (*oatmeal*), cebada (*barley*), bayas de trigo (*wheat berries*) o arroz integral (*brown rice*) como primer ingrediente listado en la etiqueta.

SOLUCIÓN*rápida*

La forma como usted prepara sus alimentos puede ser un factor a tener en cuenta al determinar su riesgo cardíaco. Algunos métodos de cocción promueven la formación de "productos terminales de glicación avanzada" (PTGA), compuestos asociados con el endurecimiento y estrechamiento de las arterias. Y mientras mayor sea la persona, más difícil le será al cuerpo eliminar esos PTGA.

Algunos métodos de cocción contribuyen a la formación de más PTGA que otros, así que procure no dorar, asar a la plancha, asar a la parrilla o freír, especialmente las carnes. En su lugar, opte por asarlas al horno, o bien cocinarlas en líquido, al vapor o en una olla de cocción lenta. Recuerde que cocinar a fuego alto o en seco suele promover la formación de PTGA.

Apueste a la B para reducir el riesgo de accidentes cerebrovasculares

Prevenga un derrame cerebral, haciendo que sus comidas sean aún más deliciosas. En el desayuno, cubra con rodajas de plátano o fresas su plato de cereal *Product 19* o *Total Raisin Bran*. O unte un sándwich de pavo con mermelada de zarzamora y acompáñelo con una porción de ensalada de frijoles y garbanzos. Comidas como estas ayudan a evitar la deficiencia de tres vitaminas B, uno de los factores que incrementan el riesgo de sufrir un accidente cerebrovascular o un ataque de corazón.

Defiéndase con folato. También conocido como vitamina B9, el folato es la vitamina B que protege el corazón, estimula el cerebro, combate los accidentes cerebrovasculares y mejora el estado de ánimo.

- El folato ayuda a evitar accidentes cerebrovasculares mortales. En 1998, Estados Unidos y Canadá empezaron a enriquecer todos los productos de cereales con ácido fólico, la forma de folato que se encuentra en los suplementos. Hasta ese año, las muertes por accidentes cerebrovasculares en Estados Unidos venían disminuyendo solo 0.3 por ciento cada año, pero a partir de 1998, las muertes por accidentes cerebrovasculares disminuyeron considerablemente en un 2.9 por ciento al año. Los canadienses vieron una reducción aún mayor: de uno por ciento al año antes de 1998 a 5.4 por ciento a partir de 1998.

- El folato protege las arterias. Estudios recientes parecen indicar que reducir la homocisteína con suplementos de ácido fólico, si bien puede no prevenir los ataques al corazón, es beneficioso para las arterias. Según las investigaciones, incluso una leve deficiencia de B9 puede aumentar las probabilidades de sufrir aterosclerosis, que es el endurecimiento y el estrechamiento de las arterias como consecuencia de la acumulación de placa.

El ácido fólico puede ayudar a prevenir el endurecimiento de las arterias. Una menor presencia de folato puede hacer que el revestimiento de las arterias no se dilate cuando debe, elevando la presión arterial y el riesgo de enfermedades cardíacas. La presión arterial alta puede dañar las paredes de las arterias, haciéndolas aún más susceptibles a la acumulación de placa. Afortunadamente, los suplementos de ácido fólico pueden revertir las fallas en la dilatación del revestimiento de las arterias en personas con enfermedades cardíacas, y eso puede ser suficiente para reducir la presión arterial y ayudar a prevenir la acumulación de placa.

Tal vez a eso se deba que un estudio reciente realizado en Japón descubriera que las mujeres que obtuvieron folato y vitamina B6 en la dieta tenían menos probabilidades de morir de enfermedades cardíacas o enfermedades cardiovasculares. Es más, los hombres que consumían más de estas vitaminas tenían menos riesgo de muerte por insuficiencia cardíaca. Así que elija las frutas ricas en folato, como la banana, las frambuesas y la papaya, que además de ayudar a salvar al corazón:

- Mantienen a raya la demencia. Los adultos mayores con deficiencia de folato tienen un riesgo tres veces y medio más alto de desarrollar demencia, según un estudio realizado en Corea. Estudios anteriores también encontraron un vínculo entre el deterioro mental y la deficiencia de folato.

- Pueden mejorar su estado de ánimo. La deficiencia de folato también se ha vinculado con la depresión.

Ayude a su corazón con B6 y B12. La Asociación Estadounidense del Corazón no recomienda los suplementos de vitamina B para prevenir las enfermedades cardiovasculares porque no se ha demostrado su eficacia. Pero las investigaciones indican que usted sí debería asegurarse de obtener suficiente B6 y B12 de los alimentos que consume.

- Según un estudio alemán, las personas con los niveles sanguíneos más bajos de vitamina B12 tenían un riesgo mayor de bloqueos y restricciones en el flujo sanguíneo del cerebro, una causa clave de los accidentes cerebrovasculares. El peligro era aún mayor para las personas que también tenían niveles bajos de folato.

- Los expertos afirman que niveles elevados de proteína C reactiva (PCR) indican un riesgo mayor de derrame cerebral y ataque cardíaco. Un estudio de la Universidad de Tufts sugiere que niveles sanguíneos bajos de vitamina B6 indican más PCR, mientras que niveles más altos de B6 indican menos PCR.

Ya ve usted por qué las tres vitaminas B son tan importantes. Para asegurarse de que está consumiendo la cantidad suficiente de cada una, planifique sus comidas eligiendo un alimento de cada columna en la tabla que sigue a continuación. Usted no solo disfrutará de una comida deliciosa, también protegerá su corazón y su cerebro.

B6	B9 (Folato)	B12
Repollitos de Bruselas	Frijoles de carita	Trucha arco iris
Habas blancas	Berza	Jamón
Papa al horno	Espárragos	Crema de almejas con leche (*clam chowder*, en inglés) en lata
Lentejas	Espinacas	Hipogloso (*halibut*, en inglés)
Camote al horno	Maíz en crema	Pavo asado
Calabaza de invierno	Frijoles blancos	Filete de carne de res

Razones para no agregar carne a los frijoles

Imagine una deliciosa cena de arroz con frijoles rojos o de arroz al estilo Cajun y se dará cuenta de por qué prescindir de la carne de vez en cuando no es tan malo. Los frijoles son una manera económica de reducir el consumo de carne ya que cuestan mucho menos. Además, pueden ayudar a proteger de ataques cardíacos, derrames cerebrales, hospitalizaciones y mucho más. Pruebe comer estos platos saludables de frijoles sin carne unas cuantas veces por semana, o incluso más a menudo:

Reduzca el colesterol con *chili*. Preparar *chili* bajo en grasa y sin carne en una olla de cocción lenta puede ser el primer paso para recibir buenas noticias en el consultorio de su médico. Según un estudio reciente, los frijoles rojos del *chili* pueden ayudar a reducir tanto el colesterol total como el colesterol "malo" LDL. Investigadores en Australia observaron resultados similares en personas que comieron grandes cantidades de garbanzos enlatados.

Pero esa no es la única forma en la que los frijoles ayudan a mantener limpias sus arterias. Un estudio de laboratorio parece indicar que los antioxidantes de los frijoles negros, las lentejas y los frijoles rojos pueden ayudar a prevenir que se oxide el colesterol LDL. La oxidación del colesterol LDL contribuye a que la placa obstruya las arterias, lo que puede ocasionar ataques cardíacos. Así que pruebe el *chili* de frijol negro o rojo, la sopa de lentejas o las albóndigas de garbanzo conocidas como *falafel*. Compre *Beano* en la farmacia, para aprovechar todo el poder reductor del colesterol de estos platos sin la flatulencia que a veces producen estos alimentos.

Defiéndase contra los ataques al corazón con burritos de frijoles. Mientras más frijoles coma, mejores son sus probabilidades de evitar un accidente cerebrovascular. Simplemente reemplace la carne de los burritos, tacos, fajitas o enchiladas con frijoles, y opte por el queso bajo en grasa, y habrá añadido otra comida sin carne a la semana. Eso puede ayudar a prevenir dos factores clave asociados con el riesgo de accidente cerebrovascular: el colesterol alto y la hipertensión arterial.

Reducir el colesterol ayuda porque la misma placa obstructora de las arterias que provoca ataques cardíacos también provoca derrames cerebrales. Investigaciones recientes también sugieren que comer platos de frijoles sin carne puede ayudar a bajar la presión arterial. El estudio halló que las personas que obtenían la mayor cantidad de proteínas de las verduras y la menor de las carnes, tenían la presión arterial más baja que las personas que obtenían la mayor cantidad de sus proteínas de la carne. Así que sustituya regularmente la carne por frijoles como su primera línea de defensa contra los ataques al corazón.

Baje de peso con arroz y frijoles rojos. Las investigaciones muestran que las personas que comen frijoles son más propensas a pesar menos y tener cinturas más pequeñas que las personas que evitan los frijoles. Los amantes de los frijoles también tienen menos probabilidades de ser obesos, aun cuando consuman más calorías que las personas que odian los frijoles. Esto puede deberse a que los frijoles son una fuente rica de un compuesto parecido a la fibra llamado almidón resistente. Estudios recientes indican que consumir alimentos ricos en almidón resistente le puede ayudar a sentirse satisfecho y a quemar más grasas. Los frijoles también son ricos en proteínas y fibra, que contribuyen a que uno se sienta lleno más rápidamente, consuma menos calorías y sienta menos hambre entre comidas. De modo que disfrutar de las versiones bajas en grasa del arroz con frijoles rojos o del arroz a la cubana con frijoles negros puede ayudarle a bajar de peso.

Ahuyente el cáncer con frijoles al horno. Ya sea que los prepare usted mismo o que caliente los enlatados, hasta los frijoles al horno bajos en grasa y sin carne pueden ser sorprendentemente contundentes. Es más, las investigaciones parecen indicar que los frijoles ayudan a proteger contra el cáncer de colon y el cáncer de mama. La fibra del frijol puede ser una de las razones, pero los frijoles también son ricos en unos antioxidantes llamados flavonoles. Las personas que obtienen la mayoría de los flavonoles de los frijoles, de las manzanas y de otros alimentos disminuirían su riesgo de sufrir cáncer de colon, indica un estudio.

Guía de alimentos para alegrar el corazón las cuatro estaciones del año

Usted quiere seguir una dieta que sea saludable para el corazón, pero las frutas y verduras crudas le resultan muy sosas y aburridas. En vez de realizar grandes cambios, hágalos gradualmente. Cada día sírvase porciones de alimentos ricos en una sola familia de nutrientes saludables para el corazón. De ese modo, usted podrá disfrutar de deliciosas comidas que varían de acuerdo a la estación.

Refrésquese en el verano. Alimentos calientes son lo último que a usted le apetece durante el sofocante calor del verano. Por suerte usted puede prepararse una variedad de ensaladas con tomates, zanahoria, lechuga o espinacas. Si opta por una gran tajada de sandía como postre, tendrá un menú a la vez refrescante y saludable para el corazón. Los carotenoides son la razón.

Los carotenoides, aunque suenen como algo salido de la película "La Guerra de las Galaxias", son en realidad pigmentos nutritivos que le dan color a algunas de sus frutas y verduras favoritas. Por ejemplo, el licopeno ayuda a que los tomates y las sandías sean de color rojo, mientras que los carotenos alfa y beta le dan a las zanahorias su color naranja. Otros, como la luteína y la zeaxantina, dan color a las espinacas.

Solo recuerde, la mayoría de los carotenoides son solubles en grasa. Eso significa que usted debe consumirlos con grasas para que el cuerpo pueda absorberlos y utilizarlos. Si la ensalada no tiene grasa, rocíela ligeramente con un aliño bajo en grasas para que usted pueda aprovechar los carotenoides, ya que las investigaciones indican que pueden proteger el corazón.

Disfrute de las riquezas del otoño. Cuando las hojas empiezan a caer, prepare recetas ricas en carotenoides, con camotes o calabazas al horno. Le pueden ayudar a prevenir el síndrome metabólico, una dolencia que aumenta el riesgo de enfermedades cardíacas y diabetes. Usted tiene síndrome metabólico si tiene tres de los siguientes síntomas: grasa alrededor de la cintura, presión arterial alta, colesterol HDL bajo, triglicéridos altos o hiperglucemia.

Investigadores holandeses descubrieron hace poco que cuanta más cantidad de licopeno o de betacaroteno hay en la dieta, menor es el riesgo de síndrome metabólico. Los amantes del licopeno también se mostraron menos propensos a tener niveles elevados de triglicéridos. Además, el consumo de cantidades mayores de alfacaroteno, betacaroteno, licopeno, luteína o carotenoides totales estaba asociado a cinturas más pequeñas y menos grasa corporal. Los expertos creen que el poder antioxidante de estos nutrientes tiene efectos saludables para el corazón.

Manténgase caliente en el invierno. Para combatir el frío de la nieve, el viento cortante y las lluvias, un humeante tazón de sopa de tomate y verduras o un plato de tallarines con salsa marinara son ideales para entrar en calor y proteger el corazón. Estos platos contienen licopeno con un beneficio adicional: los productos procesados de tomate proporcionan aún más licopeno que los tomates crudos.

Meriende bajo el sol primaveral. Las mañanas frías de primavera suelen dar paso rápidamente a tardes tibias e incluso calientes. Afortunadamente, los tomates y el licopeno que contienen son buenos para ambas. A media mañana, una porción de nachos con salsa picante puede ser reconfortante, mientras que un delicioso y refrescante jugo de tomate bajo en calorías, puede ser ideal bajo el sol de la tarde.

En un estudio realizado en personas con diabetes, aquellas que bebieron dos vasos de 8 onzas de jugo de tomate cada día, aumentaron la resistencia a la oxidación del colesterol LDL en apenas un mes. El LDL oxidado es el tipo de colesterol más peligroso para el corazón, pero el licopeno del tomate puede prevenir su formación. A eso se debe que los alimentos ricos en licopeno, como el tomate y los alimentos a base de tomate, puedan ayudarle a prevenir un ataque cardíaco o un accidente cerebrovascular.

Pregunta & Respuesta

¿Ayudan los alimentos de soya a bajar el colesterol?

Los médicos creían que las isoflavonas de la soya ayudaban a bajar el colesterol en hasta un 3 por ciento. Pero, ¿qué hay de cierto en esto? La mayoría de las personas consumen alimentos a base de soya en lugar de carnes, productos lácteos y otros alimentos ricos en grasas saturadas y colesterol. Lo que en realidad ayuda a bajar el colesterol es el menor consumo de grasas saturadas y colesterol, no la soya. Es más, algunos estudios indican que los productos de soya podrían aumentar el riesgo de demencia, así que consuma soya con moderación. Usted puede sustituir la leche de soya por leche de arroz o de almendras y las hamburguesas de soya por versiones vegetarianas sin soya.

Tres buenas razones para comer frutos secos

Los frutos secos son una poderosa fuente de nutrientes. Apenas un puñado de frutos secos al día puede ayudar a disminuir los niveles de colesterol, prevenir la enfermedad de Alzheimer e incluso evitar que suba de peso. Pero asegúrese de elegir el tipo correcto, ya que algunos frutos secos comunes son potencialmente nocivos para el corazón.

Defiéndase contra las enfermedades cardíacas. Los frutos secos han sido reconocidos como posibles defensores del corazón por nada menos que la Administración de Alimentos y Fármacos de Estados Unidos (FDA, en inglés). Después de analizar las investigaciones relevantes sobre frutos secos y enfermedades cardíacas, aprobaron que se incluya un reconocimiento de este beneficio en las etiquetas de seis tipos de frutos secos enteros o en trozos.

Las etiquetas pueden ahora incluir una afirmación que indique que comer 1.5 onzas diarias de frutos secos como parte de una dieta baja en grasas saturadas y colesterol, puede reducir el riesgo de sufrir una enfermedad cardíaca. Pero la FDA solo permite incluir esta afirmación para las almendras, las avellanas, los cacahuetes, las pecanas, algunos tipos de piñones, los pistachos y las nueces. Las nueces de la India, los coquitos del Brasil y las macadamias tienen demasiada grasa saturada nociva para el corazón, como para ser considerados protectores, afirma la FDA.

¿Y cómo protegen su corazón? Estudio tras estudio confirma que los frutos secos pueden:

- Disminuir los niveles de colesterol malo LDL, posiblemente debido a sus altos contenidos de fibra y grasas no saturadas.

- Controlar la inflamación en las arterias, que también puede contribuir a la enfermedad cardíaca.

- Reducir los niveles de compuestos asociados a la inflamación.

- Ayudar a elevar los niveles sanguíneos del compuesto antiinflamatorio llamado adiponectina.

- Proteger el revestimiento de las arterias y prevenir los coágulos que causan ataques cardíacos.

Proteja su cerebro del Alzheimer. Las nueces son el fruto seco a elegir si desea mejorar su memoria y defenderse de la enfermedad de Alzheimer. En un reciente estudio de laboratorio, los investigadores descubrieron que el extracto de nuez puede ayudar a prevenir que, en el cerebro, la proteína beta-amiloide se convierta en placas obstructoras asociadas a la enfermedad de Alzheimer. Es más, un estudio en animales encontró que bastaba con comer el equivalente de siete a nueve nueces al día durante un par de meses para mejorar la memoria funcional.

Controle su peso. A pesar de los resultados prometedores de estos estudios, algunas personas todavía se resisten a comer frutos secos por miedo a engordar. Sin embargo, en un estudio de dos años de duración realizado en España se comprobó que las personas que comían frutos secos dos veces por semana tenían menos probabilidades de aumentar de peso que las personas que rara vez o nunca los comían. Otro estudio encontró que las mujeres que comían almendras todos los días durante 10 semanas no subían de peso. El truco está en comer frutos secos para sustituir alimentos ricos en calorías, como los refrigerios poco saludables, los postres grasos o incluso las carnes grasas.

No todos los frutos secos son iguales. Tenga en cuenta estos consejos:

- Los frutos secos recubiertos de chocolate, miel, azúcar o sal son de menor beneficio para el corazón. Disfrute de los frutos secos solos o agréguelos a las ensaladas, las pastas, el arroz o los cereales para el desayuno para sustituir un ingrediente con alto contenido de grasas.

- En vez de comerlos directamente del frasco o la lata, separe y coloque 1 1/2 onzas de frutos secos en una bolsa resellable o un plato pequeño, para así evitar comer más de la cuenta. Recuerde, un puñado es todo lo que usted necesita.

Por qué "0 grasas trans" puede no ser saludable

Muchos restaurantes han dejado de utilizar grasas trans. Algunas ciudades incluso han llegado a prohibir su uso con la esperanza de crear una experiencia más saludable al comer. Eso es bueno en teoría, ya que las investigaciones han demostrado que estas grasas mortales no solo causan ataques al corazón, sino también derrames cerebrales. Desafortunadamente, la prohibición de estas grasas en restaurantes y supermercados no le ofrece total protección.

Las grasas trans se forman cuando los fabricantes de alimentos agregan hidrógeno al aceite vegetal para convertir el líquido en sólido. Este proceso, llamado hidrogenación, hace que el producto y el sabor duren más. Pero estas nuevas grasas elevan el colesterol "malo" LDL y reducen el colesterol "bueno" HDL, aumentando el riesgo de enfermedades cardíacas y derrame cerebral. Un estudio reciente encontró que las mujeres mayores de 50 años que consumieron la mayor cantidad de grasas trans incrementaron su riesgo de sufrir un derrame cerebral en 30 por ciento en comparación con aquellas que consumieron menos. Afortunadamente, la Administración de Alimentos y Fármacos (FDA, en inglés) ahora requiere que se mencione en la etiqueta el contenido de grasa trans, un cambio que hizo que muchos fabricantes de alimentos eliminaran las grasas trans de sus productos o por lo menos las redujeran.

El problema está en que las grasas trans pueden esconderse en muchos alimentos, incluidas las papas fritas, el pollo frito, la manteca vegetal, algunas margarinas, los refrigerios y cualquier otro alimento elaborado o frito con aceites parcialmente hidrogenados. Incluso un producto que promete "cero grasas trans" puede no ser seguro. La etiqueta de un producto puede decir que tiene 0 gramos de grasas trans si el contenido por porción es inferior a 0.5 gramos. Pero unas cuantas porciones de "cero grasas trans" podrían contener varios gramos de esta grasa no saludable. Usted también puede encontrar pequeñas cantidades de grasa trans de forma natural en algunas carnes y productos lácteos.

Algunos fabricantes de alimentos sustituyen las grasas trans con grasas saturadas, como el aceite de palma o aceite de palmiste. Puesto que las grasas saturadas contribuyen a elevar el colesterol, los alimentos libres de grasas trans podrían aumentar el riesgo de ataque cardíaco y accidente cerebrovascular. Otros fabricantes de alimentos sustituyen las grasas trans con las nuevas grasas interesterificadas, pero estas tampoco le protegen ciento por ciento. Un pequeño estudio parece indicar que las grasas interesterificadas pueden reducir el colesterol HDL y contribuir al riesgo de diabetes. Se necesitan más investigaciones, claro está, pero siga estos pasos para ir a lo seguro:

- Limite el consumo de alimentos empaquetados, especialmente de los productos horneados.

- Asegúrese de que la etiqueta de información nutricional diga "0 g" de grasas trans, pero revise también la lista de ingredientes. Si no encuentra ningún ingrediente parcialmente hidrogenado, es probable que el producto sea genuinamente libre de grasas trans.

- Evite los alimentos fritos o restrínjalos a una vez por semana o menos.

- Cocine con aceites líquidos en vez de margarina o manteca.

La sorprendente verdad sobre las carnes rojas

Comer tocino, salchichas o embutidos a diario hace que el riesgo de sufrir una enfermedad cardíaca sea mucho mayor que comer un bistec diario.

Según investigadores de Harvard, comer apenas 1.8 onzas de carne procesada al día —como, por ejemplo, unas dos rebanadas de mortadela boloñesa o de fiambre de jamón—, aumenta la probabilidad de sufrir enfermedades cardíacas en un 42 por ciento más que comer diariamente 3 1/2 onzas de bistec o de otras carnes sin procesar.

Las carnes procesadas pueden ser más peligrosas por dos razones. Tienen cuatro veces más sal que las carnes sin procesar y aproximadamente 50 por ciento más conservantes, como nitritos, nitratos y nitrosaminas. El sodio adicional puede endurecer los vasos sanguíneos y aumentar la presión arterial, dos problemas que provocan ataques al corazón. Al mismo tiempo, los conservantes como los nitratos pueden contribuir a obstruir las arterias y dañar los vasos sanguíneos, incrementando el riesgo de sufrir un ataque al corazón o derrame cerebral.

Para ayudar a prevenir estos problemas, coma carnes procesadas no más de una vez a la semana y limite su porción a 1.8 onzas o 50 gramos. Esto puede no ser tan malo como suena. Por ejemplo, 50 gramos equivalen a seis rebanadas de tocino frito o a un par de rodajas de pastrami, de modo que usted puede seguir disfrutando del tocino o de su embutido preferido. Simplemente no se exceda del límite semanal y recuerde que las carnes procesadas incluyen el salame, las salchichas, el chorizo, el salchichón, los embutidos, la jamonada y los fiambres procesados, las carnes ahumadas y el tocino.

El estudio de Harvard también sugiere que es posible que las carnes rojas sin procesar, como la carne de res, la hamburguesa, el cordero y el cerdo, no eleven el riesgo de sufrir enfermedades cardíacas, pero tampoco lo disminuyan. Y sigue siendo posible que estas carnes contribuyan a aumentar el riesgo de sufrir cáncer. Eso significa que aunque adore el bistec y las hamburguesas, usted no tiene luz verde para comer todo lo que le provoque. Usted debe seguir las pautas de la Asociación Estadounidense del Corazón y asegurarse de que las grasas saturadas no excedan el siete por ciento de sus calorías diarias, independientemente de su procedencia.

SOLUCIÓNsencilla

Usted no tiene que renunciar a salir a comer para seguir una dieta saludable para el corazón. De hecho, en la mayoría de los restaurantes usted puede encontrar opciones en el menú que tienen un bajo contenido de grasas saturadas, grasas trans y colesterol. Lamentablemente, la mayoría de restaurantes no indican en su carta la cantidad de sal o de grasa que contiene cada plato. Pero usted puede resolver este problema fácilmente si tiene una computadora.

Antes de salir a comer, busque el sitio web del restaurante. Muchas cadenas de restaurantes publican su menú en línea con la información nutricional de cada plato. Otros tienen el menú y ofrecen enlaces para la información nutricional. No olvide verificar la información tanto para el plato principal, como para las entradas.

Pesque estos secretos para un corazón sano

Siéntese a disfrutar de un plato de pescado repleto de ácidos grasos omega-3 y comenzará a mejorar la salud de sus arterias hoy mismo. Los omega-3 ayudan a que los vasos sanguíneos sean más flexibles y los efectos comienzan enseguida.

La rigidez de las arterias contribuye a la hipertensión arterial y puede promover la formación de coágulos de sangre que desencadenan los ataques al corazón. Sin embargo, un ácido graso omega-3 presente en el aceite de pescado, llamado ácido eicosapentanoico (EPA, en inglés), puede ayudar. En estudios británicos recientes se ha observado que una comida cargada de EPA alivia la rigidez arterial en unas cuantas horas. Es más, investigadores en España comprobaron que las personas que comieron con frecuencia pescado con alto contenido de omega-3 durante tres meses, lograron además mejorar la flexibilidad de sus arterias.

Los ácidos grasos omega-3 también pueden proteger a su corazón:

- Ayudan a prevenir las arritmias o problemas del ritmo cardíaco que pueden causar ataques cardíacos y muerte súbita.

- Reducen los niveles de triglicéridos.

- Disminuyen la presión arterial.

- Evitan que las plaquetas se aglutinen y formen coágulos de sangre.

- Combaten la inflamación que contribuye a endurecer las arterias.

No desaproveche las ventajas del pescado. He aquí algunos secretos para obtener todos los beneficios de los omega-3 y del pescado:

Vigile las porciones. La Asociación Estadounidense del Corazón recomienda comer no menos de dos porciones de pescado graso por semana. Una porción es de entre 3 onzas y 3 onzas y media de pescado entero, o de 3/4 de taza de pescado desmenuzado. Tenga cuidado con las porciones de los restaurantes, que pueden tener 6 onzas o más, es decir, entre dos y tres porciones de 3 onzas en una sola comida.

Cuidado con los contaminantes. Evite el pez espada, el tiburón, la caballa real y el blanquillo, que tienen un alto contenido de mercurio, y coma una variedad amplia de pescados. Eso reduce el riesgo de comer demasiados pescados con un alto contenido de contaminantes. Como precaución adicional, elimine la piel, así como la grasa del vientre y del lomo del pescado para descartar los contaminantes conocidos como bifenilos policlorados (PCB, en inglés).

Resista la tentación del atún. Dos de las tres marcas de atún examinadas en un estudio reciente contenían niveles más altos de mercurio que los recomendados por la Administración de Alimentos y Fármacos de Estados Unidos (FDA, en inglés). Si bien eso no significa que usted deba evitar el atún enlatado, los investigadores sostienen que las personas más vulnerables al mercurio, como los niños, deben limitarse a 3 onzas de atún blanco en trozos una vez cada dos semanas y media. El estudio también sugiere que el atún enlatado *"light"* o bajo en calorías es la mejor opción, pues contiene mucho menos mercurio y cumple con los estándares de seguridad del gobierno.

No se exceda con las patas de cangrejo. Puede que a usted le encanten los mariscos, ya sean los camarones, las almejas, la langosta, las vieiras o los cangrejos de río, pero estos no le brindan la misma protección para el corazón que el pescado. Un estudio realizado en Carolina del Sur encontró que las personas que comían mariscos al menos una vez por semana tenían el mismo riesgo de sufrir problemas cardíacos que los que comían poco o nada. Sin embargo, los crustáceos siguen siendo una buena alternativa a la carne roja, siempre y cuando no los fría ni los unte abundantemente con mantequilla.

Prepárelo de la manera correcta. Prepare el pescado al horno o hervido para reducir el riesgo de sufrir una enfermedad cardíaca, recomienda un estudio realizado por la Universidad de Hawai. Las personas que prefieren su pescado frito, seco o salado podrían correr mayor riesgo. Para saber qué pescados son seguros de comer, visite el sitio del Fondo de Defensa del Medio Ambiente en *www.edf.org* (en inglés) y escriba *Seafood Selector* (selector de mariscos) o *Health Alert* (alerta sanitaria) en el espacio de búsqueda. Entre las opciones recomendadas están la sardina, el salmón rosado o rojo en lata, los camarones y el robalo negro.

Pregunta & Respuesta

¿Es mejor comer pescado o tomar cápsulas de aceite de pescado?

La Asociación Estadounidense del Corazón recomienda comer una variedad de pescados dos veces a la semana por sus ácidos grasos omega-3 que son saludables para el corazón. Sin embargo, las cápsulas de aceite de pescado pueden ser otra opción si usted tiene una enfermedad cardíaca y no puede obtener suficiente omega-3 de los alimentos, si tiene niveles altos de triglicéridos o si le preocupa el mercurio y los otros contaminantes presentes en el pescado.

Las cápsulas de aceite de pescado prácticamente no contienen contaminantes, pero consulte con su médico antes de empezar a tomarlas. El aceite de pescado puede interactuar negativamente con algunos medicamentos y en niveles altos puede causar hemorragia intensa. También puede que no sea seguro para las personas que tienen insuficiencia cardíaca, un desfibrilador cardioversor implantado (DCI) o angina de pecho.

Cuatro superespecias para una salud óptima

Pruebe estas cuatro especias que no deben faltar en su cocina si desea utilizarlas para sustituir la sal y el azúcar. Juntas le protegen contra casi todas las principales enfermedades del envejecimiento, además de realzar el sabor de sus comidas.

Utilice la canela como sustituto de dulzura. Cocine y condimente sus alimentos con esta especia de aroma penetrante y puede que descubra que los platos necesitan menos azúcar. Es más, estudios en animales parecen indicar que la canela agregada puede ayudar a bajar la presión arterial, proporcionando mayor protección contra ataques cardíacos y accidentes cerebrovasculares.

Los investigadores del Centro Médico de la Universidad de Georgetown observaron que una dieta con alto contenido de azúcar elevó la presión arterial en los animales, pero que agregar canela a la dieta ayudó a reducir la presión arterial, tanto en aquellos que seguían la dieta alta en azúcar como en aquellos con una dieta normal. En un experimento, la canela incluso ayudó a prevenir el aumento de la presión arterial que produce el azúcar.

Para consumir más canela, agréguela a los camotes al horno, a las zanahorias cocidas, a los productos horneados y a las calabazas de invierno. O espolvoréela en la avena, las manzanas crudas, las manzanas al horno, los cereales para el desayuno, el yogur y el pan tostado.

Disfrute del jengibre para un corazón sano. Según un estudio reciente, las personas con colesterol alto que tomaron 1 gramo de jengibre tres veces al día redujeron sus niveles de colesterol LDL y de triglicéridos más que las personas que no tomaron el jengibre. Los que tomaron jengibre también incrementaron sus niveles del "buen" colesterol HDL.

Obtener jengibre de los alimentos puede ser más fácil de lo que usted cree, porque 1 2/3 cucharaditas de jengibre en polvo son alrededor de 3 gramos, el total diario utilizado en el estudio. Pero el jengibre no es seguro para todos, especialmente para las personas que toman anticoagulantes, así que consulte con su médico antes de probarlo. Puede agregar jengibre fresco o en polvo a los camotes, los saltados, el arroz y las manzanas al horno.

Obtenga el poder antioxidante de la cúrcuma. Los médicos utilizan un examen llamado *Mini-Mental State Exam*, o mini-examen del estado mental, para detectar problemas de memoria y de cognición, y la posibilidad de padecer la enfermedad de Alzheimer. Puntuaciones bajas en esta prueba pueden interpretarse como una mala señal. Sin embargo, un estudio realizado en Singapur encontró que las personas que comían *curry* de forma ocasional o regular, obtenían puntuaciones más altas que las personas que comían *curry* menos de una vez cada seis meses.

El secreto puede estar en la cúrcuma del *curry*. La cúrcuma contiene curcumina y otros compuestos con poderes antiinflamatorios y antioxidantes. Un estudio previo en animales parece indicar que estos poderes pueden ayudar a prevenir la formación de placas en el cerebro, una característica distintiva de la enfermedad de Alzheimer.

Si desea probar la cúrcuma, el *curry* no es su única opción. Agregue cúrcuma al pescado, a la coliflor, a las carnes magras o a las salsas. También añada una pizca de pimienta negra para aumentar el poder protector de la cúrcuma. La piperina, un compuesto natural de la pimienta, aumenta la absorción de la curcumina en el cuerpo. Pero evite esta especia si usted:

* Tiene cálculos biliares o enfermedad de la vesícula biliar.

* Padece de diabetes, hipoglucemia o toma medicamentos para reducir el nivel de azúcar de la sangre.

* Toma regularmente anticoagulantes, medicamentos antiplaquetarios, aspirina o antiinflamatorios no esteroideos (AINE), como el ibuprofeno.

* Tiene una enfermedad hepática.

Cancele el cáncer de colon con ajo. El cáncer de colon es el segundo cáncer más letal en Estados Unidos y el tercero más común, pero el ajo puede ayudar a evitarlo. Un análisis de los estudios realizados tanto en humanos como en animales encontró que más ajo significaba menos riesgo de este peligroso cáncer. La evidencia temprana parece indicar que el ajo también ayuda a prevenir el cáncer de esófago, de próstata, de boca, de ovarios y de riñón.

Disfrute del ajo en platos italianos, con carnes magras, pescado, puré de papas, verduras y mucho más. Solo acuérdese de restringir su consumo de ajo si está tomando warfarina u otros anticoagulantes.

Dulce manera de bajar la presión arterial

¿Sobrepeso? Pruebe el chocolate. Parece una locura, pero el chocolate podría ayudar a abrir las arterias y reducir la presión arterial.

Esto es precisamente lo que investigadores de Yale descubrieron cuando sirvieron a 45 adultos con sobrepeso un chocolate diferente una vez por semana durante varias semanas. Ya sea que fuese una pequeña barra de chocolate oscuro, una taza de chocolate caliente endulzado con azúcar o un chocolate caliente sin azúcar, la presión arterial de los participantes disminuyó y el funcionamiento de los vasos sanguíneos mejoró después de cada ocasión.

Los problemas con los vasos sanguíneos pueden ser una señal temprana del endurecimiento de las arterias y de riesgo cardíaco creciente. Según estudios, el cacao tiene un contenido alto de flavanoles, que son compuestos saludables que ayudan a aumentar el óxido nítrico y proteger las arterias. El óxido nítrico relaja el revestimiento de las paredes de las arterias y ayuda a prevenir la acumulación de colesterol y la formación de coágulos de sangre, los principales contribuyentes a los ataques al corazón. Pero para obtener estos beneficios, usted necesita saber qué tipo de chocolate comer y cómo hacerlo.

Cacao en polvo. Los flavanoles pertenecen a una familia de compuestos saludables para el corazón llamados polifenoles. El cacao en polvo sin azúcar suele contener más polifenoles que cualquier otro chocolate, pero el cacao en polvo procesado, conocido como *Dutch processed cocoa,* ha perdido la mayoría de sus polifenoles durante su elaboración. En el pasillo de productos de repostería del supermercado busque el cacao en polvo etiquetado como "*cocoa*" (cacao) o "*nonalkalized cocoa*" (cacao no alcalino).

Usted puede hornear con cacao en polvo o revolverlo con leche o agua caliente para preparar chocolate caliente. Puede que le agrade más con azúcar, pero utilice la menor cantidad posible. El informe de los investigadores de Yale señala que endulzado con azúcar no es tan efectivo para los vasos sanguíneos como el chocolate caliente sin azúcar.

Chocolate blanco. El contenido de cacao es la clave para obtener los polifenoles. Puesto que el chocolate blanco no contiene cacao, tampoco contiene los polifenoles saludables para el corazón.

Chocolate de leche. En Estados Unidos, el chocolate de leche contiene apenas un 10 por ciento de cacao, así que no proporciona muchos polifenoles. El chocolate de leche europeo es una mejor opción, con un 25 por ciento de polifenoles.

Chocolate oscuro. Elija chocolate oscuro si prefiere el chocolate sólido al chocolate caliente. Tiene más cacao y más polifenoles que el chocolate de leche. Los polifenoles no permanecen en el cuerpo por mucho tiempo, así que usted debe consumir chocolate o cacao con regularidad para seguir obteniendo sus beneficios saludables para el corazón. Pero no coma demasiado. Según un estimado, 3 1/2 onzas de chocolate oscuro todos los días —entre 1 1/2 barras y 2 barras—, podrían engordarle hasta 50 libras en un año. El peso adicional no es bueno para el corazón y podría cancelar las ventajas del chocolate, o incluso empeorar su salud.

¿Cuánto chocolate es bueno comer? Los participantes del estudio del Centro de Prevención de Yale comieron apenas 2 onzas y media de chocolate. Pero otros estudios han encontrado beneficios para el corazón con aún menos chocolate, el equivalente de uno o dos *Hershey's Kisses* al día o menos de un cuarto de taza de trocitos de chocolate semidulce.

Limite el chocolate a pequeñas cantidades como estas y reduzca calorías en el consumo de otros alimentos si come chocolate sólido o en trocitos. Recuerde, el cacao en polvo sin endulzar contiene poco azúcar y grasa. Si lo utiliza para preparar chocolate caliente en vez de comer chocolate sólido, usted podrá reducir menos calorías de otras partes de su dieta.

Meriendas saludables para el corazón

Olvídese de las galletas secas de salvado. Usted puede disfrutar de deliciosos refrigerios llenos de ingredientes que ayudan a bajar los niveles de colesterol, presión arterial y azúcar en la sangre, a reducir el riesgo de un derrame cerebral e, incluso, a mantener la silueta.

Reduzca la presión arterial con higos. Por ser una de las frutas más dulces, el higo es ideal para cuando se le antoja algo dulce. Pero no se deje engañar por su dulce sabor. Los higos también son una excelente fuente de fibra, calcio, potasio y magnesio.

Muchos estudios parecen indicar que las dietas altas en fibra ayudan a disminuir la presión arterial. Y otros estudios han concluido que obtener más magnesio, potasio y calcio de las frutas y de las verduras también ayuda a bajar la presión arterial. Así que a la hora del refrigerio, elija higos frescos en temporada o higos secos. Y si le provoca una galleta dulce y blanda con relleno de fruta, disfrute ocasionalmente de una galleta *Fig Newton* con cereales integrales.

Reduzca el colesterol con zarzamoras. Los estudios demuestran que las dietas altas en fibra no solo bajan la presión arterial sino también el colesterol "malo" LDL. Dado que las zarzamoras son ricas en fibra, especialmente en fibra soluble, esta sencilla merienda podría ayudar a bajar la presión arterial y el colesterol.

Tanto la fibra soluble como la insoluble son buenas. La fibra soluble se vuelve blanda y pegajosa en el cuerpo y retarda el avance de la comida a través del intestino. Esto le da a su cuerpo la oportunidad de limpiar el exceso de colesterol antes de que pueda ingresar al torrente sanguíneo. La Asociación Estadounidense del Corazón recomienda consumir tanto fibra insoluble como fibra soluble, para ayudar a prevenir las enfermedades cardíacas. Es por ello que un puñado de zarzamoras, o de higos, son una magnífica merienda para el corazón.

Pero estas frutas no solo son buenas para el corazón. La hipertensión arterial no controlada puede más que cuadruplicar el riesgo de accidentes cardiovasculares porque puede engrosar las paredes arteriales. El colesterol elevado también contribuye a este riesgo porque la acumulación de colesterol contribuye a estrechar las arterias.

Afortunadamente, disminuir los niveles de colesterol y de presión arterial alta ayuda a reducir el riesgo de accidentes cardiovasculares. Así que fíjese la meta de llegar a tener una dieta rica en la fibra, el magnesio, el calcio y el potasio que ayudan a combatir la hipertensión arterial y el colesterol. Usted además reducirá significativamente su riesgo de sufrir accidentes cardiovasculares.

Combata el azúcar de la sangre con avena. La avena ya es famosa por su poder reductor del colesterol, pero su fibra soluble también ayudaría a controlar el azúcar en la sangre. La fibra soluble de la avena hace que el cuerpo absorba los azúcares más lentamente. Como resultado, la insulina puede convertir el azúcar en energía, así que nunca llega a acumularse en el torrente sanguíneo. Puede que a eso se deba que las dietas altas en fibra soluble ayuden a mantener bajos los niveles de azúcar en la sangre. Para obtener más fibra, agregue moras o higos secos y picados a la avena.

Mantenga una figura esbelta con cereales para el desayuno. Los alimentos ricos en fibra, como los cereales integrales y los higos, pueden hacer que se sienta satisfecho con menos calorías. En un estudio se comprobó que mientras mayor es el consumo de fibra de cereales y granos integrales, menor suele ser el índice de masa corporal (IMC) y el nivel de colesterol. Así que para el refrigerio sírvase un generoso puñado de cereales integrales o agréguele frutos secos para preparar un surtido tropical. Usted descubrirá así lo fácil que es mantenerse en forma.

SOLUCIÓNsencilla

Una buena noticia para las personas con insuficiencia cardíaca congestiva: bailar el vals es una gran manera de mantenerse en forma y mejorar la capacidad para realizar actividades cotidianas. Un estudio con personas con insuficiencia cardíaca encontró que quienes dedicaban 21 minutos a bailar el vals, alternando entre un vals lento y uno rápido, tres veces a la semana, tenían el mismo estado físico aeróbico que quienes siguieron un programa de ejercicios en la banda caminadora y en la bicicleta fija. Los bailarines de vals también durmieron mejor e incrementaron su capacidad para realizar las tareas domésticas y sus pasatiempos.

Si usted tiene insuficiencia cardíaca, el ejercicio puede ayudar a reducir el riesgo de hospitalizaciones y muerte. Solo recuerde hablar con su médico antes de intentar bailar vals o de hacer cualquier otro ejercicio.

Secretos para levantar el ánimo y recuperar la alegría de vivir

Cuatro maneras de mantenerse en el lado soleado de la vida

Cuando Dios cierra una puerta, abre una ventana. Recuerde esa promesa y no se sentirá descorazonado por las pérdidas que a menudo acompañan el envejecimiento.

Conforme envejecemos y ocurren cambios en nuestra vida, podemos llegar a sentirnos perdidos y a la deriva. Con la muerte de los amigos y la ausencia del contacto social que proporcionaba el trabajo, incluso los años dorados más saludables pueden ser solitarios. Puede que usted prefiera seguir viviendo en su propia casa y no perder su independencia y mudarse con sus hijos. Pero estar solo demasiado tiempo no es bueno.

Manténgase socialmente activo para mantenerse saludable. Los estudios muestran que la soledad puede estar vinculada a males físicos, incluidos el cáncer, la demencia, los problemas relacionados con el corazón como la presión arterial alta, la baja inmunidad e, incluso, la muerte en las personas mayores. Tal vez parte de la razón se deba a que los amigos cercanos nos animan a cuidarnos mejor, evitando malos hábitos y solicitando atención médica cuando estamos enfermos.

El periodista Jeffrey Zaslow investigó y escribió un libro acerca de once mujeres de Ames, Iowa, que crecieron juntas y siguieron siendo amigas hasta la mediana edad. *Las chicas de Ames: la historia de once mujeres y cuarenta años de amistad* relata cómo estas amistades largas enriquecieron sus vidas y les ayudaron a superar momentos difíciles. Cuando se trata de un sistema de apoyo social sólido, los buenos amigos pueden ser incluso más importantes que los miembros de la familia. Un nuevo estudio ha encontrado que mantener una vida social activa también puede ayudar a mantenerse joven, evitar una caída que le deje minusválido y mantener los reflejos agudos. Los investigadores sostienen que las personas mayores que tienen menos oportunidades para socializar son, por dentro, años más viejas que aquellas que permanecen socialmente activas. Esa red de apoyo también puede ayudar a sobrellevar mejor el dolor crónico.

Busque compañeros alegres. Los amigos no todos son iguales. Como la gripe, la soledad también puede contagiarse entre personas del mismo grupo social. Una investigación realizada utilizando información del famoso *Estudio del Corazón de Framingham* muestra que es 52 por ciento más probable que una persona sea solitaria si otra persona de su grupo social también lo es. Lo mismo sucede a la inversa, estar rodeado de gente feliz puede elevar su propio nivel de felicidad.

Salga y manténgase activo. Permanecer físicamente activo ayuda a levantar el ánimo. Inscríbase en una clase de ejercicios y obtendrá el beneficio adicional de estar con otras personas que comparten su interés. Pueden ser clases de yoga, *tai chi*, gimnasia acuática, baile, lo que más le guste. Pregunte en su centro para el adulto mayor qué clases ofrecen.

Encuentre un nuevo propósito en la vida. Todos necesitamos una razón para salir de la cama por la mañana. Si ya dejó su trabajo, encuentre algo que le de sentido a su vida. Su nuevo propósito podría ser trabajo voluntario, participar en actividades de la iglesia, o pasar más tiempo con sus nietos, lo que sea que le obligue a salir de casa regularmente. Usted se sentirá mejor y puede que hasta viva más años.

Una guía sencilla para los síntomas graves

Todos nos sentimos alicaídos de vez en cuando. Eso no significa que uno sufra de depresión clínica. Un decaimiento menor puede solucionarse con cariño y cuidados, pero una depresión mayor es una enfermedad y requiere la ayuda de un experto.

Este listado de características del estado de ánimo no es exhaustivo y se basa en el diagnóstico de depresión disponible en el sitio web de salud mental *http://psychcentral.com* (en inglés). Si no está seguro de cuán grave es su problema, solicite ayuda profesional.

Puede tener melancolía si:	Puede tener depresión si:
Tiene dificultad para concentrarse cuando lee.	No tiene el menor interés en leer un libro.
Necesita que lo convenzan para salir con los amigos.	Se niega rotundamente a salir.
Se siente cansado durante el día.	Se siente extenuado.
Tiene problemas para dormir algunas noches.	Siente que no puede dormir en absoluto.
Se alegra cuando ve a los nietos.	No le interesan las visitas.
Sigue participando en los juegos de naipes semanales.	Ha dejado de hacer la mayoría de sus actividades habituales.
Se anima cuando oye una buena noticia.	Ha perdido interés hasta en las mejores noticias.
Tarda más tiempo para tomar decisiones.	Ya no puede tomar decisiones de ninguna clase.
Se siente decepcionado con algunos aspectos de la vida.	Se siente un fracaso total.
Se siente algo inquieto.	Se siente agitado y tiene dificultad para quedarse quieto.
Nota algunos cambios en el apetito.	Ha bajado o subido de peso sin razón.
Desea cambiar ciertos aspectos de su vida.	Se siente atrapado en su vida.
Hace algunos planes para el futuro.	Tiene pensamientos de suicidio.

Pregunta & Respuesta

Me dicen que no hay nada malo con mi vida y que la depresión que me consume está solo en mi cabeza. Entonces, ¿por qué no puedo quitármela de encima?

La depresión puede ser el resultado de factores genéticos y biológicos, así como de influencias ambientales. Usted puede estar deprimido debido a un desequilibrio químico en el cerebro. Así como no es posible autoconvencerse de que no tiene gripe cuando la tiene, uno no puede autoconvencerse de no estar deprimido cuando sufre de depresión. Es por esa razón que, a menudo, buscar ayuda profesional es su mejor opción.

Reciba orientación y terapias sin salir de casa

¿Es usted demasiado tímido como para recostarse en un sofá y contarle sus problemas a un terapeuta? Si tiene una computadora, usted cuenta con una alternativa.

Investigadores en Australia ofrecieron orientación a personas con depresión leve a través de correos electrónicos y sesiones en línea. Los participantes también realizaron tareas semanales y participaron en discusiones con otras personas con depresión, todo a través de sus computadoras. Al cabo de ocho semanas mostraron tanta mejoría en su depresión como podría esperarse de una terapia tradicional. Otros investigadores en Kentucky tuvieron buenos resultados con un programa similar de ocho semanas para personas con depresión.

Una de las grandes ventajas de la terapia en línea es que usted no tiene que vivir cerca de un terapeuta para recibir atención. El uso de mensajería instantánea (MI) o el *chat* en vivo con un terapeuta a través de mensajes de texto cortos puede permitirle mantener una conversación con alguien que está muy lejos. Usted puede encontrar a un terapeuta que está disponible en línea a través de dos sitios web:

- **Breakthrough**, en *www.breakthrough.com* (en inglés), puede ponerle en contacto con psicólogos, psiquiatras y consejeros de familia, que usted puede elegir por lugar o especialidad. Usted puede hacerle preguntas al potencial terapeuta antes de pedir una cita. Se aceptan muchos planes de seguros. Los honorarios varían de $90 a $250 por hora.

- **My Therapy Net,** en *www.mytherapynet.com* (en inglés), ofrece un servicio de terapeutas en línea. Usted elige un terapeuta, luego chatea mediante mensajería instantánea o video en vivo. Las sesiones cuestan cerca de $1.60 por minuto, dependiendo de si la sesión dura 15, 25 o 50 minutos.

Si no está buscando terapia en vivo, tal vez un video sea suficiente. *Good Days Ahead* es un programa interactivo para la depresión y la ansiedad que le ayuda a superar la tristeza sin necesidad de un terapeuta. A través de videos usted aprende los pasos necesarios para sobreponerse a sus problemas y sentirse mejor. El programa ha sido creado por psiquiatras y está disponible en DVD (por ahora solo en inglés) en *www.empower-interactive.com.* Cuesta aproximadamente $99.

SOLUCIÓN sencilla

Consígase un compañero de cuatro patas. Adopte una mascota para pasar momentos agradables en buena compañía.

Usted puede hablar con un perro o un gato que tenga en casa, puede cuidar de ellos y puede tenerles afecto. Tener una mascota es una manera de evitar la soledad. Llevar a su perro a dar un paseo ofrece automáticamente muchas oportunidades de iniciar una conversación con otras personas. Los comentarios sobre su adorable Yorkie, por ejemplo, pueden servir de puente de socialización.

Busque su próxima mascota en un refugio de animales. Se sentirá bien sabiendo que está dando un hogar a un animal que lo necesita.

Cuidado con los charlatanes sin credenciales

Básicamente cualquiera puede colgar un anuncio ofreciendo terapia o *coaching* para la vida. Es más, alguien que se hace llamar "psicoterapeuta" no necesariamente tiene entrenamiento especial o profesional. Pero estos otros títulos garantizan ciertas cualificaciones:

- Los psiquiatras son médicos que pueden ejercer la terapia, recetar medicamentos y hospitalizar a los pacientes. Su médico de cabecera también puede recetarle medicamentos para tratar problemas psicológicos.

- Los psicólogos tienen grados de doctorado en psicología clínica o de asesoramiento. Ellos pueden practicar varios tipos de terapia.

- Los trabajadores sociales típicamente tienen un grado de maestría en trabajo social y pueden ayudar a individuos, familias o grupos a afrontar sus problemas.

- Las enfermeras psiquiátricas tienen entrenamiento especial para ayudar a personas con problemas mentales y emocionales.

No se sienta incómodo de hacer preguntas y comprobar credenciales antes de elegir un terapeuta. Pregunte si son licenciados y cuántos años han ejercido. Averigüe si tienen experiencia en el tratamiento de su tipo de problema y qué tipo de tratamiento prefieren. Asegúrese también de sentirse cómodo a nivel personal con el terapeuta, ya que esto puede representar una diferencia en el éxito del tratamiento.

Para encontrar a un terapeuta calificado cerca de usted, consulte la guía telefónica local bajo *Counseling Services* (servicios de asesoramiento) o *Psychologists* (psicólogos). Si tiene una computadora, también puede buscar en línea. Pruebe uno de estos sitios web:

- *locator.apa.org*. Este directorio es un servicio de la Sociedad Estadounidense de Psicología (APA, en inglés). Ingrese la información sobre su ubicación para encontrar psicólogos licenciados cerca de donde usted vive.

- *www.academyofct.org*. Vaya a la página de la Academia de Terapia Cognitiva (ACT, en inglés) para encontrar a un terapeuta cognitivo certificado cerca de usted. Haga clic en "*Find a therapist*" (buscar un terapeuta) e ingrese la información sobre su lugar de residencia.

Ayuda natural para el caos hormonal

Las hormonas son como las hormigas trabajadoras, marchan a todos los rincones de su cuerpo para mantener saludables todos los sistemas. Varios tipos de hormonas pueden afectar su estado de ánimo, incluidas aquellas relacionadas con la digestión, el crecimiento y el sueño. Esta es la forma como se mantiene la armonía hormonal:

- Las hormonas tiroideas. Si el cuerpo no las produce en cantidad suficiente, usted puede sentirse deprimido, cansado o confuso. El médico puede ordenar un examen de la hormona estimulante de la tiroides (TSH, en inglés) para ver si se trata de una deficiencia de la tiroides.

- La grelina, la "hormona del hambre", le dice al cuerpo cuándo comer y mantiene a raya la depresión y la ansiedad.

- El cortisol, la "hormona del estrés", puede causar depresión si la produce en exceso, como ocurre en la enfermedad de Cushing.

- La melatonina, que controla el ciclo de sueño del cuerpo, puede afectar su estado de ánimo.

Más relevantes en lo que se refiere al estado de ánimo son las hormonas sexuales. El estrógeno y la progesterona, las hormonas reproductivas femeninas, desempeñan un rol en el estado de ánimo, especialmente durante la pubertad, el embarazo y la menopausia. Eso es una buena noticia, ya que significa que los desequilibrios hormonales cesan después de haber pasado por el cambio de vida. Antes de que llegue ese momento, usted puede combatir la fuerza del oleaje hormonal con los siguientes remedios naturales:

Ácidos grasos omega-3. Puede obtenerlos en suplementos de aceite de pescado y en la linaza, y pueden aliviar el decaimiento propio de la mediana edad. Las investigaciones muestran que las mujeres encontraron alivio tomando 500 miligramos (mg) de omega-3, tres veces al día.

Ejercicio. La actividad física regular ayudó a mujeres de mediana edad a sentirse más felices y combatir los sudores nocturnos y los sofocos. Tan solo tres horas a la semana de yoga o de caminata fueron suficientes.

Soya. Algunas mujeres están convencidas de que los fitoestrógenos, o estrógenos de origen vegetal, de la soya son una alternativa a la terapia hormonal. Las pruebas aún no son concluyentes, pero si usted decide probar la soya, opte por alimentos integrales, como el *tofu* y la leche de soya, en vez de suplementos.

Pregunta & Respuesta

¿Acaso la depresión no es parte del envejecimiento?

La depresión y el envejecimiento no tienen por qué ir de la mano. Puede parecer normal sentirse triste cuando uno nota que está perdiendo su fortaleza física o su agudeza mental. Y con los años, uno también puede empezar a perder a los amigos y parientes, a causa de una enfermedad, la muerte o una mudanza. Otras pérdidas pueden incluir perder la identidad profesional e, incluso, perder el propósito de la vida.

Hágale frente a la melancolía aceptando los cambios que se van dando en su cuerpo y en su vida.

Por qué ahogar sus penas es un error

Cuando usted se siente triste y abrumado por el estrés, una copa de vino puede parecer la solución perfecta. Pero el alcohol no puede mejorar su estado de ánimo. De hecho, puede empeorarlo.

La Biblia advierte acerca del vínculo entre la depresión y el alcohol: *"¿Quién tiene angustia? ¿Quién siente tristeza? Es el que pasa muchas horas en las tabernas"*. (Proverbios 23:29–30, NTV)

Las investigaciones muestran que entre el 30 y el 50 por ciento de las personas alcohólicas también sufren de depresión. Si usted tiene antecedentes familiares de alcoholismo el riesgo de que sufra depresión aumenta y viceversa.

No se crea el mito de que sin alcohol no hay fiesta. El alcohol deprime el sistema nervioso central actuando como un sedante o agente calmante. Beba un poco, y puede que se sienta más relajado y despreocupado. Los problemas parecen desvanecerse. Pero conforme la bebida se convierte en un hábito, usted necesitará cada vez más para sentirse bien. Con el tiempo, las sensaciones agradables desaparecen.

El alcohol también afecta la coordinación muscular y el habla, y puede provocar sueño. El beber demasiado puede deprimir los centros vitales del cerebro, lo que puede conducir a un coma mortal.

Más de tres tragos al día para las mujeres o cuatro tragos para los hombres aumentan el riesgo de enfermedad cardíaca, enfermedad del hígado, problemas de sueño, cáncer, encías sangrantes y mucho más. Aun si usted ha sido un bebedor moderado y cuidadoso durante años, puede desarrollar problemas al envejecer. El alcohol puede comenzar a afectarle más fuertemente conforme envejece, o puede que necesite tomar medicamentos con los cuales el alcohol esté contraindicado.

Aléjese del bar. Si decide beber menos o quiere dejar de beber, pruebe estos trucos:

- Mida y lleve la cuenta de lo que bebe y respete su cuota.

- Alterne sus tragos con bebidas sin alcohol o espere cierto tiempo entre trago y trago.

- Beba alcohol únicamente con las comidas, de modo que el alcohol se absorba más lentamente.

- Encuentre actividades y lugares que no involucren alcohol.

- Planifique cómo controlar la ansiedad. ¿Cuál será su estrategia cuando un amigo le presione a tomarse una cerveza? Decídalo con antelación y la tentación no le tomará por sorpresa.

Si estos trucos no le funcionan o si su problema es mucho más grave, consulte con su médico para obtener ayuda. De ser necesario, él puede recetarle medicamentos o una terapia.

Los medicamentos comunes y la depresión

Los medicamentos que usted toma para tratar varias dolencias pueden afectar su estado de ánimo. (*Vea el cuadro a continuación.*) Hable con su médico si cree que los medicamentos le están deprimiendo.

Problema de salud	Clase de medicamento	Nombre del medicamento
Dolor	Antiinflamatorios no esteroideos (AINE o NSAID, por sus siglas en inglés)	Ibuprofeno (Advil) Combinación de paracetamol y tramadol (Ultracet)
Presión arterial alta	Antihipertensivos	Clonidina (Catapres)
Problemas cardíacos	Bloqueadores beta	Propranolol (Inderal)
Asma	Broncodilatores	Pirbuterol (Maxair)
Asma, reacciones alérgicas	Corticosteroides	Prednisona
Infecciones	Antibióticos	Ciprofloxacino (Cipro) Gemifloxacina (Factive)
Acidez estomacal	Bloqueadores de histamina	Ranitidina (Zantac) Cimetidina (Tagamet)

El optimismo protege la salud del cuerpo

Una visión pesimista de la vida no solo es mala para la mente, también lo es para el cuerpo. Desarrolle una naturaleza feliz y protegerá su salud física.

No permita que sus huesos sufran. Las personas que están deprimidas también tienden a tener una menor densidad mineral ósea, lo que significa que su riesgo de osteoporosis es mayor, una enfermedad que debilita los huesos. Parte de la razón puede estar en que el mal humor crónico cambia los niveles de una sustancia química cerebral importante que también afecta a los huesos. Además, ciertos medicamentos que tratan la depresión, incluidos los inhibidores selectivos de la recaptación de serotonina (ISRS), aumentan las probabilidades de que se rompa un hueso. También le ponen en riesgo de sufrir una grave caída.

Prevenga la grasa abdominal del mal humor. La grasa abdominal no solo hace que usted se sienta infeliz con su figura, también cambia la química del cuerpo haciendo más probable la depresión. Algunas investigaciones muestran que las personas con diabetes tipo 2, dolencia a menudo asociada con el sobrepeso, son más propensas a mostrar signos de depresión. Y el problema puede ir en ambas direcciones, ya que algunos fármacos antidepresivos pueden hacerle subir de peso.

Adopte una actitud saludable para el corazón. De la misma forma en que la grasa abdominal hace más probable la depresión, también incrementa el riesgo cardíaco. De hecho, la depresión eleva las probabilidades de un ataque al corazón en un 50 por ciento o más. Los expertos solían creer que el vínculo era el exceso de inflamación crónica, que puede dañar los vasos sanguíneos y desencadenar las enfermedades cardíacas. Pero nuevas investigaciones parecen indicar que el problema puede deberse en parte a la conducta. Cuando usted se siente decaído, es probable que abandone el ejercicio y otras medidas de buena salud. Eso puede provocar problemas cardíacos.

Sin embargo, el cuerpo no está condenado a descomponerse solo por el decaimiento del ánimo. Si logra motivarse lo suficiente como para participar en una actividad física ligera, usted puede obtener algún alivio.

Limpiar la casa despeja las telarañas mentales

Cuando se siente deprimido, es como si fuera una oruga en su capullo. Lo único que quiere es esconderse y permanecer inmóvil. Salga de su capullo y muévase, y se sentirá mejor como por arte de magia.

Investigadores en Inglaterra encuestaron a casi 20,000 personas sobre la felicidad y la actividad física. La encuesta encontró que las personas que eran físicamente activas tan solo 20 minutos a la semana tenían menos depresión. La mayor actividad contribuía a mejorar el estado de ánimo. Incluso actividades como la limpieza vigorosa de la casa, u otras lo suficientemente vigorosas como para acelerar la respiración, redujeron el riesgo de depresión en un 24 por ciento. Así que trapee el piso, aspire las alfombras y sáquele brillo a las ventanas. Una casa más limpia también puede ayudar a eliminar las telarañas de su cerebro.

Si la sola idea de limpiar le pone de mal humor, pruebe otra forma de actividad física que le ayude a salir del agujero. El ejercicio es una parte importante a la hora de superar un estado de ánimo bajo. Cuando los expertos revisaron un cuerpo extenso de investigaciones, comprobaron que las actividades aeróbicas, como correr o caminar, realizadas por lo menos tres veces a la semana durante cinco semanas, ayudaron a levantar el estado de ánimo más que un placebo y tanto como la psicoterapia.

La actividad física puede ayudar por muchas razones:

- Cuando usted hace ejercicio, el cuerpo produce endorfinas, las hormonas naturales que hacen que se sienta bien.

- La actividad física reduce otras señales de mala salud, como la inflamación, la intolerancia a la glucosa y los factores de riesgo cardíaco.

- Si usted necesita bajar peso, adelgazar puede hacerle sentir más feliz.

- Si la actividad física que haga tiene como resultado una casa más limpia o un jardín más hermoso, obtendrá el beneficio adicional de un ambiente agradable.

Las actividades que requieren una respiración profunda, como el yoga, tienen sus propios beneficios porque estimulan el flujo de oxígeno a todo el cuerpo. Y si elige una actividad divertida, también agregará alegría a su vida. Así que plante flores, dé un largo paseo en bicicleta o vaya a nadar.

Algunos estudios incluso parecen indicar que mientras más edad tenga la persona, más útil será la actividad física para su estado de ánimo. Una razón podría ser que cuando se participa en actividades grupales, como las clases de baile o de *tai chi*, se obtiene el beneficio añadido de la socialización. Eso en sí mismo puede mejorar un ánimo decaído.

Intereses comunes traen felicidad

A Janice le era fácil hacer nuevos amigos porque se había mudado muchas veces. Pero cuando falleció su esposo y se fue a vivir cerca de su hija, tuvo problemas para adaptarse y hacer amistades.

Janice pensó en lo que había hecho después de cada mudanza: unirse a un grupo dedicado a hacer colchas de retazos (*quilt*, en inglés). En el periódico encontró el anuncio de un grupo que se reunía mensualmente en el centro del adulto mayor. Al cabo de seis meses, Janice estaba haciendo colchas de retazos para los bebés prematuros de un hospital local con sus nuevas amigas. No solo compartía su pasatiempo favorito con ellas. También se reunían para almorzar o salir de compras. Janice por fin empezó a sentirse a gusto.

El secreto para encontrar la felicidad

"Si tan sólo tuviera (complete el espacio en blanco)*, entonces sería feliz"*. ¿Ha caído usted en la trampa de pensar que si tan solo tuviera esto o aquello, entonces sería feliz? Olvídelo. Las investigaciones muestran que las personas suelen equivocarse con respecto a lo que creen que las hará felices.

Un estudio clásico hizo un análisis comparativo entre personas que habían ganado la lotería y otras que habían sufrido lesiones de la médula espinal. Aunque los ganadores reportaron sentirse más felices de lo que se habían sentido antes y los lesionados reportaron menos satisfacción con la vida, los cambios no eran tan profundos como cabría esperar. En otras palabras, los ganadores no estaban superfelices y los lesionados no estaban profundamente deprimidos, como podría esperarse en sus situaciones respectivas.

Descubra la alegría de dar. Si ganar un millón de dólares no le asegura la felicidad, ¿qué podrá hacerlo? Un documental reciente de PBS, *This Emotional Life* (Esta vida emocional), se propuso explorar este tema y averiguar qué es lo que hace feliz a la gente. Se descubrió que no es tanto lo que tenemos lo que nos proporciona la felicidad, sino lo que hacemos. En concreto, mostrar compasión, ofrecer perdón y practicar el altruismo es lo que tiende a hacer feliz a la gente.

Cualquiera puede hacerlo, no solo los ricos. Es más, una vez que uno ya tiene el dinero suficiente para cubrir las necesidades en la vida, el tener más dinero no proporciona más felicidad. Sin embargo, la manera como se utiliza ese dinero sí parece tener un efecto sobre la felicidad: las personas más generosas suelen también ser las más felices. Cuando usted comparte su dinero, su tiempo o sus talentos, se concentra en otras personas y puede llegar a olvidar sus propios problemas personales.

Tome como ejemplo la historia de Cami Walker, una mujer con esclerosis múltiple que encontró alivio, alegría y unas ganas renovadas de vivir tras iniciar un programa bondadoso. Ella decidió hacer un regalo al día durante 29 días. Algunos de los regalos eran materiales, pero otros eran pequeños actos de generosidad, como escuchar la historia que un vecino necesitaba contar o decirle algo amable a la cajera del banco.

Al final de los 29 días, Cami se sentía más feliz, más saludable y más en sintonía con la vida. Se reía más a menudo y se había acercado más a su familia. Sorprendentemente, también se sentía físicamente más fuerte y hasta pudo volver a trabajar. Para dar a conocer su experiencia, Walker escribió un libro y creó un sitio web animando a otros a vivir esta experiencia de 29 días de generosidad.

Dedíquese a lo que le apasiona. Usted ya tiene todo lo que necesita para empezar a practicar el altruismo:

- Done dinero a una buena causa, a su iglesia o su organización benéfica preferida.

- Trabaje como voluntario, ya sea construyendo casas a través de Hábitat para la Humanidad, cuidando niños en la guardería de la iglesia o haciendo recados para un amigo confinado en su casa. Las investigaciones demuestran que las personas mayores que realizan trabajo voluntario aumentan su agudeza mental e, incluso, podrían vivir más años.

- Utilice sus habilidades para fabricar artículos que ayuden a otros si no puede comprometerse con los horarios del trabajo voluntario. Si sabe tejer puede hacer gorritos para bebés recién nacidos, si le apasionan las colchas de retazos puede hacerlas para los veteranos heridos, si le gusta el trabajo con cuentas puede hacer rosarios para regalar y si se dedica al trabajo en madera puede hacer juguetes para los niños en el hospital.

Usted sabe lo que tiene. Regálelo y a cambio recibirá felicidad.

Estimulante de **ENERGÍA**

El zinc añade brío a su rutina de ejercicios. El cuerpo necesita este mineral para apoyar la actividad física que usted realiza. De lo contrario, usted puede llegar a sentirse más fatigado que fabuloso.

Cuando uno hace ejercicio, el cuerpo libera dióxido de carbono con la ayuda de una enzima especial llamada anhidrasa carbónica. Esa enzima necesita zinc para funcionar. La deficiencia de zinc hace que la enzima no pueda cumplir su función adecuadamente.

Procure consumir más carne de res, aves de corral, frijoles y cereales para desayuno enriquecidos para que el cuerpo cuente con este mineral esencial.

Maneras sencillas para aliviar el duelo

Es normal sentirse triste cuando muere un amigo o un pariente. Es así como funciona el proceso natural de duelo. Los expertos creen que es mejor lidiar con el sentimiento de pérdida que intentar evadir el dolor del duelo. Usted logrará superarlo y volverá a disfrutar de la vida.

Dele tiempo al tiempo. En el pasado, una viuda se vestía de negro en señal de duelo durante al menos un año después de la muerte de su esposo. Los expertos afirman que la tristeza del luto puede durar hasta dos años, pero cada quien es diferente en lo relativo a la pena. No se obligue a sí mismo a cumplir con un tiempo determinado.

El duelo es más que solo tristeza. También puede notar falta de motivación, problemas de concentración, ansiedad y dificultad para tomar decisiones. Algunas personas experimentan confusión, pérdida de memoria o el deseo de estar solas. Lo bueno es que la mayoría empieza a salir de la peor parte del duelo unos seis meses después de la pérdida.

Haga un esfuerzo para seguir adelante. Si sus problemas son graves, su médico puede recetarle un medicamento contra la ansiedad, como alprazolam (*Xanax*). Pero estos medicamentos pueden ser adictivos, por lo que es preferible encontrar otras maneras de lidiar con la pena.

- No trate de olvidar a su ser querido. El recordarlo lo mantendrá cerca de su corazón. Solo aprenda a aceptar que la muerte es parte de la vida.

- Hable acerca de su pérdida. Compartir los sentimientos suele ayudar. Busque un grupo de apoyo si su familia no le es útil.

- Cuide su cuerpo. Coma bien y salga a pasear por su salud física y emocional.

- Trate de prestar atención a las cosas buenas que le rodean, como la belleza de un jardín o la felicidad en la sonrisa de un niño.

- Sea generoso con los demás para evitar pensar demasiado en su pérdida. Encuentre oportunidades para ofrecerse como voluntario, o sea creativo y haga algo para alguien.

- Reorganizar la cocina, los armarios o su colección de fotos, hacerlo puede darle una sensación de control.

- Sea creativo a través de la escritura, la pintura u otra actividad. Esta puede ser una manera de expresar sus sentimientos y de superar la tristeza del duelo.

Hablar sobre la muerte y el morir

Busque orientación en línea sobre temas específicos relacionados con la muerte. En varios sitios web se ofrecen consejos e información para personas con una enfermedad terminal y para quienes recientemente han perdido a un ser querido o se han visto de otra manera profundamente afectados por la muerte.

Usted también puede encontrar ayuda en los blogs escritos por personas que han pasado por situaciones similares. Entre los temas comunes están la elección de la cremación, cómo hablar sobre una pérdida y cómo consolar a un amigo afligido. La mayoría ofrece estos servicios de forma gratuita.

Envíe un mensaje especial a sus seres queridos

Ayude a un familiar o amigo a lidiar con su fallecimiento dejándoles un mensaje personal. En esta era cibernética, usted puede hacerlo de manera permanente y privada. Solamente la persona que usted especifique y que tenga su contraseña podrá leer dicho mensaje en línea. Es una forma de asegurarse de que esa persona pueda conocer sus últimos pensamientos en privado. Este servicio no es caro. Por $10 usted puede enviar un mensaje de hasta mil palabras. Su ser querido simplemente ingresa la contraseña y lee su mensaje de forma gratuita. Y usted estará realizando un último acto de generosidad, ya que el 10 por ciento de los fondos recaudados son donados a obras de caridad.

Sea agradecido para sentirse más optimista

"No existe nada bueno ni malo; es el pensamiento humano el que lo hace aparecer así".

Hamlet, el temperamental personaje de Shakespeare, tenía la idea correcta. Una actitud positiva en la vida puede hacer maravillas por su estado de ánimo, sin importar las circunstancias. Estudios recientes en psicología prueban que esto es cierto.

Los médicos a veces les dicen a sus pacientes que prueben hacer ciertos cambios en su conducta para calmar los pensamientos que producen ansiedad. Una estrategia es mantener una lista de circunstancias o de acontecimientos positivos en su vida, o rezar a diario dando gracias. La idea de que usted puede llegar a sentirse feliz si piensa que lo está es parte del movimiento de la psicología positiva.

Concéntrese en ver el vaso medio lleno. La doctora y escritora Susan Vaughan describe los beneficios del pensamiento positivo en su libro *La psicología del optimismo. El vaso medio lleno o medio vacío* (título original en inglés: *Half Empty, Half Full: Understanding the Psychological Roots of Optimism*). Ella recomienda concentrarse en las capacidades y habilidades en vez de las debilidades, y repetirse constantemente que uno tiene el poder de conseguir lo que uno quiere.

"Entrénese a pensar como un optimista y poco a poco se convertirá en una persona optimista", escribe la Dra. Vaughan.

La Dra. Vaughan también recomienda la "comparación hacia abajo", o pensar en los buenos aspectos de su situación en lugar de envidiar lo que no tiene. Las investigaciones han demostrado que usted se sentirá más contento consigo mismo si elige compararse con personas menos afortunadas que usted. La Dra. Vaughan también aconseja cambiar el entorno, la música que escucha, la vista desde su ventana, la gente que frecuenta y rodearse, en cambio, de todo lo que refuerce su felicidad y su estado de calma. De la misma forma en que un bebé en una guardería comienza a llorar cuando otro llora, usted es afectado por el estado de ánimo de otras personas.

Siéntase bien dando las gracias. Esta idea se amplía en el libro *¡Gracias! De cómo la nueva ciencia de la gratitud puede hacerte feliz* (título original en inglés: *Thanks!: How the New Science of Gratitude Can Make You Happier*) por el psicólogo Robert Emmons, Ph.D. Él sugiere llevar una agenda de gratitud, diaria o semanal, en la cual debe anotar cinco cosas de las que se siente agradecido. El Dr. Emmons explica que esta actividad ayuda a recordar las cosas positivas en la vida.

"La gratitud es la forma en la que el corazón recuerda; recuerda actos amables, interacciones afectuosas con los demás, acciones compasivas de extraños, regalos sorpresa y bendiciones cotidianas", escribe.

Se ha comprobado a través de investigaciones que esta actividad puede ayudar tanto a personas sanas como a aquellas que sufren enfermedades neuromusculares. Quienes mantuvieron diarios de gratitud durante 10 semanas se sintieron con una actitud más positiva hacia la vida, dejaron de concentrarse en lo que les molestaba, se sintieron físicamente mejor y fueron capaces de hacer más ejercicio.

El acto de anotar cosas buenas específicas es solo uno de los métodos de cultivar la gratitud. El Dr. Emmons propone varios otros:

- Aprenda oraciones de gratitud y de agradecimiento. Estas pueden ser específicas a su religión.

- Utilice recordatorios visuales, como una nota sobre el escritorio o una cita fijada en el refrigerador, para evitar perder el buen camino.

- Pase tiempo con personas que comparten sus sentimientos de gratitud, para que sus esfuerzos se apoyen mutuamente.

- Preste atención a su elección de palabras, ya que el lenguaje afecta la forma en que se piensa y actúa. Elija palabras positivas, como "agradecido," "afortunado" y "bendición", en lugar de palabras negativas, como "carencia," "pérdida", "remordimiento".

- Actúe de manera positiva, si es necesario, forzando una sonrisa, por ejemplo. Esto es parte del trabajo de desarrollar una nueva actitud positiva.

El verdadero desafío es sentirse agradecido por lo que uno tiene, aun cuando las cosas no vayan bien. Eso es posible de lograr, tal como ejemplifica la Biblia con la historia de Job. Y conforme vaya teniendo éxito en cambiar sus pensamientos acerca de la vida, usted encontrará que su perspectiva y su estado de ánimo también cambiarán. Se requiere esfuerzo, pero vale la pena.

SOLUCIÓN*rápida*

Acurrúquese con un libro y líbrese del mal humor con solo leer. Este método, conocido como biblioterapia, ha demostrado funcionar según las investigaciones.

Si usted no sufre de una depresión declarada y tiene tan solo problemas de ánimo leves o moderados, la biblioterapia puede ayudarle a pensar en sus problemas de una nueva manera. Hay muchos libros de autoayuda que prometen una cura para la melancolía. Los expertos, sin embargo, sugieren uno de estos títulos:

- *Sentirse bien. Una nueva terapia contra las depresiones* (título original en inglés: *Feeling Good: The New Mood Therapy*) por David D. Burns, M.D.

- *Control your Depression* por Peter M. Lewinsohn, Ph.D., y otros.

Pida ayuda a un Poder Superior

"Busquen al Señor mientras puedan encontrarlo; llámenlo ahora, mientras está cerca". (Isaías 55:6, NTV)

Este consejo del Antiguo Testamento es tal vez uno de los mejores para superar la tristeza. Mucha gente se siente mejor cuando reza o asiste a un servicio religioso. La ciencia finalmente ha descubierto lo que las personas espirituales han sabido desde hace mucho tiempo: un Poder Superior puede ayudar en momentos de infelicidad.

Aleje la melancolía rezando. Una investigación que observó a más de 1,000 miembros de la Iglesia Presbiteriana de Estados Unidos, encontró que las personas que rezan más también disfrutan de mejor salud mental. Aquellos que oraron por lo menos dos veces al día, alrededor del 42 por ciento del grupo, tuvieron la mejor salud mental. Dedicar incluso más tiempo que ese a la oración parecía producir una sensación de bienestar aún mayor.

Practicar sus creencias espirituales, incluidas la oración, asistir a los servicios religiosos y la meditación, benefician al cuerpo y a la mente. La ciencia ha descubierto que el simple acto de sentarse calladamente, relajarse y respirar profundamente, tratando de calmar y enfocar la mente, puede ayudar con el desorden y los problemas de la vida, haciendo que se sienta mejor. Estos son los beneficios de rezar:

- Menos estrés, por tanto menos producción de hormonas del estrés, como la norepinefrina y el cortisol.

- Un incremento de las emociones positivas, como la esperanza, el amor y el perdón, acompañado de la disminución de las emociones negativas, como la hostilidad.

- Un ritmo más lento de respiración.

- Una reducción de la presión arterial y del ritmo cardíaco.

- Un sistema inmunitario más fuerte.

Además, conforme usted se dirige a un Poder Superior a través de la oración, el vínculo entre ambos se va fortaleciendo. Esto puede ayudarle a sentirse más conectado y menos solo. Y si reza en un grupo, ya sea en la iglesia o en un grupo de estudio de la Biblia, usted obtiene el beneficio añadido de la socialización y el apoyo grupal. Eso puede ayudarle a combatir la soledad.

Encuentre una cura espiritual. Otros estudios han encontrado que las personas que tienen un mayor grado de espiritualidad personal o "religiosidad", tienen menos probabilidades de sufrir depresión. Parece ser que una fe religiosa fuerte proporciona algo a lo cual aferrarse cuando llegan los malos tiempos.

Los médicos han tomado nota de esto y están buscando maneras de fomentar la espiritualidad en sus pacientes, para así ayudarles a mejorar su capacidad de hacer frente a las enfermedades, a una disminución en su calidad de vida, a la ansiedad o a la depresión.

No deje que la dieta lo desanime

Nadie espera sentirse de excelente humor cuando está a dieta. Después de todo, es muy probable que tenga que renunciar a muchos de sus manjares favoritos. Por eso es importante elegir un plan de comidas que le permita perder peso sin perder su visión optimista de la vida.

Cuidado al contar las calorías. Las mujeres con antecedentes de depresión no deberían reducir demasiado su consumo de calorías. Hacerlo puede ponerlas en riesgo de otro ataque depresivo. Este efecto parece estar relacionado con la carencia de triptófano, un aminoácido que mejora el estado de ánimo.

Las participantes de un estudio solo debían consumir 1,000 calorías diarias, una cantidad bastante espartana, incluso para quienes desean adelgazar. Esta dieta baja en calorías redujo los niveles de triptófano de todas las participantes. Pero las mujeres con antecedentes de depresión, a diferencia de las otras mujeres, no pudieron adaptarse a estos niveles más bajos y su estado de ánimo decayó.

Elija baja en grasas antes que baja en carbohidratos. Incluso si usted nunca ha sufrido una depresión grave, las dietas bajas en carbohidratos pueden provocar cambios negativos en su humor. Investigadores en Australia compararon dietas bajas en carbohidratos con dietas bajas en grasas para ver cómo afectaban el estado de ánimo. En las dietas bajas en carbohidratos se permitía que solo alrededor del 4 por ciento de las calorías vinieran de carbohidratos y el 61 por ciento de grasas, mientras que en las dietas bajas en grasas, el 46 por ciento de las calorías provenían de carbohidratos y el 30 por ciento de grasas. La Atkins es un ejemplo de dieta baja en carbohidratos, mientras que la Ornish es una dieta baja en grasas muy conocida.

Al principio, ambos grupos perdieron peso y se sintieron felices, lo cual no era de extrañar, ya que ambos tuvieron éxito. Pero al final del estudio de un año de duración, el ánimo de las personas que seguían las dietas bajas en carbohidratos se desplomó, mientras que el grupo en las dietas bajas en grasas permaneció de buen humor.

Puede que esto se deba a que los enormes cambios en los hábitos alimentarios que imponen las dietas bajas en carbohidratos, son difíciles y ponen a las personas de mal humor. O puede ser que en las dietas bajas en carbohidratos, al solo permitir el consumo de una cantidad muy pequeña de carbohidratos, se produjeron niveles bajos de serotonina, la sustancia del cerebro responsable del buen humor.

En otra investigación se observó que el consumo de carbohidratos trae beneficios para el estado de ánimo. Hombres mayores en Japón que consumían cantidades moderadas de carbohidratos, vitamina C y caroteno, mostraron tener menos riesgo de malhumor que aquellos que no obtenían cantidades suficientes de estos nutrientes. Así que elija una dieta baja en grasas y asegúrese de obtener suficientes nutrientes esenciales. Así usted podrá bajar de peso sin dejar de sentirse bien.

Remedio espiritual para el corazón

Candace vivía sola desde que perdió a su esposo, pero nada la desanimaba hasta el día en que sufrió un ataque al corazón y tuvo que ser hospitalizada. Candace no logró recuperar su carácter alegre, ni siquiera cuando pudo regresar a su casa.

La hermana de Candace notó el cambio y la animó a participar nuevamente en la iglesia. Candace empezó a ir los domingos y se unió a un grupo de estudio bíblico que se reunía semanalmente.

"Cuando volví a leer la palabra de Dios y a buscar Su plan, empecé a sentirme mejor sobre los cambios en mi vida", dice Candace. "Ahora tengo una nueva perspectiva. Además, cada semana espero volver ver a mis amigas en las reuniones bíblicas".

Alimentos fabulosos para el buen humor

Hay ciertos platos que le hacen sentirse bien con solo pensar en ellos. Tal vez el suyo sean los macarrones con queso, o una sopa de pollo. Pero el mejor estimulante para el humor son las proteínas saludables. Una merienda con proteínas de alta calidad, como, por ejemplo, una ensalada de atún con aderezo ligero, le proporciona tres ingredientes clave para superar el decaimiento:

Triptófano. Este aminoácido es considerado el antidepresivo de la naturaleza y es la razón por la que decimos que la leche tibia antes de acostarse ayuda a dormir. El triptófano tiene un suave efecto sedante y permite la producción de la melatonina, la hormona del cerebro que controla el reloj de sueño del cuerpo. Una vez digerido, el triptófano se convierte en serotonina, la sustancia química del cerebro que mejora el estado de ánimo. Los expertos creen que la carencia de triptófano puede causar depresión, trastorno bipolar y otros serios problemas mentales.

Usted encontrará grandes cantidades de triptófano en los alimentos ricos en proteínas, como la carne de res, el pescado, el pavo y los cacahuetes. Pero usted necesitará carbohidratos para ayudar a que este aminoácido llegue a su cerebro. Prepárese un sándwich con ensalada de atún y estará de camino a un humor más alegre.

Ácidos grasos omega-3. Estas grasas "saludables", abundantes en los pescados grasos como el salmón y las sardinas, son conocidas por ayudar al corazón. También son importantes para vencer el decaimiento.

Un estudio que siguió a más de 3,000 personas durante 20 años, encontró que las mujeres que obtenían más ácidos grasos omega-3 del pescado y otros alimentos tenían menos síntomas de depresión. En otro estudio, las mujeres de mediana edad que tomaron un gramo de aceite de pescado al día durante ocho semanas tenían una menor incidencia de depresión. Las mujeres también pudieron aliviar los sofocos. Por último, otro estudio observó que las personas que seguían una dieta mediterránea, abundante en pescado y aceite de oliva, tenían índices más bajos de depresión.

Entonces, ¿cómo ayuda esta fantástica grasa a promover el optimismo? El cerebro está lleno de grasa, en buena parte de ácidos grasos esenciales como los omega-3. La falta de omega-3 modifica el funcionamiento del neurotransmisor serotonina, alterando su estado de ánimo. Además, los ácidos grasos omega-3 específicos, el ácido eicosapentaenoico (EPA) y el ácido docosahexaenoico (DHA), tienen efectos antiinflamatorios en el cerebro, lo cual también puede afectar el estado de ánimo.

Vitamina B12. El pargo, el atún y el salmón son ricos en omega-3 y aportan una megadosis de esta vitamina estimulante del cerebro. Si usted no recibe suficiente vitamina B12, puede correr el riesgo de sufrir graves cambios de humor. Un estudio halló que las mujeres con deficiencia de vitamina B12 tenían el doble de riesgo de deprimirse. También afecta la forma en que el cerebro piensa y recuerda, así que consumir suficiente vitamina B12 puede ayudar a mantener la agudeza mental.

Elegir alimentos integrales sobre los procesados y evitar el azúcar ayuda a combatir la crisis y el decaimiento de la mediana edad. Los expertos sostienen, además, que una dieta de alimentos procesados aumenta el riesgo de inflamación, lo que también contribuye a la depresión.

Estimulante de **ENERGÍA**

No se lo está imaginando. Ese bocado de chocolate realmente le hace sentirse mejor.

El chocolate, sobre todo el chocolate oscuro, está cargado de polifenoles. Estos antioxidantes elevan el nivel de la serotonina, la sustancia química del cerebro que le hace sentirse bien. Un nivel demasiado bajo de serotonina pueden empeorar el humor.

Los participantes de un estudio que sufrían de síndrome de fatiga crónica descubrieron que comer chocolate todos los días los llenaba de vida. Según otro estudio, comer chocolate oscuro hace que las personas gocen de niveles más bajos de ciertas hormonas del estrés, además de ayudarles con la digestión. Eso sí que debe sentirse bien.

Pero no exagere. Los estudios estaban basados en un consumo de alrededor de 1.5 onzas de chocolate oscuro al día, o nueve *Hershey's Kisses*. Eso por sí solo significa 180 calorías.

Estimulantes naturales contra el decaimiento

Obtenga una ráfaga de energía, mental y física, de manera natural con hierbas tradicionales y sin necesidad de medicamentos.

Levántese el ánimo con corazoncillo. De nombre curioso, este extracto de una planta con flores amarillas llamada *Hypericum perforatum*, es un remedio tradicional para la depresión leve. Es el antidepresivo más comúnmente recetado en Alemania, además de haber recibido la calificación "A" de respetados expertos estadounidenses.

Los científicos creen que el corazoncillo actúa cambiando los niveles de serotonina y otras sustancias químicas cerebrales que producen bienestar, de forma similar a como funcionan algunos medicamentos antidepresivos. No es de sorprender que las investigaciones muestren que el corazoncillo es tan efectivo como algunos medicamentos para controlar los estados de ánimo. Un tratamiento típico es de 900 mg de corazoncillo, divididos en dos o tres dosis. Puede que tenga que esperar entre dos y cuatro semanas para ver resultados, así que tenga paciencia.

Combata la fatiga con esta asombrosa planta alpina. Conocida también como raíz de oro, la *rhodiola rosea* es un remedio tradicional chino para el estrés. Se utilizan las raíces de esta planta que tiene unas preciosas flores amarillas y que crece en lugares muy altos de Europa y Asia. Se cree que produce bienestar porque combate la fatiga mental y física.

Al igual que el *ginseng*, la *rhodiola rosea* está clasificada como un adaptógeno, es decir una planta que funciona de manera no específica para aumentar la resistencia al estrés físico, químico o biológico. La *rhodiola* actúa sobre el sistema nervioso central cambiando los niveles de serotonina y de otras sustancias químicas naturales del cerebro.

Las investigaciones muestran que las personas con depresión que tomaron suplementos de *rhodiola* se sintieron mejor en el curso de seis semanas. También ayudó a médicos que trabajaban el turno nocturno a combatir la fatiga y mejorar su rendimiento mental. Los estudios con resultados positivos utilizaron suplementos de *rhodiola* dos veces al día. Se trata de un estimulante sin cafeína ni aditivos artificiales.

Esté atento a los efectos secundarios. No por ser naturales carecen de efectos secundarios. El corazoncillo puede interactuar con una serie de medicamentos, incluidos algunos medicamentos utilizados para tratar la depresión. En exceso, la *rhodiola* puede producir inquietud, irritabilidad e insomnio. Sin embargo, los remedios naturales son por lo general más seguros que los antidepresivos bajo receta, que pueden provocar:

- Aumento de peso.
- Fracturas y pérdida ósea.
- Caídas. Son más frecuentes entre los adultos mayores con depresión que toman antidepresivos comunes en la clase de los inhibidores selectivos de la recaptación de serotonina (ISRS), como la fluoxetina (*Prozac*) y la sertralina (*Zoloft*).

- Accidentes cerebrovasculares. Nuevas investigaciones muestran que las mujeres posmenopáusicas que toman antidepresivos, tanto de la clase de los tricíclicos como la de los inhibidores selectivos de la recaptación de serotonina (ISRS), tienen mayor riesgo de sufrir un derrame cerebral.

Incluso los mejores medicamentos pueden tardar mucho tiempo en actuar, hasta 12 semanas en algunos casos, y a veces nunca llegan a ser efectivos para algunas personas. Antes de recetar un antidepresivo, su médico debería realizarle un examen físico y hacerle preguntas sobre su vida y su historia médica. La receta de un antidepresivo no debería ser automática para todas las personas que tengan un estado de ánimo inestable. Pregunte si un remedio natural podría funcionar igualmente bien en su caso.

SOLUCIÓN*rápida*

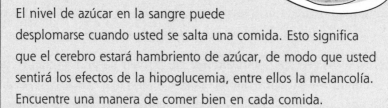

Asegúrese de comer tres comidas completas al día, aun si usted vive solo y no le gusta cocinar. Esto ayudará a su estado de ánimo.

El nivel de azúcar en la sangre puede desplomarse cuando usted se salta una comida. Esto significa que el cerebro estará hambriento de azúcar, de modo que usted sentirá los efectos de la hipoglucemia, entre ellos la melancolía. Encuentre una manera de comer bien en cada comida.

- Prepare grandes cantidades y luego congele lo que le sobra para más tarde.

- Tomen turnos entre un grupo de amigos para invitar a cenar al resto del grupo.

- Averigüe si su iglesia cuenta con voluntarios para ayudar a preparar las comidas.

- Póngase en contactos con los programas locales de *Meals on Wheels*, que ofrecen por lo menos una comida balanceada al día.

Maneras infalibles para combatir la melancolía del invierno

Es mediados de diciembre y la vida empieza a parecer un poco sombría, justo cuando debería empezar a alegrarse por la llegada de las fiestas.

Combata el decaimiento de las fiestas. Es la hora de las celebraciones, de las reuniones de familia y de unas merecidas vacaciones del trabajo. Pero no todo el mundo se siente en su mejor disposición cuando llegan las fiestas. En vez de alegría, usted tal vez sienta demasiada presión para comprar el regalo perfecto o preparar un pavo exquisito. Los días de fiesta también pueden traer buenos y malos recuerdos, y pueden recordarle que el tiempo pasa y que se está haciendo mayor.

No permita que las fiestas le caigan encima como una tonelada de ladrillos cuando usted puede tomar medidas para evitar la melancolía:

- Observe si suele sentirse decaído en esta época del año y no se obligue a sentirse feliz todo el tiempo.

- Pase más tiempo, o quizá menos, con sus parientes cercanos y lejanos. Averigüe qué es lo que le va mejor.

- Prepare sus comidas favoritas y deje tiempo para una actividad que disfrute a fondo. No siga la tradición si no le place.

- Cuéntele sus problemas a una amiga de confianza o busque ayuda profesional.

Evite el TAE. Para algunas personas, la melancolía invernal se relaciona con días más cortos y noches más largas, una dolencia conocida como trastorno afectivo estacional (TAE).

Las personas son como las plantas en maceta: necesitan la cantidad justa de luz solar para florecer y prosperar. La exposición regular a la luz brillante en la mañana y a la oscuridad en la noche ayuda a mantener el reloj interno del cuerpo, o ritmo circadiano, en sincronía. Todo lo que altere ese equilibrio, incluidos los días más cortos del invierno, puede alterar los niveles de melatonina. Esta hormona natural puede afectar el estado de ánimo. Bajos niveles de vitamina D también pueden contribuir a la melancolía. Usted puede obtener esta vitamina de la luz solar, pero solo si está al aire libre durante las horas diurnas.

El trastorno afectivo estacional (TAE) afecta a alrededor del 5 por ciento de la población estadounidense. Si usted cree pertenecer a ese grupo, siga los siguientes pasos que le ayudarán a sentirse mejor:

- Mantenga un horario regular, saliendo a tomar el sol a la misma hora cada mañana.

- Minimice su exposición a luces brillantes durante la noche, incluida la pantalla de la computadora.

- Pregúntele a su médico acerca de una lámpara especial que emite un amplio espectro de luz visible, similar a la luz del sol. Algunas personas con TAE obtienen alivio sentándose delante de una lámpara de ese tipo, tal vez para leer o tomar desayuno, durante solo 30 minutos al día. Una buena lámpara emite 10,000 lux, mientras que la iluminación interior típica es de aproximadamente 100 lux. Las lámparas tienen filtros de luz ultravioleta, para evitar las quemaduras.

SOLUCIÓNsencilla

¿Se siente solo? Las investigaciones han descubierto que la Internet puede ayudarle a sentirse menos aislado y solo.

Usted puede comunicarse con sus nietos a miles de millas de distancia a través del correo electrónico. O puede mantenerse al día con los amigos a través de las redes sociales, como Facebook o MySpace. También puede crear lazos de amistad a través de grupos de apoyo o conocer a personas que comparten sus intereses. Para empezar, ingrese en un buscador en línea como *www.google.com* el tema de su interés, por ejemplo, la filatelia o la elaboración de aguamiel. Correos electrónicos gratuitos están disponibles en sitios como *www.yahoo.com* y *www.gmail.com*.

Tratamientos para cuando el dinero escasea

No asuma que un tratamiento para la depresión no está al alcance de sus posibilidades. Una nueva ley puede garantizarle atención en la oficina de un terapeuta. Y aun cuando usted no cumpla con los requisitos de esa ley, existen mecanismos de ayuda para personas con recursos limitados.

Deje que el Tío Sam le dé una mano. La nueva Ley de Paridad de la Salud Mental garantiza que usted puede conseguir un tratamiento completo para sus problemas de estado de ánimo.

Según esta ley, las pólizas de seguro de salud del empleado que incluyen coberturas de salud mental y de salud física deben ser justas. En otras palabras, la cobertura de salud mental no puede ser más limitada que la cobertura de salud física. El plan, por ejemplo, no puede limitar el número de consultas con un terapeuta que serán cubiertas al año, ni puede poner límites a la cobertura de medicamentos para la depresión diferentes a los límite de la cobertura de medicamentos para el corazón. Eso significa que usted podrá gozar de una cobertura más completa para la depresión en caso de que necesite la ayuda de un terapeuta.

Pero esta nueva ley no ayuda a todo el mundo. Es obligatoria únicamente para las empresas que emplean a más de 50 personas. Y si el seguro médico de su compañía no cubre ya la salud mental, la ley no requiere que se añada. Si el cambio de plan es demasiado costoso, la empresa podría optar por eliminar del todo la cobertura para los problemas de salud mental. Revise su póliza, así sabrá exactamente cuánta cobertura puede esperar si llegara a necesitarla.

Busque otras fuentes de ayuda. Si esta ley no le ayuda, hay otras maneras de encontrar atención asequible de salud mental:

- Averigüe si su empleador ofrece un programa de asistencia al empleado. Puede que obtenga unas cuantas sesiones gratuitas con un terapeuta.

- Busque un centro comunitario de salud mental, que le permita pagar de acuerdo a sus ingresos. Puede que le cobren solo $10 o $20 por sesión, si sus ingresos son bajos o nulos.

- Pida asesoría a su pastor, quien probablemente tiene formación en psicología.

- Encuentre un grupo de apoyo para el problema específico que le preocupa. Por ejemplo, usted podría asistir a reuniones de Al-Anon si tiene un familiar con un problema de alcoholismo, o reunirse con un grupo de apoyo para personas que han perdido el empleo.

- Busque ayuda en el campus si vive cerca de una universidad. Estudiantes avanzados de postgrado a menudo realizan prácticas en los centros de salud mental de las universidades, proporcionando asesoramiento gratuito o de bajo costo a personas de la comunidad. Los estudiantes de postgrado trabajan bajo la estricta supervisión de profesionales, así que usted estará en buenas manos.

Un sueño más profundo da nueva vida a sus días

Una manera simple de agregar años a su vida

No acelere el envejecimiento más de lo necesario. Usted puede retardarlo simplemente durmiendo lo suficiente. Los expertos afirman que el insomnio no es una consecuencia automática del envejecimiento. Puede que usted se demore más en quedarse dormido o se despierte una o dos veces durante la noche, pero a menos que interfieran problemas de salud, estos cambios deberían ser mínimos. Si su problema de sueño es más grave, las investigaciones indican que es importante que usted haga algo al respecto.

Enfermedad cardíaca. Según un informe de Sleep Health Centers, los centros de la salud del sueño de Boston, dormir menos de seis horas diarias durante un período de ocho años aumenta el riesgo de morir de enfermedades cardíacas.

Presión arterial alta. Los adultos de mediana edad que dormían menos eran más propensos a desarrollar presión arterial alta en un período de cinco años, encontraron investigadores de la Universidad de Chicago.

Diabetes. Según un estudio, las personas que dormían menos de seis horas por noche durante la semana laboral eran casi cinco veces más propensas de desarrollar "alteración de la glucosa en ayunas", un problema del azúcar en la sangre que puede conducir a la diabetes.

Otro estudio halló que las personas a las que se les impedía obtener su dosis normal de sueño de "ondas lentas" o sueño profundo durante tan solo tres noches seguidas desarrollaban problemas con la sensibilidad a la insulina y la tolerancia a la glucosa. Estas son dos señales más de un mayor riesgo de diabetes. En conclusión, qué tan bien duerme puede ser tan importante como cuánto duerme.

Síndrome metabólico. Otro estudio encontró que las personas que duermen menos de siete horas por noche tienen más probabilidades de contraer síndrome metabólico que las personas que duermen entre siete y ocho horas. El síndrome metabólico es una enfermedad marcada por la grasa abdominal y altos niveles de azúcar

Esto no significa que usted esté condenado si sufre de insomnio. Existen muchas opciones naturales y sin medicamentos que le ayudarán a dormir, además de los consejos útiles que usted encontrará en este capítulo. Una noche de sueño profundo puede no ser la fuente de la juventud, pero es una gran alternativa para agregar años a su vida.

Pregunta & Respuesta

¿El pavo del Día de Acción de Gracias produce sueño?

Se acusa al pavo de provocar el sueño en los comensales al concluir la cena del Día de Acción de Gracias, pero esta pobre carne está siendo falsamente incriminada. Es cierto que el pavo contiene triptófano, un compuesto que estimula el sueño. Pero el triptófano actúa mejor si se toma con el estómago vacío y sin ninguna otra proteína. El pavo contiene naturalmente proteínas, por lo que es una víctima inocente.

Los verdaderos culpables detrás de la somnolencia del Día de Acción de Gracias son los carbohidratos, como el puré de papa y el relleno del pavo. Son estos los que provocan una reacción en cadena que lleva a concentrar el triptófano en niveles más altos en el torrente sanguíneo y a enviarlo al cerebro. Eso es lo que produce la somnolencia. Por supuesto, comer en exceso tampoco ayuda.

Secreto para detener el aumento de peso en la mediana edad

La grasa abdominal puede irse acumulando casi sin que usted se dé cuenta incluso si es una persona activa y come bien. Sorprendentemente, el problema puede radicar en sus hábitos de sueño.

Los científicos de la Universidad Case Western Reserve analizaron 23 estudios anteriores y encontraron que 20 vinculaban el aumento de peso con la falta de sueño. Un estudio con enfermeros en el Centro Médico del Ejército Walter Reed encontró que aquellos que dormían menos de seis horas por noche tenían un mayor índice de masa corporal que aquellos que dormían más, aunque fueran más activos. Los investigadores indican que la falta de sueño podría estimular la producción de hormonas que inducen a comer en exceso. Y según un estudio reciente en Corea, la falta de sueño no solo puede llevar a un aumento de peso, sino específicamente a un vientre más abultado.

Si usted tiene problemas para controlar su peso, revise el capítulo *La grasa abdominal: maneras fáciles de adelgazar y cargarse de energía*, en la página 1. Si usted tiene problemas para conciliar el sueño, pruebe practicar las siguientes tres "E" y échese a dormir plácidamente. Estos tres consejos ayudan a dormir mejor, lo que a su vez ayuda a reducir la grasa abdominal.

Establezca un horario. Decida a qué hora se irá a la cama y a qué hora se despertará todos los días, y respete ese horario. Esta medida entrena al cerebro a dormirse y despertarse a la hora que usted fije. Este truco sencillo es un truco recomendado nada menos que por los expertos del sueño de la Universidad de Harvard.

Evite las bebidas durante la noche. Los expertos afirman que la razón más común de la pérdida de sueño en los adultos mayores son las visitas nocturnas al baño. De hecho, esto puede afectar a más de la mitad de todos los adultos mayores de 55 años. Conforme envejece, el cuerpo pierde su capacidad para retener líquidos durante largos períodos de tiempo, así que usted va al baño más a menudo aun cuando no beba más. Para tratar los problemas de la vejiga, siga los siguientes consejos:

- Beba menos durante las últimas horas antes de acostarse. Usted puede compensar la diferencia bebiendo más líquidos durante las horas diurnas. Implemente una estrategia similar con los alimentos de alto contenido líquido, como las sopas, las uvas y la sandía.

- Reduzca su consumo de café y té, que irritan la vejiga.

- Mantenga un registro de lo que bebe, cuánto bebe y cuándo bebe, para intentar detectar patrones o factores desencadenantes que provocan sus idas nocturnas al baño.

Las visitas frecuentes al baño también pueden ser un síntoma de apnea obstructiva del sueño, incontinencia, hiperplasia benigna de la próstata y otras dolencias. Así que si los cambios mencionados no ayudan, hable con su médico.

Empiece un diario del sueño. Un diario del sueño puede ayudarle a determinar qué está causando su insomnio. Incluya cada uno de los siguientes puntos:

- La hora en que se acuesta, la hora en que se despierta y cuántas veces se despierta y se vuelve a dormir durante la noche.

- Qué tan bien durmió y si hubo algo que interfirió con su sueño.

- Qué alimentos, bebidas y medicamentos toma, anotando la hora en que los toma.

- A qué hora toma siesta o hace ejercicio y por cuánto tiempo, y cómo pasa sus tardes y noches.

- Qué tan soñoliento se siente durante el día.

Examine el diario buscando posibles vínculos entre sus peores noches y las actividades que hace o las condiciones en las que duerme. Si no puede encontrar ninguna conexión, muéstrele su diario del sueño a su médico y hable con él acerca de su insomnio.

Una solución para las molestias con el dispositivo de CPAP

Cynthia odiaba el ruido y la incomodidad de las fugas de aire de su mascarilla del dispositivo de CPAP (siglas en inglés de "presión positiva continua en las vías respiratorias"). También le molestaban las marcas rojas que le dejaban en el puente de la nariz. Alguien le recomendó RemZzzs, un revestimiento delgado que se ajusta sobre el borde de la mascarilla del dispositivo de CPAP y que se consigue en *www.remzzzs.com*.

"Es una maravilla", dice Cynthia. El revestimiento no deja escapar el aire, porque cubre el espacio entre la mascarilla y el rostro. RemZzzs también absorbe la grasa y el sudor, y previene las marcas rojas en la nariz. Si usted no encuentra una mascarilla de CPAP que le ajuste bien, un producto como este podría ser la solución.

Desarme a dos ladrones comunes del sueño

Usted duerme durante toda la noche y, sin embargo, se despierta agotado por la mañana. O tal vez se levanta de la cama con facilidad, pero hace semanas que viene luchado para mantenerse despierto durante el día. Puede que usted sea la víctima de estos dos ladrones furtivos del sueño, que le están robando el descanso nocturno.

Descubra la apnea obstructiva del sueño. Si su compañero de cama se queja de que usted ronca, se atora y jadea durante la noche, puede que sufra de apnea obstructiva del sueño. Eso significa que usted, con frecuencia, deja de respirar entre 10 y 60 segundos y se despierta brevemente para empezar a respirar de nuevo. La mayoría de las personas con apnea obstructiva del sueño no recuerdan haberse despertado.

Lo preocupante es que esta condición puede perjudicarle casi tanto como beber alcohol. La Fundación Nacional del Sueño informa que las personas con apnea obstructiva del sueño de leve a moderada que no se tratan, se comportan como una persona con un nivel de alcohol en la sangre de 0.06, apenas 0.02 menos del límite legal.

La apnea obstructiva del sueño no tratada también se ha asociado a la enfermedad por reflujo, la depresión, el derrame cerebral, el ataque al corazón, la presión arterial alta, la insuficiencia cardíaca congestiva y la diabetes. De modo que si usted sospecha que sufre de apnea obstructiva del sueño, consulte con su médico. Puede que recomiende que le hagan un estudio del sueño de una noche, que es una prueba en la que técnicos supervisan su sueño y respiración. Si usted tiene esta enfermedad, su médico dispone de varias herramientas para que se sienta y duerma mejor:

- CPAP. Su doctor puede recetarle el uso de un dispositivo de presión positiva continua en las vías respiratorias (CPAP, en inglés), una máquina pequeña que envía una corriente de aire a una mascarilla nasal que usted lleva puesta. El uso del dispositivo mantiene las vías respiratorias abiertas de modo que usted deja de perder el sueño.

- Almohada. Las personas con apnea obstructiva del sueño leve pueden aminorar sus ronquidos y mejorar su sueño con una almohada especial que estira el cuello.

- Protector bucal. Los aparatos dentales o protectores bucales pueden ayudar a cambiar la posición de la mandíbula y la lengua para ayudar a mantener abiertas las vías respiratorias. Usted necesitará que un dentista o un ortodoncista le prepare el protector adecuado, pero tenga presente que estos probablemente no serán efectivos si duerme de costado.

- Ejercicios. Las investigaciones parecen indicar que ejercicios especialmente desarrollados para la lengua, el paladar blando y la garganta pueden ayudar a aliviar la apnea leve o moderada. Pregúntele a su médico si puede recomendarle un terapeuta del habla que le pueda enseñar estos ejercicios.

- Cirugía, o un pequeño implante que puede ser colocado en el consultorio del médico.

Cualquiera que sea el tratamiento que elija, asegúrese de bajar de peso si tiene sobrepeso y evite dormir boca arriba. Los expertos aseguran que estas simples estrategias pueden ser asombrosamente eficaces.

Dele las buenas noches al SPI. Si tiene una sensación de hormigueo, de punzadas o de cosquilleo en las piernas, y moverlas le proporciona alivio, tal vez usted sufra del síndrome de las piernas inquietas (SPI). Cuando estos síntomas son suficientemente severos, pueden causar pérdida de sueño y agotamiento durante el día.

Ocho de cada diez enfermos de SPI también sufren del trastorno de movimiento periódico de las extremidades (TMPE), que hace que las piernas se sacudan repetidamente mientras duerme. Las sacudidas no suelen despertarle, pero pueden perturbar el sueño lo suficiente como para hacer que se sienta cansado al día siguiente. Si usted sospecha que tiene SPI o TMPE, consulte con su médico para obtener ayuda lo antes posible. Entretanto, pruebe estas tácticas para aliviar sus síntomas:

- Evite la cafeína, el alcohol y el tabaco.
- Haga diariamente ejercicio, aunque sea ligero, y estire o masajee sus piernas antes de acostarse.
- Programe tiempo adicional para dormir cuando sea posible, de modo que pueda obtener el descanso que usted necesita.

Aun si no sufre de ninguno de estos problemas, usted debería ver a su médico si su insomnio dura más de unas pocas semanas. El insomnio puede ser causado por otras dolencias, como el reflujo ácido, el asma, la depresión, los problemas de tiroides, la hipertensión o las alergias. Al tratar estos problemas, puede que también solucione su insomnio.

La receta para una buena noche de sueño

Los alimentos pueden afectar el sueño. El humorista Lewis Grizzard escribió "Los perros salchicha solo parecen ladrar de noche" después de una indigestión severa producida por un perrito caliente con *chili* que le impidió dormir. Por otro lado, muchas personas juran que un vaso de leche los envía directamente al país de los sueños. He aquí cinco ideas supersencillas sobre qué hacer, qué comer y qué beber antes de acostarse para obtener un descanso perfecto.

Evite la acidez estomacal nocturna. Se quedará dormido más rápido incluso sin medicamentos, sugiere una investigación australiana. Este estudio encontró que el arroz jazmín ayudó a los hombres a dormirse más rápidamente que el arroz de grano largo regular. Los carbohidratos con almidón, como el arroz jazmín, tienen un índice glucémico alto. Aunque eso significa que elevan el azúcar en la sangre más rápidamente, también incrementan el nivel de triptófano en el torrente sanguíneo. Una buena noticia porque el triptófano es un compuesto natural que puede ayudar a dormir. Para obtener los beneficios del triptófano, coma un carbohidrato con almidón, ya sea arroz jazmín, *pretzels*, galletas de soda o pan francés, unas cuatro horas antes de acostarse. El estudio utilizó 600 gramos de arroz cocido al vapor, poco más de dos tazas y media. Si usted tiene diabetes, obtenga el visto bueno de su médico antes de probar este plan.

Cuente calorías en vez de ovejas. Hace mucho que los expertos aconsejan no comer mucho durante las cuatro horas previas a la hora de acostarse. El cuerpo tiene que invertir tanta energía en digerir toda esa comida que la incomodidad resultante puede mantenerle despierto.

Pero ahora nuevos estudios parecen indicar que esa es solo una parte de la historia. Un estudio brasileño, por ejemplo, señala que mientras mayor es el consumo de grasas y calorías durante el día, menor será la duración del sueño profundo y más pobre el descanso. Esto es particularmente cierto si usted consume la mayor parte de las calorías o grasas en la noche. Otro estudio encontró que las personas que comían más grasas pasaban menos tiempo durmiendo. Así que trate de recortar su consumo de grasas y calorías en la noche, o incluso durante el día, y vea si así logra tener un sueño plácido.

Confíe en un viejo remedio casero. Se suponía que el triptófano de la leche era lo que daba sueño, pero ahora los científicos dicen que las proteínas de la leche impiden el funcionamiento del triptófano. Eso no significa que la leche no pueda ayudarle a descansar. El ritual familiar y reconfortante de beber un vaso de leche antes de acostarse puede ser suficiente para convencer a su cerebro de que es hora de dormir.

Pruebe una fruta somnífera. Las cerezas pueden no parecerle un remedio para el sueño, pero no se deje engañar. Estas pequeñas frutas son una buena fuente de la hormona melatonina. El cuerpo produce esta hormona para ayudarle a dormirse y permanecer dormido. Los estudios han demostrado que obtener más melatonina puede ayudarle a descansar toda la noche. En lugar de un suplemento, ¿por qué no probar un puñado de cerezas frescas? Para algo aún más poderoso, pruebe cerezas secas o busque un concentrado de cerezas en las tiendas de alimentos para la salud o en un supermercado. Disfrute de un delicioso jugo de cerezas mezclando una cucharada del concentrado de cerezas con agua.

Evite la acidez estomacal nocturna. La enfermedad por reflujo gastroesofágico (ERGE) es una causa común de problemas de sueño. De hecho, el ardor de la acidez puede mantenerle despierto por la noche. Elimine estos alimentos de su menú y tal vez pueda dormir mejor: la menta, la hierbabuena, el chocolate, la canela, el ajo, la cebolla, la sal, el café, el té, las sodas, el alcohol, los alimentos grasos o condimentados y los alimentos ácidos como los cítricos y los productos a base de tomate.

El peligro oculto de las pastillas para dormir

Al principio, parecía una buena noticia. Las personas que tomaban zolpidem (*Ambien*) seguían durmiendo durante los ataques de reflujo, en lugar de despertarse con fuertes dolores estomacales.

Investigadores de Filadelfia descubrieron que los episodios de reflujo duraban mucho más tiempo en las personas que tomaban zolpidem que en las que tomaban un placebo, independientemente de si tenían enfermedad por reflujo esofágico (ERGE) o no. Un reflujo más duradero implica un mayor riesgo de desarrollar el peligroso esófago de Barret y el mortal cáncer de esófago. Si usted toma pastillas para dormir, hable con su médico acerca de los tratamientos naturales para el insomnio y si sufre de reflujo ácido, también pregúntele sobre posibles tratamientos.

Protéjase de los ladrones modernos del sueño

En el siglo XIX se solía dormir nueve horas y media diarias. Hoy dormimos mucho menos. Si usted no duerme bien de noche, quizás estos avances de la vida moderna sean los culpables.

Apague su teléfono celular. Un estudio preliminar realizado en Suecia encontró un vínculo entre los teléfonos celulares y la pérdida de sueño. Los investigadores no estaban seguros de si los problemas de sueño estaban vinculados a la radiación o al uso del teléfono celular a horas avanzadas de la noche, así que se necesita más investigación. Mientras tanto, si usted tiene insomnio, trate de limitar el uso de su teléfono celular, especialmente durante la noche.

Resístase a la TV y a la computadora. Según una encuesta reciente de la *American Time Use Survey,* una encuesta que mide el empleo del tiempo en Estados Unidos, muchos estadounidenses no duermen lo suficiente. De hecho, la mayoría se acuesta más tarde de lo que debería, ya sea que trabajen más de ocho horas al día o no trabajen en absoluto. La encuesta también encontró que ver televisión es comúnmente la razón por la que no se acuestan lo suficientemente temprano.

Un estudio realizado en Japón ha determinado que utilizar la computadora o ver televisión antes de acostarse puede hacerle sentir menos descansado al día siguiente, aun si durmió lo suficiente. Los científicos señalan que la computadora y la televisión pueden afectar qué tan bien duerme o la cantidad de sueño que el cuerpo necesita. Los expertos aconsejan evitar ver programas de televisión estimulantes conforme se acerca la hora de acostarse. También recomiendan evitar los juegos de video, las finanzas o las tareas relacionadas con el trabajo. Estas actividades no son la materia de la que están hechos los sueños.

Revise sus medicamentos. Muchos medicamentos modernos no estaban disponibles para las personas que dormían plácidamente en el siglo XIX. Ejemplos modernos de ladrones del sueño incluyen la moxifloxacina y la ofloxacina (antibióticos), el propanolol (bloqueador beta), la furosemida (para la presión arterial), la lovastatina (para el colesterol), la levotiroxina (medicamento para la tiroides) y la levodopa (para el Parkinson y el síndrome de las piernas inquietas). Pregúntele a su médico o farmacéutico si alguno de los medicamentos que toma enumera el insomnio como efecto secundario. Además, verifique si contienen cafeína u otros estimulantes. Algunos analgésicos comunes contienen cafeína, mientras que los remedios para el resfriado con seudoefedrina o fenilpropanolamina pueden mantener a alguna gente despierta.

SOLUCIÓNsencilla

Ingredientes ocultos en su cena o merienda nocturna pueden mantenerlo despierto toda la noche. La tirosina y la tiramina son compuestos naturales que pueden activarse y estimular las hormonas en el cuerpo, como la adrenalina y la norepinefrina, haciendo que usted pase la noche sin pegar un ojo. Los alimentos ricos en estos compuestos pueden causar insomnio en algunas personas. Para evitar la falta de sueño, no coma estos alimentos a partir de las cuatro de la tarde.

Los alimentos con tirosina incluyen el pollo, el pavo, la leche, el queso, el yogur, los alimentos de soya, el cacahuate, las almendras, las habichuelas verdes, las habas blancas, la banana, el trigo y las semillas de calabaza. Los alimentos con tiramina incluyen la carne de res, el vino, la cerveza, la soya, la berenjena, las salchichas, el tocino, el jamón, la carne procesada, el azúcar, el tomate, las lentejas, el chucrut, la papa y la espinaca.

Cómo ganarle la guerra al insomnio

Usted podría ver una mejora dramática en la calidad de su sueño con solo restringir temporalmente el tiempo que pasa en cama. No es tan descabellado como suena. Los científicos han descubierto que la restricción temporal del sueño puede ayudarle a conciliar el sueño más rápidamente y a dormir más tiempo y más profundamente.

Por qué menos es más. El problema con el insomnio no es solo que uno pasa mucho tiempo despierto. Uno también pasa demasiado tiempo en la cama intentando dormirse o durmiendo un sueño ligero, que no es reparador. Esto puede hacer que termine odiando irse a la cama. La terapia de restricción del sueño ayuda a aliviar la ansiedad a la hora de acostarse, limitando el tiempo que usted pasa en la cama al tiempo promedio que usted pasa durmiendo.

Por ejemplo, si pone el despertador a las 6 a.m.. pero por lo general solo duerme cinco horas, su hora de acostarse durante el tratamiento será la 1 a.m., sin importar cuánto sueño sienta antes de esa hora. En lugar de luchar por dormir, usted ahora luchará por permanecer despierto. Eso es bueno por varias razones:

- La privación del sueño durante esas horas debería aumentar la capacidad de su cuerpo para dormirse y permanecer dormido.

- Su cuerpo reemplazaría el tiempo de sueño ligero con sueño más profundo y reparador.

- Debido a que pasa menos tiempo en la cama, pronto pasará más de ese tiempo durmiendo. Esto ayuda a que su mente asocie la cama con el sueño y no con la vigilia y la preocupación por el insomnio. De ese modo, le resultará más fácil quedarse dormido desde un primer momento.

Estos cambios pueden llevar a una mejora dramática en su sueño en solo unas pocas noches o semanas. Y en la medida en que mejore su sueño, usted aumentará gradualmente la cantidad de tiempo que pasa en la cama hasta que pueda, finalmente, dormir normalmente.

Secretos del éxito. Antes de comenzar la terapia de restricción del sueño, usted debe dedicar una o dos semanas a registrar cuánto tiempo duerme cada noche. Si el promedio de los resultados es superior a cinco horas, ese número es su nueva cuota de sueño. Si es menos de cinco horas, su nueva cuota de sueño será de cinco horas.

A continuación, tome el tiempo en que normalmente suena la alarma y reste su nueva cuota de sueño a esa hora. Esa será su nueva hora de acostarse. No se acueste ni tome siesta antes de esa hora.

Durante la terapia de restricción del sueño, realice un seguimiento de las horas que duerme. Divida las horas totales de sueño entre el tiempo pasado en cama, y multiplique el resultado por 100 para obtener un porcentaje. Cuando usted ha alcanzado el 85 por ciento o más del tiempo transcurrido en cama durmiendo, adelante la hora de acostarse unos 15 o 30 minutos. Siga ajustando la hora de acostarse hasta que obtenga una noche completa de sueño.

Qué debe saber antes de empezar. La restricción del sueño puede no ser adecuada para todos, especialmente para las personas con epilepsia, trastorno bipolar o sonambulismo. Y puede ser peligrosa para algunas personas que ya tienen una somnolencia diurna excesiva o para aquellas que necesitan conducir o manejar vehículos pesados. Es mejor probar la restricción del sueño bajo la supervisión de un médico o especialista. Y si no logra dormir más de cinco horas después de varias semanas de terapia de restricción del sueño, informe a su médico de inmediato.

Estimulante de **ENERGÍA**

No entiende por qué siente tanta fatiga a las 10 de la mañana. Le damos una pista. Si usted se saltó el desayuno, quiere decir que durante las últimas 15 horas ha comido poco o nada. Preparar el desayuno no toma mucho tiempo. Los estudios muestran que tan solo una taza de cereales con alto contenido de fibra es suficiente para empezar el día.

Los expertos también dicen que combinar proteínas y carbohidratos le puede dar energía duradera. Para un desayuno más portátil, pruebe una o dos tostadas con crema de cacahuate, más una fruta.

Plan de acción para una buena noche de sueño

Usted puede mejorar su capacidad de pensar y la calidad de su sueño en apenas dos semanas. Descubra cómo divertirse más durante el día, para poder descansar y relajarse más durante la noche.

Ponga a descansar los problemas para dormir. Suena demasiado bueno para ser cierto, pero un pequeño estudio de la Universidad de Northwestern asegura que realmente funciona. Los adultos mayores que pasaron 90 minutos al día socializando y haciendo ejercicio empezaron a dormir mejor después de tan solo dos semanas. También tuvieron mejores resultados en las pruebas de memoria y pensamiento.

Los participantes de este estudio no hicieron 90 minutos seguidos de ejercicio para obtener estos resultados. Empezaron con una sesión de 30 minutos de caminata, estiramientos o ejercicios sobre el sitio. Luego pasaron 30 minutos conversando, mientras jugaban a los naipes o a otros juegos de mesa. Y al final bailaron o hicieron una caminata ligera o ejercicios de calistenia durante 20 minutos, seguidos de 10 minutos de ejercicios de enfriamiento.

Ya que se trata de algo tan sencillo como caminar, jugar y bailar, ¿por qué no probar este remedio natural hoy mismo? Comience anotando en su calendario la media hora de socialización al día. Puede planificar comidas con la familia, noches de juegos de cartas con los amigos o lo que se le ocurra. Pero no se olvide de hacer ejercicio. Un estudio encontró que la actividad física puede ser tan buena como las pastillas con receta médica para ayudarle a dormir.

Ejercite su derecho a una noche de descanso. La actividad física no solo le ayuda a dormirse. Muchos estudios demuestran que también le ayudan a despertarse menos por la noche y pasar más tiempo en sueño profundo. Y si usted elige el ejercicio adecuado, solo necesitará nueve minutos al día para mejorar el sueño, la energía, el humor y la memoria.

Este asombroso ejercicio es el *tai chi*. No deje que el nombre extraño le desanime. Es un ejercicio fácil, de movimientos lentos y suaves a través de varias poses y posturas. Es tan sencillo que casi cualquier persona puede hacerlo, incluso las personas con mala salud. Y le encantarán los resultados.

Un estudio encontró que los adultos mayores con problemas moderados de sueño comenzaron a dormir mejor después de solo nueve semanas de *tai chi*. Y una vez que comience a dormir mejor, tal vez note que también tendrá más energía. En otro estudio realizado con personas con demencia se observó que cinco meses de *tai chi* y terapia cognitivo conductual mejoraron sus capacidades mentales. El *tai chi* también puede ayudar a aliviar la depresión, la tensión y la cólera.

Si desea probar el *tai chi* u otro ejercicio, recuerde primero consultar con su médico. Después, separe un tiempo para hacer ejercicio todos los días por la mañana o antes de la cena. Si espera hasta después de la cena, los efectos estimulantes del ejercicio pueden mantenerle despierto.

Pregunta & Respuesta

Después de un fin de semana relajado debería poder dormir toda la noche del domingo, así que ¿por qué sigo con insomnio?

Si durante los fines de semana usted se queda despierto hasta tarde y se levanta tarde al día siguiente, su cuerpo se preparará a que en el domingo la hora de acostarse también sea tarde. Mantenga el mismo horario para acostarse y despertarse durante la semana y los fines de semana.

Además, si le preocupan las responsabilidades de la semana que está por iniciar, tal vez no logre relajarse durante la noche. Escriba un listado breve de lo que tiene que hacer y, después de la cena, concéntrese únicamente en actividades calmantes y relajantes.

Nueve maneras de sobrevivir una noche de insomnio

Pruebe estos consejos para combatir la fatiga que le ayudarán a mantenerse despierto después de una mala noche.

De un paseo a paso ligero. Las investigaciones han demostrado que apenas 10 minutos de ejercicio moderado, como una caminata a paso rápido, pueden aliviar la fatiga y mejorar su energía y su estado de ánimo. Así que la próxima vez que usted necesite cargarse de energía, camine entre 10 y 15 minutos. Si está en el trabajo, camine durante su hora de almuerzo o durante las pausas. Utilice las escaleras o camine cuesta arriba y cuesta abajo para obtener mejores resultados.

Deje entrar el sol. Trate de caminar al aire libre, o siéntese afuera donde pueda disfrutar de la luz del sol por algunos minutos. La luz brillante le indica al cerebro que deje de producir melatonina, una hormona que ayuda a que le dé sueño.

Administre su energía. Si es posible, trate de no hacer demasiado. Establezca prioridades, mantenga expectativas razonables y mídase. Intente hacer las cosas cuando sienta más energía y tome descansos cuando su energía es baja. Asegúrese de conservar la energía siempre que pueda. Por ejemplo, no malgaste la energía estando de pie cuando puede sentarse.

Haga un uso moderado de los estimulantes. La cafeína y el azúcar elevan los niveles de cortisona, haciendo que usted se sienta más alerta, pero cuando esos niveles caen vertiginosamente, usted empezará a sentirse cansado y sin energía.

Planifique un almuerzo más inteligente. Para el almuerzo, reduzca los carbohidratos con almidón refinados o con azúcares, como el arroz blanco, el pan blanco, los refrescos con gas y los jugos de fruta. El aumento inicial de energía que le dan se desvanece rápidamente, dejándole aletargado y soñoliento. Para obtener mejores resultados, combine carbohidratos complejos con proteínas magras, como el pescado, los alimentos ricos en fibra y las grasas saludables como el aceite de oliva. Esto retarda la asimilación de la energía de los carbohidratos, extendiéndola en el transcurso de varias horas, y mantiene sus niveles de energía más estables. Y aquí tiene un consejo adicional, un almuerzo grande puede darle sueño, así que limítese a comidas más pequeñas. Tome las calorías que redujo del almuerzo y distribúyalas a lo largo del día, disfrutando de pequeñas meriendas que aportan energía, como las almendras, el *hummus* y la fruta.

Pruebe canela y menta. Las investigaciones demuestran que el olor a canela o menta ayuda a estar más alerta y concentrado. La menta también puede reducir la fatiga. Coloque caramelos de menta o palitos de canela en una bolsa plástica resellable y aspire el olor para despertarse, o tenga a mano una bolsita de popurrí con uno de estos aromas. La NASA sugiere el uso de goma de mascar como una forma de ayudar a los pilotos a permanecer despiertos, así que masticar chicle con sabor a menta o canela puede ser incluso más efectivo que aspirar el olor.

Elimine el cansancio jugando. Hágase un afinamiento de energía. Haga un crucigrama, arme un rompecabezas o juegue un juego de computadora como *Solitario* para despejar la mente.

Limpie las telarañas mentales. En la oficina, organice la bandeja de entrada o su espacio de trabajo. Si está en casa, ordene una habitación.

Refrésquese. Salpíquese la cara con agua fría, o cepíllese los dientes y haga gárgaras con enjuague bucal de menta. O para evitar sentirse demasiado abrigado y cómodo, encienda el ventilador o pásese un paño frío o una lata fría de bebida por la cara y el cuello.

Consejos ingeniosos para la falta de sueño

Algunos consejos para dormir bien son difíciles de tomar en serio, incluso cuando vienen de un médico. Mantener el dormitorio a oscuras, por ejemplo, puede que a usted no le parezca una solución real para el insomnio. Sin embargo, los científicos aseguran que algunos de estos consejos, aunque sencillos, pueden alterar la química cerebral y ayudarle a conciliar el sueño y permanecer dormido.

Mantenga su dormitorio a oscuras. Cuando no hay luz el cuerpo produce melatonina, una hormona que ayuda a dormir y permanecer dormido. Pero si usted está expuesto a la luz, especialmente a la luz brillante, la glándula pineal en el cerebro deja de producir melatonina y su sueño puede verse afectado. Así que mantenga su dormitorio tan oscuro como pueda. Y si se despierta durante la noche, solo utilice suficiente luz para ver claramente adónde va o lo que necesita hacer.

Evite el alcohol. Si bien es cierto que el alcohol puede ayudarle a quedarse dormido, también le puede jugar malas pasadas mientras duerme.

En primer lugar, interfiere con la química corporal, por lo que usted pasará mucho menos tiempo en sueño profundo y más tiempo en sueño ligero. Como resultado, se levantará menos descansado y más agotado. El alcohol también relaja la garganta, incrementando las probabilidades de que ronque. Si usted sufre de síndrome de las piernas inquietas, el alcohol también puede ayudar a desencadenar o agravar los síntomas.

Relájese con el ruido de fondo adecuado. Las tormentas, el ladrido los de perros, el ruido callejero y los ronquidos son como alarmas contra incendios para el cerebro. Estos ruidos fuerzan al cerebro a ponerse alerta y prestar atención aun cuando usted esté intentando quedarse dormido. Estudios con animales parecen indicar que los sonidos fuertes también pueden estimular al cerebro a que salga del sueño profundo, fragmentando el sueño y brindando menos descanso. El "ruido blanco", como el de un ventilador o la estática de la radio, encubre estos ruidos externos de modo que el cerebro no responde a ellos y le permite dormir profundamente.

Visite la zona de no fumadores. Cuando usted fuma, puede que la nicotina le relaje al principio, pero luego se vuelve un estimulante. De hecho, estimula la actividad de las ondas cerebrales, eleva el ritmo cardíaco y la presión arterial, y hace que el cuerpo produzca la misma adrenalina que cuando hace frente a una situación de peligro. Procure fumar el último cigarrillo por lo menos cuatro horas antes de acostarse. Si desea dejar de fumar, sea consciente de que un parche de nicotina suministra pequeñas cantidades de nicotina las 24 horas, lo que podría perturbar enormemente su sueño. Hable con su médico acerca de cómo podría dejar de fumar sin empeorar su insomnio.

Respete la hora de su último café. La cafeína bloquea los efectos de la adenosina, uno de los compuestos producidos por el cerebro que promueven el sueño. Como resultado, la cafeína hace que usted tarde más en dormirse y disminuye la cantidad de sueño profundo y reparador. También puede aumentar el número de veces que se despierta durante la noche. La cafeína puede hacer efecto en tan solo 15 minutos y demorar entre tres y cinco horas en desaparecer, por lo que es mejor evitarla por la noche. Algunos expertos sugieren tomar su última dosis de cafeína a más tardar seis horas antes de acostarse.

SOLUCIÓN*rápida*

Establezca una rutina que le ayude a relajarse durante la última media hora antes de acostarse, y cúmplala todas las noches. Esto le deja saber al cuerpo que debe empezar a prepararse para dormir. Puede tratarse de una lectura ligera y placentera, ejercicios suaves de relajación o cualquier otra actividad tranquilizadora. Con el tiempo, usted habrá programado al cerebro a esperar esta rutina antes de acostarse, lo que le ayudará a quedarse dormido con más facilidad.

Cuatro mitos sobre el sueño puestos a dormir

Los expertos dicen que algunas de las cosas que usted ha oído decir sobre el sueño no son ciertas.

Debo dormir ocho horas. Si bien es cierto que ocho horas de sueño son algo bueno para usted, puede que no sea tan malo dormir un poco menos. De hecho, un estudio encontró que las personas que dormían siete horas al día tenían menos riesgo de morir que aquellas que dormían ocho horas o más. Apunte a ocho horas, pero no se alarme si se queda corto en una.

Esta noche no dormiré. Si usted ha empezado a tener problemas para quedarse dormido, puede que tenga miedo de acostarse y no poder conciliar el sueño. Esa ansiedad puede hacer que el cuerpo produzca norepinefrina, un compuesto natural que promueve la vigilia. Esto convierte su miedo de ir a la cama en una profecía autocumplida. Así que en vez de pensar *"no me voy a quedar dormido"*, repita frases más tranquilizadoras como *"siempre me duermo después de un rato"*. Si al cabo de 20 minutos en la cama sigue despierto y angustiado, levántese y ocúpese en una actividad reconfortante para aliviar el estrés. Regrese a la cama solo cuando empiece a sentir cansancio.

Van a suceder cosas horribles si no me duermo pronto. Es natural que el insomnio haga que le preocupe que al día siguiente no pueda desempeñarse bien. Muchas personas esperan que por culpa del insomnio suceda algún desastre al día siguiente. Por ejemplo, puede que le preocupe que a causa de su mal rendimiento en el trabajo no le den un aumento o algo aún peor. Pero los expertos en sueño señalan que pueden suceder cosas malas incluso después una buena noche de sueño profundo. Ellos insisten en que usted no debería asumir que la falta de sueño es la causa de determinado problema o que garantiza que usted tendrá un mal día. Después de todo, usted probablemente ya se las ha arreglado antes después de pasar una noche sin dormir. Así que en vez de asumir lo peor, recuérdese a sí mismo repetidamente: *"Puede que mañana no esté en mi mejor forma, pero lo más probable es que todo salga bien"*. Esta técnica puede ayudarle a relajarse lo suficiente como para quedarse dormido.

Lo único que funciona son las pastillas para dormir. En un estudio realizado recientemente se descubrió que las pastillas para dormir no son tan buenas ni tan duraderas como un nuevo tratamiento para el insomnio libre de medicamentos. Esa es una buena noticia porque las pastillas para dormir pueden ser perjudiciales de varias maneras:

- Pueden causar pérdida de la memoria a corto plazo, mareos, presión arterial alta, náuseas, aturdimiento o lo que se conoce como "insomnio de rebote".

- Pueden interactuar con otros medicamentos y causar efectos secundarios incómodos o incluso mortales.

- Algunas pastillas pueden producir adicción o hacer que haga cosas extrañas como comer o conducir dormido.

Lo que funciona mejor que las pastillas para dormir es algo que se conoce como terapia cognitivo conductual o TCC. Mientras que las pastillas para dormir tratan los síntomas de insomnio, la TCC trata las causas. En una TCC formal, un profesional trabaja con usted para desacreditar mitos del sueño como los mencionados anteriormente. También puede ayudarle a cambiar ciertas creencias nocivas sobre el sueño y a corregir conductas que impiden que usted duerma bien.

Si usted está interesado en probar la terapia cognitivo conductual (TCC), obtenga la autorización de su médico. Si dice que sí, comuníquese con su compañía de seguros para averiguar si cubren este tipo de terapia. Tal vez le puedan recomendar a un profesional de TCC. Algunas compañías incluso ofrecen sesiones de TCC asistidas por computadora de manera gratuita. Los estudios demuestran que los programas de TCC en Internet realmente pueden mejorar su sueño.

Si su aseguradora o su empleador no ofrecen esta opción, usted puede probar un programa de TCC por alrededor de $25 en el sitio web de *www.cbtforinsomnia.com* (en inglés). Si usted prefiere trabajar con un terapeuta cognitivo conductual, obtenga una recomendación de su médico o vaya a la página de la Academia de Terapia Cognitiva en *www.academyofct.org* (en inglés). Si su compañía de seguros no cubre las sesiones de TCC, prepárese para pagar hasta $150 por sesión. Generalmente se necesita un mínimo de cinco sesiones para aliviar el insomnio y dormir bien.

Estimulante de **ENERGÍA**

El cuerpo es inteligente. Le hace saber cuándo necesita un descanso. Estas son tres maneras rápidas de saber si su cuerpo está implorando por más tiempo de sueño:

- Usted está irritable y deprimido.
- Usted recientemente se ha vuelto olvidadizo.
- Usted ha empezado a beber más café durante las tardes.

Usted puede sentir que está durmiendo suficiente, pero estas pueden ser señales de que necesita más horas de sueño. Un pequeño estudio realizado en Gran Bretaña observó que una siesta de 20 minutos ayudó a los participantes a enfrentar mejor la fatiga y la caída en los niveles de energía por las tardes, que una taza de café. Al tomar una siesta corta, usted se vuelve a cargar de energía, mejora su capacidad para pensar y se siente mucho mejor.

Pros y contras de una siesta de mediodía

A algunas personas les encanta tomar siestas, mientras que otras las consideran una pérdida de tiempo. Incluso los expertos tienen diferencias de opinión sobre los beneficios de la siesta, especialmente para aquellos que sufren de insomnio crónico. Entérese de lo que los científicos de ambos lados dicen acerca de cuándo son buenas las siestas y cuándo representan un problema.

Protegen su corazón. Un amplio estudio realizado en Grecia encontró que las siestas al mediodía redujeron las probabilidades en los hombres de morir de enfermedad cardíaca. Los participantes del estudio que tomaban siestas con frecuencia tenían un riesgo 37 por ciento menor que los que no las tomaban, y el riesgo era 12% menor entre los que las tomaban ocasionalmente. Los hombres que trabajaban vieron el mayor beneficio, mientras que los jubilados casi no vieron ninguno. Se cree que la razón por la que las siestas son más beneficiosas para los trabajadores puede estar en el poder liberador del estrés de las siestas.

Le hacen más inteligente. Los estudios parecen indicar que una buena noche de sueño mejora la memoria y el aprendizaje. Pero las siestas durante el día también pueden ayudar a mejorar la memoria. De hecho,

Pregunta & Respuesta

¿Me sentiré mejor si lo "consulto con la almohada"?

Tal vez sea más fácil enfrentar un problema espinoso después de una buena noche de sueño, pero "consultarlo con la almohada" puede no ser buena idea si usted está enojado. En estudios realizados con personas con y sin enfermedad cardíaca se encontró que, en ambos casos, las personas que expresaron su enojo antes de acostarse durmieron mejor y las personas que se fueron a la cama enojados durmieron peor. Si algo o alguien le ha enfurecido, hable sobre ello esa misma noche. Es probable que usted entonces sí se sienta mejor a la mañana siguiente.

en un estudio se comprobó que una siesta de apenas seis minutos mejoró en algo el aprendizaje y la memoria, mientras que siestas más largas produjeron resultados aún mejores. Un experto de Harvard recomienda las siestas para personas que no sufren de insomnio y dice que pueden ser beneficiosas siempre y cuando no interfieran con el sueño nocturno.

Avisan de que existe un problema. Las siestas han sido asociadas a la depresión y la diabetes, y estar soñoliento durante el día puede ser signo de apnea obstructiva del sueño o de la enfermedad de Parkinson. Cuando los problemas de salud le privan del sueño, las siestas pueden ayudarle a recuperar la energía pedida. Pero si usted no sabe por qué está tan soñoliento o si duerme de forma regular más de nueve horas durante las noches, vaya al médico.

Contribuyen al insomnio. Las autoridades han dicho durante mucho tiempo que las personas con insomnio no deberían tomar siestas porque estas pueden interferir con el sueño nocturno, especialmente si se tiene insomnio crónico. Sin embargo, un estudio reciente parece indicar que las siestas no pueden sabotear el sueño nocturno de los adultos mayores, aun cuando duerman mal. Así que tal vez su mejor alternativa es seguir este consejo experto. Si usted necesita dormir una siesta durante el día, limite su duración a 30 minutos o menos. Y no tome siesta después de las 3 p.m. o durante las seis horas anteriores a su hora de acostarse.

Seis trucos divertidos que promueven el sueño

Estar despierto en medio de la noche no tiene por qué ser desastroso. De hecho, hacer algo divertido y relajante mientras está despierto puede ayudarle a volver a dormirse más rápidamente. Así que si usted sigue despierto después de 15 minutos de insomnio, pruebe estos trucos.

Conviértase en un muñeco de trapo. La relajación muscular progresiva es una buena técnica de reducción de la tensión que no requiere mucho esfuerzo. Simplemente siéntese o acuéstese en un lugar tranquilo y cómodo. Elija un grupo de músculos, como los músculos del pie derecho, y ténselos. Manténgalos apretados durante

15 segundos y luego relájelos. Haga lo mismo con los músculos del otro pie. Avance gradualmente por todo el cuerpo, tensando y relajando cada grupo muscular. Su cuerpo y su mente se sentirán mucho mejor cuando haya terminado.

Tome unas vacaciones de ensueño. Trate de recordar su último lugar de vacaciones o imagine un lujoso lugar que le gustaría visitar. Imagínese el viaje con vívidos detalles, incluidos los paisajes, los sonidos, los olores y los sabores. No descuide ningún detalle.

Cree su propio *spa* sonoro. Escuche música relajante o sonidos de la naturaleza.

Lea y duerma. La lectura de un libro favorito es una manera consagrada de conseguir dormirse. Solo asegúrese de que sea una lectura más tranquilizadora o inspiradora que emocionante. Y definitivamente evite cualquier libro o lectura de la que "no pueda despegarse".

Entréguese al sueño a través de la escritura. Tenga papel y lápiz cerca de la cama y escriba sus sueños o empiece un poema o un cuento. Si su problema es la lista de tareas para el día siguiente, entonces anótela junto con un plan de acción para cada tarea. Una vez que termine la planificación, puede que sea capaz de relajarse y quedarse dormido.

Domine los antojos de medianoche. Si se despierta a menudo con hambre, tenga en su mesa de noche una merienda pequeña que estimule el sueño, como una porción de cerezas secas. Las cerezas son una buena fuente de melatonina, un compuesto natural que promueve el sueño.

Independientemente de lo que decida hacer cuando se despierte por la noche, tenga en cuenta estos consejos:

- No mire el reloj. Eso solo hace que se angustie más acerca de las horas de sueño que está perdiendo, y la angustia solo le mantendrá despierto más tiempo.

- Evite actividades que sean intrigantes o estimulantes, sobre todo aquellas que pudieran invitarle a permanecer despierto. Opte por actividades placenteras, que relajan la mente y el cuerpo y que le ayudan a retornar más rápido a la tierra de los sueños.

- Intente evitar las luces brillantes o cualquier cosa que lo despierte más de lo que ya está.

Curas naturales para un sueño más profundo

Si durante mucho tiempo ha tomado pastillas para dormir de venta libre, usted podría terminar con dificultades en el pensamiento o en la percepción, incluso hasta con demencia, según nuevas investigaciones. El problema puede ser la difenhidramina, que es el ingrediente activo de *Benadryl*. Un análisis de varios estudios encontró que las pastillas para dormir que contienen difenhidramina, como *Tylenol PM* y *Excedrin PM*, pueden aumentar el riesgo de demencia y posiblemente de enfermedad de Alzheimer. Pero las pastillas para dormir sin receta también tienen efectos secundarios, como mareos, problemas urinarios y estreñimiento, incluso cuando no contienen difenhidramina.

Las pastillas para dormir con receta son aún peores. Pueden causar efectos secundarios como pérdida de la memoria a corto plazo, vértigos, incontinencia, presión arterial alta, náusea y mareos. Y mientras más edad tiene, más probable será que estos efectos secundarios lleguen a ser un problema. Algunas pastillas incluso pueden formar hábito o hacer que haga cosas extrañas, como comer estando dormido. Antes de usar cualquier tipo de pastilla para dormir, pruebe una solución más natural.

Relájese con manzanilla. ¿Recuerda la historia de Peter Rabbit? Después de escapar por los pelos del jardín del señor McGregor, la madre de Peter le dio una infusión de manzanilla para ayudarle a dormir. La señora Rabbit hizo lo correcto. La manzanilla contiene un compuesto llamado apigenina, que puede tener un suave efecto sedante. Para preparar su propia infusión de manzanilla, deje en remojo una cucharada colmada de flores en agua caliente durante 10 minutos. Usted también puede comprar manzanilla de marca en un supermercado, pero no será tan fuerte. Beba hasta tres tazas al día. Pero no use manzanilla si es alérgico a la ambrosía, las margaritas o los crisantemos, porque son de la misma familia.

Despierte alerta con valeriana. Los estudios parecen indicar que las cápsulas de valeriana pueden ayudarle a conciliar el sueño más rápido y dormir mejor, pero sin el riesgo de adicción ni el aturdimiento matutino al despertar. Incluso, un estudio encontró que la valeriana funciona tan bien como el oxazepam, un medicamento para dormir con receta médica, pero con menos efectos secundarios. Tome entre 300 y 600 miligramos (mg) de valeriana antes de acostarse todas las noches. Usted debería ver resultados en unas cuantas semanas.

Duerma profundamente con melatonina. La melatonina es un compuesto natural que produce el cerebro para promover el sueño. Aunque la melatonina puede no funcionar para todos, los estudios observan que las personas que toman suplementos de melatonina se duermen más rápido y permanecen dormidas más tiempo. La melatonina puede ser particularmente beneficiosa para las personas cuyos niveles de melatonina natural han disminuido, un problema común entre los adultos mayores. Las investigaciones sugieren tomar una cápsula de 300 microgramos (mcg) antes de irse a la cama. Usted puede encontrar dosis más altas, pero pueden mantenerle despierto.

Para obtener los mejores resultados con los remedios naturales para el sueño, tenga en cuenta las siguientes sugerencias:

- Hable con su médico y con el farmacéutico antes de probar un remedio herbario o un suplemento, porque los productos naturales también pueden interactuar con los medicamentos y algunos pueden no ser seguros para personas con ciertos problemas de salud.

- Los suplementos dietéticos no están regulados, así que algunos contienen menos ingredientes activos que los prometidos y otros pueden estar contaminados. Pídale al médico o al farmacéutico que le recomienden una marca, o visite *www.consumerlab.com* (en inglés) para saber qué productos no están contaminados y cuáles cumplen con lo prometido.

- No tome manzanilla, valeriana o melatonina con ningún sedante, medicamento para dormir o con alcohol.

- Tomar valeriana, manzanilla o melatonina puede enmascarar el insomnio causado por una dolencia médica oculta, así que hable con su médico si su insomnio dura más de unas semanas.

Ponga fin a los sudores nocturnos

La menopausia puede traer sudores nocturnos y sofocos, pero usted no tiene que vivir con ellos. Hay productos hechos específicamente para que usted pueda mantenerse fresca durante las noches. Margaret recomienda el ventilador de cama que encontró en línea en *www.bedfan.com* (en inglés). Se trata de un ventilador con una forma especial que se coloca al pie de la cama y que sopla aire frío entre las sábanas. "Ahora puedo controlar los sudores nocturnos", dijo después de probar el ventilador. "Realmente funciona".

Las almohadas refrescantes también ayudan. Algunas están llenas de cristales que se mantienen por debajo de la temperatura ambiente, mientras que otras están llenas de agua que usted enfría antes de irse a la cama. Alice utiliza una para controlar los sofocos. "La tengo junto a mi cojín y la uso cada vez que necesito alivio instantáneo", dice.

Nueve maneras de acabar con los ronquidos

Los ronquidos de una abuela británica fueron registrados recientemente en 111 decibelios, más ruidosos que un jet volando bajo. No es de extrañar que sus ronquidos la despertaran durante la noche e hicieran que su marido huyera al cuarto de invitados. Pero hoy esta señora ha encontrado maneras de disminuir sus ronquidos sin medicamentos ni cirugía. Usted también puede hacerlo.

Si se está preguntando qué hay de malo con roncar, preste atención. El roncar se ha relacionado con un mayor riesgo de diabetes, enfermedad cardíaca, presión arterial alta, derrame cerebral y accidentes de tráfico. Así que las medidas que usted tome para prevenir los ronquidos también le protegerán contra estos peligros.

Además, puede que también alivie las tensiones matrimoniales. Según una encuesta de la Fundación Nacional del Sueño, el 23 por ciento de las personas cuyo compañero ronca o tiene otro problema de sueño decide dormir en otra habitación. También son más propensas a reportar problemas en su relación y dicen que la intimidad se ha visto afectada. Controlar los ronquidos no solo hará que vuelvan a ser una pareja de un solo dormitorio, sino que también fortalecerá su relación.

Los ronquidos se producen porque algo estrecha las vías respiratorias. El espacio más reducido hace que el aire circule más rápido a través de las vías respiratorias, lo que hace que las paredes de la garganta vibren y traqueteen, especialmente si están ligeramente flojas o relajadas. Es esta vibración la que produce ese sonido fuerte y molesto.

Así que si desea dejar de roncar, necesita impedir que sus vías respiratorias se estrechen o las paredes de su garganta vibren. Pruebe estas sugerencias fáciles que le ayudarán a lograr precisamente eso:

- Evite dormir sobre la espalda, lo cual estrecha las vías respiratorias. Coloque almohadas detrás de su espalda para no rodar accidentalmente sobre la espalda mientras duerme.

- Eleve la cabecera de su cama 10 centímetros. Intente colocar libros o ladrillos debajo de las patas de la cama al lado de la cabecera.

- Baje de peso. El peso adicional agrega grasa extra al cuello, constriñendo las vías respiratorias.

- Pruebe las tiras nasales. Estas tiras amplían las fosas nasales y pueden ser útiles si su problema es producto de las alergias, resfriados o sinusitis.

- No beba después de la cena. El alcohol relaja los músculos de la garganta y estrecha las vías respiratorias durante las primeras cuatro horas después de un trago.

- Reciba tratamiento para las alergias o la sinusitis. La congestión nasal puede hacerle respirar por la boca al mismo tiempo que forma una capa sobre la garganta y estrecha las vías respiratorias. Consulte con su médico acerca de qué medicamentos pueden ayudar.

- Evite los antihistamínicos. Tienden a secar la garganta, lo que facilita el ronquido.

- No se acerque a las pastillas para dormir. Relajan la garganta, lo cual facilita que vibren sus paredes.

- Deje de fumar. Fumar irrita la garganta y constriñe las vías respiratorias.

También puede intentar cantar para fortalecer la garganta, puede utilizar aparatos dentales para ayudar a mantener las vías respiratorias abiertas o puede usar aerosoles para la garganta.

Hable con su médico si usted sufre de apnea obstructiva del sueño. Si ronca ruidosamente, se le entrecorta la respiración mientras duerme y experimenta somnolencia diurna, puede que usted tenga esta dolencia, en la que deja temporalmente de respirar varias veces durante la noche. Para determinar si usted padece esta enfermedad el médico puede recomendarle exámenes de sueño que no producen dolor.

La apnea obstructiva del sueño puede ser peligrosa, así que someterse a un tratamiento puede no solo acabar con la molestia de sus ronquidos, sino también proteger su salud.

Soluciones rápidas para cuando tiene demasiado calor para dormir

Los expertos afirman que hay que mantenerse fresco para dormir bien. Si el aire acondicionado está malogrado o si está teniendo sofocos, pruebe una de estas ideas "refrescantes" de emergencia que le ayudarán a pasar la noche:

- Fabrique un mini aire acondicionado casero. Llene con agua un recipiente de plástico de leche o de jugo hasta la mitad o tres cuartos de su capacidad. Tápelo y colóquelo en el congelador. También puede comprar un paquete de bolis, esas bolsitas tubulares de plástico de hielo con sabores. Justo antes de irse a la cama, ponga el paquete de bolis congelados o el contenedor congelado en una bandeja. Coloque la bandeja delante de un ventilador. Los artículos congelados ayudarán a enfriar la ráfaga de aire. Para evitar molestar a su cónyuge, coloque el ventilador y los artículos congelados cerca de usted. No olvide volver a congelar los bolis o el envase de plástico para usarlos la noche siguiente.

- Duerma con una compresa fría. Moje un paño en agua helada, escúrralo y métalo en el congelador durante un par de minutos. Luego extiéndalo sobre su pecho y coloque el ventilador en dirección suya. Si le incomoda el paño húmedo, pruebe envolver la compresa helada (o una botella de plástico congelada) con un paño seco. También puede colocar la compresa helada cerca de su almohada.

- Disfrute de un vaso de agua fría antes de acostarse. Mantenga un termo de agua helada cerca de la cama para beber más si le despierta el calor durante la noche.

- Tome una ducha fría antes de acostarse.

- Acuéstese con un pijama o un camisón de algodón, y use sábanas de algodón.

- No permita que entre el calor del día. Si la luz del sol entra a través de las ventanas de su dormitorio durante el día, utilice persianas que bloqueen la luz o cortinas oscuras, y manténgalas cerradas. Impedir que entre la luz del sol puede hacer que su dormitorio esté más fresco por la noche.

- Si todo lo demás falla, intente dormir en el primer piso. El calor sube, por lo que los dormitorios de arriba suelen ser más calurosos.

Arma secreta para descansar sin dolores

Su almohada no es solo un lugar para descansar la cabeza. Cuando los dolores de espalda y otros problemas de salud le mantienen despierto durante la noche, una almohada puede ser el arma secreta que le ayudará a aliviar sus síntomas y regresar al planeta de los sueños.

Alivie el dolor de espalda. Tome una almohada adicional si el dolor de espalda no le deja dormir. Dormir boca arriba pone gran presión sobre la columna vertebral. Colocar una almohada debajo de las rodillas puede aliviar la presión. Para obtener aún mejores resultados, pruebe dormir de lado y coloque una almohada o cojín entre las rodillas. Eso disminuye aún más la presión sobre la espalda.

Calme las alergias. Compre una almohada nueva si las alergias le mantienen despierto por la noche. Una almohada vieja puede albergar hongos y otros alérgenos, especialmente si la almohada está hecha de materiales sintéticos.

Ahuyente los calambres en las piernas. Eleve los pies con la ayuda de una almohada si los calambres en las piernas le despiertan a menudo durante la noche.

Enfríe la acidez estomacal. Para combatir los problemas nocturnos producidos por la enfermedad por reflujo gastroesofágico (ERGE), utilice una almohada de espuma en forma de cuña. Dormir con esta cuña debajo de la parte superior del cuerpo eleva el esófago. Esto hace que el ácido permanezca donde debe, en el estómago, en vez de producirle molestias. Pero si la posición no le resulta cómoda, coloque la cuña detrás de la espalda para obligarse a dormir sobre el lado izquierdo. Esto ayuda a que el ácido salga del esófago, haciendo posible que se quede dormido y permanezca dormido.

Domine al dolor de cuello. Si la almohada hace que su cabeza y cuello se inclinen hacia arriba o hacia abajo, esto puede causarle dolores de cuello. La almohada que es adecuada para usted es la que permite que su cuello descanse en una posición neutral y sin inclinación, y que no le deja sintiéndose adolorido o rígido por la mañana. Si usted sufre de dolor de cuello y va a ver al médico, pídale consejos acerca de qué tipo de almohada para el cuello sería el adecuado para usted.

SOLUCIÓN*rápida*

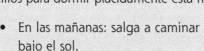

Lo que usted hace durante el día ayuda a determinar qué tan bien dormirá durante la noche. Tenga en cuenta estos consejos sencillos para dormir plácidamente esta noche:

- En las mañanas: salga a caminar bajo el sol.

- En las primeras horas de la tarde: disfrute de su última comida o bebida con cafeína del día.

- Al final de la tarde: haga ejercicio antes de cenar.

- En las primeras horas de la noche: opte por una cena ligera y reduzca su consumo de líquidos.

- En la noche: tome un baño caliente dos horas antes de irse a la cama.

Guía de almohadas para el sueño perfecto

Una mala almohada puede impedir que goce de una buena noche de sueño. A veces, incluso las almohadas más caras y nuevas pueden terminar siendo una pesadilla. Antes de comprar su próxima almohada, tenga en cuenta estos consejos basados en una encuesta de usuarios de almohadas publicada en *sleeplikethedead.com* (en inglés). Evite terminar comprando almohadas que le roban el sueño.

- Los amantes de las almohadas firmes no deberían comprar una almohada de plumón o de imitación plumón. Las valoraciones de los usuarios indican que estas son las almohadas más suaves del mercado. Busque, por el contrario, una almohada rellena con cáscara de trigo sarraceno o con algodón. Si usted desea algo ligeramente menos firme, las almohadas de espuma con memoria también pueden servirle.

- Si lo que busca es una almohada con buen soporte, evite comprar almohadas de plumas, almohadas de plumón o almohadas similares. Los usuarios de la encuesta consideraron que obtuvieron más soporte de las almohadas rellenas con algodón, microperlas o trigo sarraceno.

- Si usted se despierta fácilmente con los ruidos de la noche, evite las almohadas de trigo sarraceno, las almohadas de agua y las almohadas de microperlas. Al cambiar de posición o mover la cabeza, el sonido de las cáscaras de trigo sarraceno, de las microperlas o del agua pueden perturbar su sueño.

- No elija almohadas de plumón o de plumas si usted sufre de alergias. Según las valoraciones de los usuarios, estas son las almohadas menos hipoalergénicas. En su lugar, quédese con las almohadas de trigo sarraceno, de espuma con memoria, de látex o de microperlas.

Para más detalles respecto a las valoraciones y las características de las almohadas, visite *www.sleeplikethedead.com* (en inglés).

Cómo potenciar la memoria: proteja su mente del envejecimiento

Mejore la memoria en apenas dos semanas

Usted puede aumentar su capacidad intelectual en apenas 14 días. Los científicos sostienen que eso fue precisamente lo que ocurrió en un pequeño estudio donde los participantes siguieron un programa sencillo de cuatro pasos. Y no necesitaron equipos especiales ni pastillas ni costosos "gimnasios cerebrales". Esto es lo que hicieron:

- Recibieron cinco comidas pequeñas al día, en lugar de tres grandes. El objetivo era que siguieran una dieta cargada de grasas omega-3 (procedentes del pescado, entre otros alimentos), de carbohidratos complejos (como los frijoles y los granos integrales) y de antioxidantes (presentes en las frutas y en las verduras de colores vivos).

- Hicieron ejercicios aeróbicos que aceleran el pulso, como las caminatas diarias a paso ligero.

- Hicieron estiramientos y ejercicios de relajación, para aliviar el estrés y afinar su capacidad de concentración.

- Resolvieron juegos de rompecabezas, crucigramas y ejercicios de memoria a lo largo del día, para centrar la atención y mejorar la memoria.

Al cabo de dos semanas, los participantes del estudio mejoraron sus puntajes en las pruebas de memoria verbal. No solo eso, las escanografías cerebrales mostraban que también habían empezado a utilizar su cerebro de forma más eficiente. Las investigaciones parecen indicar que este programa ofrece una doble recompensa: ayuda a mejorar la capacidad intelectual en el presente y ayuda a reducir el riesgo de desarrollar la enfermedad de Alzheimer en el futuro.

Tres datos para detener la demencia

Sus hábitos de estilo de vida y de alimentación pueden, con el tiempo, aumentar sus probabilidades de desarrollar pérdida de la memoria. Tenga en cuenta estos datos:

- El manejo del estrés y una alimentación saludable pueden influir en la química cerebral y ayudar a prevenir las placas y la contracción del cerebro, signos inequívocos de la enfermedad de Alzheimer.

- Buenos hábitos de alimentación y de sueño le pueden ayudar a prevenir la inflamación en el cerebro. Se cree que la inflamación crónica contribuye a la enfermedad de Alzheimer.

- Elegir alimentos ricos en antioxidantes ayuda a neutralizar los radicales libres que pueden causar daño celular en el cerebro. Opte por las frutas y verduras de colores intensos, como los arándanos azules, las espinacas y las zanahorias.

Baje a la mitad el riesgo de fallas de memoria

Un pescado de nombre extraño podría garantizarle una buena memoria en su vejez. El barramundi, un pescado del norte de Australia y partes de Asia, contiene tantos ácidos grasos omega-3 como el salmón silvestre. Es fácil de preparar y tiene menos contaminantes que el salmón. Es posible que no lo encuentre en todos los mercados. En ese caso, usted puede disfrutar de otros pescados ricos en omega-3 y aprovechar los fabulosos beneficios para el cerebro que estos aportan.

Prevenga el colapso mental. Un estudio realizado en Francia encontró que la probabilidad de que las personas mayores de 65 años que comían pescado todas las semanas desarrollaran la enfermedad de Alzheimer era 35 por ciento menor. Después de hacer un seguimiento a cientos de adultos mayores durante varios años, otros científicos descubrieron que aquellos que consumían tres porciones de pescado a la semana tenían 47 por ciento menos riesgo de desarrollar cualquier tipo de demencia, incluida la enfermedad de Alzheimer. Eso es como reducir el riesgo a la mitad. La razón pueden ser los ácidos grasos omega-3, como el ácido eicosapentaenoico (EPA, en inglés) y el ácido docosahexaenoico (DHA, en inglés). El DHA es el ácido graso más común en el cerebro y es vital para el normal funcionamiento del cerebro.

Es más, las investigaciones parecen indicar que ambos, el DHA y el EPA, combaten la inflamación. No solo ayudan a prevenir la formación de compuestos desencadenantes de inflamación, sino también ayudan a producir nuevos compuestos para prevenir la inflamación. Esto es importante porque hay cada vez más pruebas que señalan que controlar la inflamación es clave para prevenir el deterioro mental.

Es así como funciona: la sustancia llamada proteína C reactiva (PCR) es un indicio de inflamación. Los médicos pueden pedirle que se haga una prueba de PCR para medir la inflamación en las arterias y determinar su riesgo cardíaco. Pero una prueba de PCR también sirve para medir la inflamación en el resto del cuerpo, incluido el cerebro. De hecho, los científicos han encontrado un vínculo entre niveles altos de PCR y el deterioro de las facultades mentales. Algunos estudios incluso sugieren que la inflamación puede ser el factor oculto detrás de la enfermedad de Alzheimer, la diabetes y las enfermedades cardíacas, entre otras. Esta es la razón por la cual el pescado y su poder para combatir la inflamación son absolutamente importantes para la salud.

Evite la formación de placas en el cerebro. Consuma más DHA a la primera señal de pérdida de memoria e impida así la formación de las placas que obstruyen el cerebro. Las placas son acumulaciones de proteínas beta amiloide en el cerebro. También son una posible causa de Alzheimer. Afortunadamente, el cuerpo produce una proteína llamada LR11 que puede ayudar a detener la formación de placas. Al igual que una máquina de limpieza de drenajes, la LR11 ayuda a eliminar las proteínas que forman las placas.

El problema es que algunas personas tienen genes que les impiden producir suficiente proteína LR11, lo que puede aumentar su riesgo de desarrollar la enfermedad de Alzheimer. Sin embargo, un estudio reciente encontró que el DHA obliga a las células cerebrales a producir más LR11. ¿Por qué esperar? Empiece hoy a comer pescado rico en DHA, antes de que su memoria se empiece a desvanecer.

Pescado para la salud del cerebro

Una sabrosa selección de los pescados más ricos en omega-3 y en el DHA saludable para el cerebro:

Pescado (nombre en inglés)	DHA*
Caballa del Atlántico (*Atlantic mackerel*)	1.6
Bonito ártico (*Skipjack tuna*)	1.2
Trucha de lago (*Lake trout*)	1.1
Corégono de lago (*Lake whitefish*)	1.0
Arenque del Atlántico (*Atlantic herring*)	0.9
Anchoas (*Anchovies*)	0.9
Espadín (*Sprat*)	0.8
Arenque del Pacífico (*Pacific herring*)	0.7
Bacalao negro (*Sablefish*)	0.7
Salmón rojo (*Sockeye salmón*)	0.7
Sardinas en lata (*Canned sardines*)	0.6

*En gramos por 3.5 onzas.

Muévase para potenciar la mente

Usted puede mantener la agudeza mental desarrollando el cerebro. Pero, ¿cómo puede usted "desarrollar" el cerebro? Moviendo el resto del cuerpo y haciéndolo rápidamente. Un buen estado físico aeróbico ayuda a prevenir el deterioro mental. Según las imágenes del cerebro

Efectos del Alzheimer en el cerebro

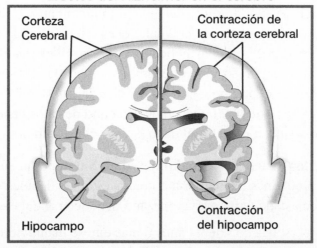

Corteza Cerebral

Contracción de la corteza cerebral

Hipocampo

Contracción del hipocampo

Uno de los primeros signos de la enfermedad de Alzheimer es la contracción del hipocampo, una parte del cerebro que tiene una función importante en la memoria y el aprendizaje. A medida que avanza la enfermedad, la corteza cerebral, que controla el razonamiento y el juicio, también se contrae.

obtenidas por científicos de la Universidad de Pittsburgh, los adultos mayores con mejor estado físico aeróbico tenían un hipocampo más desarrollado que el de las personas sedentarias. Esto es importante debido a que el hipocampo es la región del cerebro asociada con la memoria y el aprendizaje. Y la enfermedad de Alzheimer hace que se contraiga. *(Vea el gráfico de arriba)*. Los investigadores encontraron que las personas con buen estado físico y un hipocampo más grande, también obtuvieron mejores resultados en las pruebas de memoria.

Genere nuevas células cerebrales. Las imágenes del cerebro también muestran que el ejercicio aeróbico mejora la actividad del cerebro y ayuda a la formación de nuevas células cerebrales en el hipocampo. Los expertos incluso señalan que el ejercicio puede generar más células cerebrales nuevas que cualquier otra medida.

Esto suena a algo que uno esperaría lograr con un nuevo fármaco revolucionario, no con el ejercicio. Sin embargo, un experto señala que para crear nuevas células y conexiones cerebrales es necesario un flujo mayor de sangre hacia el cerebro. Y el ejercicio aeróbico es particularmente bueno incrementando este flujo.

Conserve la memoria. El ejercicio aeróbico también puede retrasar el deterioro de la memoria propio del envejecimiento natural. Es posible que muchas de las razones por las cuales el ejercicio estimula el cerebro sean las mismas por las que beneficia el corazón. El ejercicio no solo mejora el flujo sanguíneo, sino que también reduce la presión arterial, ayuda a controlar el peso y mejora los niveles de colesterol y de azúcar en la sangre. Los estudios indican que cada uno de estos beneficios del ejercicio ayuda a prevenir el daño de las células cerebrales.

Aproveche los beneficios a cualquier edad. Sin importar su edad o si ya tiene problemas de memoria o no, los estudios demuestran que nunca es demasiado tarde para empezar a beneficiarse del ejercicio.

- Las personas de setenta años o más que se mantuvieron físicamente activas o que se volvieron más activas a esa edad, redujeron de manera significativa su deterioro mental, según conclusiones de un estudio. Es más, los adultos mayores no activos que empezaron un nuevo programa de ejercicios también mejoraron su capacidad intelectual, especialmente su capacidad para procesar información compleja rápidamente. El ejercicio aeróbico de todos los participantes activos del estudio consistió en caminatas regulares.

- Otro estudio examinó a personas que mostraban signos de deterioro leve de la memoria. Después de seis meses, las personas que salieron a caminar tres veces a la semana durante 50 minutos —o que hicieron otro tipo de ejercicio aeróbico— obtuvieron mejores puntajes en las pruebas de memoria y de destrezas mentales que las personas que no hicieron ejercicio. Las pruebas de seguimiento mostraron que esta mejora de la capacidad intelectual duraba por lo menos 18 meses.

Mantenerse activo no tiene por qué ser difícil. Una caminata a paso ligero puede mejorar su estado físico aeróbico. Usted también está realizando un ejercicio físico moderado cuando barre la terraza, corta el césped, retira la nieve con una pala o cuelga la ropa en el tendedero. Andar en bicicleta, bailar, nadar y correr son actividades aeróbicas más intensas. Sin embargo, basta con hacer una actividad que eleve la frecuencia cardíaca y acelere la respiración.

El camino lento para mejorar la memoria

Correr, nadar y los aeróbicos de alta intensidad tal vez no sean lo mejor para usted si tiene problemas para caminar o levantarse de una silla. Aun así, usted puede tomar medidas para mantenerse en forma y conservar su capacidad intelectual. Descubra tres tipos de ejercicios "lentos" que ayudan a conservar la memoria, aun cuando usted no está en forma.

Desarrolle el músculo físico y mental. Usted no tiene que pasarse horas levantando pesas olímpicas para mantenerse en forma mentalmente. Un estudio realizado con mujeres mayores de 65 años encontró que levantar pesos pequeños durante una hora a la semana le puede ayudar a concentrarse a pesar de las distracciones, a tomar mejores decisiones y a resolver conflictos.

Para obtener estos resultados, las participantes del estudio utilizaron pesas libres y aparatos de pesas durante un año. No es necesario que usted se inscriba en un gimnasio. Quédese en casa y utilice latas de alimentos, botellas de agua o incluso bolsas de azúcar como pesas. Solo recuerde empezar lentamente, tal vez con una rutina de dos series de 6 a 8 repeticiones para cada ejercicio, y luego incremente el peso o las repeticiones cuando la rutina se vuelva fácil de hacer.

Mejore la memoria con yoga. El yoga consiste generalmente en ejercicios de respiración y una serie de posturas o asanas. Tal vez a usted no le parezca que esta propuesta contribuya a mejorar la memoria. Sin embargo, según investigadores en la India, a los hombres que pasaron 22 minutos alternando posturas de yoga y ejercicios de relajación les fue mejor en las pruebas de atención y memoria operativa que a los hombres que permanecieron quietos durante esos 22 minutos. Y esos fueron los resultados después de tan solo una sesión de yoga.

Estimule el cerebro con *tai chi*. Como el yoga, el *tai chi* consiste generalmente en una serie de posturas, pero también incluye movimientos suaves y circulares entre posturas para soltar los músculos y aumentar la flexibilidad. Se trata de un ejercicio que prácticamente cualquiera puede hacer y, además, es un ejercicio que puede aportar beneficios al cerebro. Un pequeño estudio preliminar realizado con adultos mayores encontró que 10 semanas de *tai chi* ayudaron a mejorar la "función ejecutiva", que es la capacidad mental vital que se requiere para planificar, organizar, prestar atención a los detalles, formular conceptos y pensar en abstracto. Investigaciones futuras determinarán con certeza si el *tai chi* también mejora la memoria.

Antes de empezar a tomar clases de entrenamiento de fuerza, yoga o *tai chi*, hable con su médico y obtenga su aprobación. Si su médico considera que usted puede hacer este tipo de ejercicios, pida que le recomiende videos, sitios web o un lugar donde pueda inscribirse para aprender estos ejercicios. Será una manera lenta pero segura de desarrollar el cerebro.

SOLUCIÓNsencilla

Buena iluminación y buen calzado: dos cosas que le pueden ayudar a prevenir la demencia senil. ¿Por qué? Los estudios muestran que las lesiones en la cabeza incrementan el riesgo de demencia y de deterioro mental. Y de acuerdo con la Asociación de Trauma Cerebral de Estados Unidos (BIAA, en inglés), las caídas son la causa más común de lesión cerebral. Lamentablemente, uno de cada tres adultos mayores se tropieza cada año. Asegúrese de no ser uno de ellos.

- Si usted tiene problemas de equilibrio, pregunte a su médico si los medicamentos que toma pueden ser la causa.

- Asegúrese de que su casa esté bien iluminada y de que los pisos estén libres de obstáculos.

- Haga ejercicio con regularidad para mejorar el equilibrio. Cuando camine hágalo con zapatos que le den buen soporte y hágalo en zonas bien iluminadas.

Manera efectiva de prevenir la demencia

En 1988, los investigadores hicieron un sorprendente descubrimiento. Los resultados de las pruebas mentales de un grupo de adultos mayores mostraban claramente que tenían un alto grado de agudeza mental y que no presentaban signos de demencia y, sin embargo, los exámenes *post mortem* revelaron que sus cerebros habían estado plagados de signos de la enfermedad de Alzheimer, como la presencia de placas beta amiloide. ¿Cómo es posible tener Alzheimer y no tener síntomas?

Después de dos décadas de investigaciones los científicos creen tener la respuesta. La diferencia entre los adultos que no presentaron síntomas y los adultos con Alzheimer que sí lo hicieron era que los primeros tenían cerebros más grandes y más neuronas, una especie de "reserva cognitiva" o cuenta de ahorro mental para defenderse de los estragos de la demencia senil. Estudios posteriores parecen indicar que por lo menos el 25 por ciento de los adultos mayores pueden evitar la enfermedad de Alzheimer gracias a esta reserva cognitiva. Es más, los investigadores creen que cualquiera puede obtener estos resultados con solo estimular el cerebro con frecuencia a través del aprendizaje y otras actividades mentales. Esto puede funcionar por varias razones:

- Las neuronas se contraen de forma natural con la edad, y el cerebro puede contraerse junto con ellas. Esto puede causar un deterioro leve de la memoria. Sin embargo, los estudios muestran que el ejercicio mental ayuda a crear nuevas células cerebrales, generar nuevas conexiones entre ellas y fortalecer las conexiones existentes. Es como abrir nuevos caminos para que los impulsos cerebrales tengan más vías para llegar del punto A al punto B. De ese modo, si algunos caminos llegaran a interrumpirse, habrá otros caminos disponibles para los impulsos cerebrales.

- Las actividades de aprendizaje hacen que el cerebro produzca un compuesto llamado factor neurotrófico derivado del cerebro (BDNF, en inglés), según concluye un estudio reciente. El BDNF es como un potente fertilizante mental que ayuda a las células cerebrales a operar con el máximo nivel de eficiencia. El BDNF es también un ingrediente importante para crear recuerdos.

- El ejercicio mental reduce los depósitos que llevan a la formación de las placas beta amiloide.

Pero no es necesario volver a la escuela para obtener resultados como estos. Los expertos dicen que cualquier actividad mentalmente estimulante ayuda a desarrollar la reserva cognitiva, incluidos los pasatiempos y los juegos de computadora. Tal vez el ejercicio mental más fácil a probar es el conocido como neuróbica, término acuñado por el fallecido neurobiólogo Lawrence Katz en su libro *Keep Your Brain Alive* (Mantenga vivo su cerebro). La neuróbica busca estimular el cerebro con experiencias novedosas o empleando los cinco sentidos de nuevas maneras. Para empezar, pruebe hacer estas actividades neuróbicas:

- Emplee la mano no dominante para realizar actividades diarias, como cepillarse los dientes o abrocharse el cinturón de seguridad.

- Tome un camino distinto al trabajo. Si sigue cierto orden para recorrer los pasillos del supermercado, empiece por el final.

- Escuche una estación de radio que ofrezca música o contenidos distintos a los que usted está acostumbrado a oír.

- Báñese con los ojos cerrados o utilice sus otros sentidos durante su aseo personal.

Solo recuerde, una vez el nivel de dificultad disminuya o la novedad de la experiencia desaparezca, es necesario probar algo nuevo.

Pregunta & Respuesta

¿Es cierto que solo usamos el 10 por ciento del cerebro?

Un experto lo describe como el "mito del 10 por ciento". Los estudios de imágenes del cerebro muestran que la mayor parte del cerebro está activa en cualquier momento dado, incluso cuando usted duerme. Y al final de un día de 24 horas, dicen los expertos, usted probablemente ha utilizado el 100 por ciento de su cerebro.

Diviértase para no perder la memoria

La neuróbica no es la única manera de defenderse contra la pérdida de memoria. Según un estudio realizado por la Clínica Mayo, las actividades manuales, como hacer colchas de retazos o la cerámica, los juegos de cartas, la lectura de libros o las actividades en línea también ayudan a reducir hasta en un 50 por ciento las probabilidades de sufrir problemas relacionados con la memoria. Y eso no es todo.

Encuentre una actividad que le divierta y lo más probable es que esa actividad también estimulará su cerebro. En el baile, por ejemplo, usted no solo tiene que aprender y recordar los pasos de un baile, sino también tiene que seguir el paso de su pareja y asegurarse de no pisarle los pies. Bailar puede ser divertido y también puede ser una medicina preventiva muy efectiva.

Un estudio publicado en la revista científica *New England Journal of Medicine* encontró que bailar, leer, tocar un instrumento musical y participar en juegos de mesa eran actividades asociadas a un menor riesgo de desarrollar demencia senil. Es más, las personas que más tiempo dedicaron a estas actividades en una semana típica presentaban un riesgo 63 por ciento menor de demencia en comparación con las personas que dedicaron el menor tiempo a dichas actividades.

Esto se debe a que el cerebro tiene algo en común con los músculos. Los fisicoculturistas van regularmente al gimnasio porque el uso continuo de los músculos es lo que los hace más fuertes. De igual modo, cuanto más ponga usted su cerebro "en forma", mejor podrá resistirse a la pérdida de memoria. Así que cuando usted se sienta para una partida de ajedrez o se pone los tacones de baile, usted no solo está divirtiéndose. También está ejercitando el cerebro.

Para desarrollar al máximo el músculo mental, los estudios sugieren hacer más de una actividad mentalmente estimulante a la semana. Según los expertos, las siguientes actividades son las mejores elecciones:

- Aprender un idioma
- Escribir

- Participar en juegos de cartas o juegos de mesa

- Hacer crucigramas

- Participar en discusiones de grupo

- Tejer

- Dedicarse a la jardinería

- Viajar

- Tocar instrumentos musicales

- Bailar

- Dedicarse a la cerámica

- Hacer colchas de retazos o *quilts*

- Leer libros

Navegue para tener un cerebro más poderoso

Sentarse frente a la computadora de casa puede ayudar a aumentar al máximo la memoria y a ejercitar el pensamiento.

Haga amistad con la Internet. Es posible que usted tal vez ya esté haciendo cosas que benefician el cerebro. Un estudio realizado por la Clínica Mayo encontró que algo tan sencillo como usar la computadora puede disminuir el riesgo de pérdida de la memoria.

Dos pequeños estudios preliminares de la UCLA parecen indicar que buscar información en Internet no solo estimula el cerebro más que la lectura, sino también puede que active partes del cerebro asociadas con la memoria operativa, la toma de decisiones y el razonamiento complejo.

Más investigaciones son necesarias para determinar si esto realmente funciona así. Entretanto usted no pierde nada si hace de las búsquedas habituales en Internet una parte de su rutina.

Prefiera los "juegos mentales" y mejore su capacidad para pensar. Los juegos de computadora ya no son simples pasatiempos violentos. Aunque ese tipo de juegos sigue disponible, usted también encontrará juegos más interesantes que ayudan a frenar la pérdida de memoria.

Por ejemplo, un equipo de investigación enseñó a un grupo de adultos mayores un juego de computadora que otorga puntos por cada elección que convierta a una serie de poblados imaginarios en una nación próspera y estable. Todos los participantes mejoraron su memoria y su capacidad para razonar. Sin embargo, aquellos que mostraron ser los más hábiles en el juego también fueron los que mejoraron más la memoria operativa y la capacidad para atender múltiples tareas a la vez.

Debido a que estas habilidades son igualmente necesarias para realizar las actividades del día a día, los expertos sospechan que los videojuegos también podrían mejorar la capacidad de los jugadores para llevar una vida independiente. De hecho, la Fundación Nacional de Ciencias (NSF, en inglés) toma esta posibilidad tan en serio que acaba de financiar con un millón de dólares una investigación que busca determinar si los juegos de computadoras pueden ayudar a estimular la memoria y la capacidad de pensar en los adultos mayores.

Pero las opciones no terminan ahí. Aparte de los juegos de computadora que se venden en las tiendas, usted puede encontrar sitios web que ofrecen de manera gratuita cientos de rompecabezas y juegos en línea, como *aarp.org/espanol/juegos* (en español) o *games.aarp.org* (en inglés). Tal vez quede gratamente sorprendido con los resultados.

Doce maneras fáciles de cargar la memoria

La nueva ganadora de la medalla de bronce del Campeonato Nacional de Memoria de Estados Unidos reconoció que su memoria tal vez no era tan buena. Ella practicaba con imágenes mentales y empleaba otros trucos para recordar el orden de las cartas en una baraja completa. Usted probablemente no necesite recordar las cartas de una baraja, pero puede mejorar su memoria con técnicas similares como las siguientes:

Asígnele una imagen. Cada vez que aprenda algo nuevo, incluso nombres, cree una imagen mental asociada a esa información o nombre. Por ejemplo, si su nueva amiga se llama Katharine Reyna, usted puede asignarle la imagen de la actriz Katharine Hepburn de la película *La reina de África*.

Repáselo a intervalos. Concéntrese en aprender algo nuevo y luego póngalo de lado. Repase lo aprendido con intervalos de unas cuantas horas, una vez al día o cada dos o tres días. El repaso espaciado ayuda a retener la información con más precisión y durante más tiempo.

Establezca asociaciones. Encuentre una forma de relacionar la nueva información con algo que ya conoce. Esta conexión ayuda a entretejer lo que usted quiere recordar con los conocimientos que ya posee.

Fragmente la información. Si necesita recordar una larga lista de datos, divídala en bloques. El número de su Seguro Social, por ejemplo, se puede dividir en tres grupos de dígitos. Una contraseña como 5647 se puede memorizar en pares, como "cincuenta y seis, cuarenta y siete".

Invente acrónimos. Este truco mnemotécnico es muy útil para memorizar listas de palabras. Por ejemplo, ovni es el acrónimo de Objeto Volador No Identificado. Usted puede crear sus propios acrónimos utilizando la primera letra de las palabras que desea recordar. También puede emplear rimas o inventar una historia para relacionar grupos de datos que necesite recordar.

Concéntrese en los nombres. Cuando conoce a alguien por primera vez, repita el nombre de la persona y asegúrese de haberlo escuchado bien. Usted incluso puede pedir que se lo deletree. Utilice el nombre varias veces durante la conversación para fijarlo en su mente.

Dígalo en voz alta. Cuando desee recordar algo o recordar que hizo algo, dígalo en voz alta. Por ejemplo, usted podría decir: *"Son las 10 de la mañana del 2 de febrero y acabo de tomar mi antibiótico"*.

Utilice todos los sentidos. Si usted necesita recordar que debe comprar duraznos de regreso a casa, primero visualícelos. Luego imagine su sabor, su olor y cómo se sentirían al tacto si los tuviera en las manos. Por último, diga la palabra "durazno" en voz alta.

Organícese. Tenga cada cosa en su sitio y un sitio para cada cosa. Por ejemplo, siempre coloque las llaves y el celular en el mismo lugar cuando llegue a casa.

Haga que las rutinas trabajen a su favor. Tome sus medicamentos a la misma hora todos los días.

Utilice herramientas de productividad. Los jóvenes profesionales utilizan una variedad de herramientas para hacer frente a la sobrecarga de información. Usted también puede hacerlo. Utilice listas de tareas pendientes, una agenda, un calendario, notas autoadhesivas o un bloc de notas, un reloj pulsera o un celular con alarma, grabadoras de voz, mapas, carpetas para archivar o, incluso, un organizador electrónico para las actividades diarias. Hacer listas y tomar notas le ayudarán a recordar mejor lo que tiene que hacer.

Relájese. Cuando una palabra está en la punta de la lengua, pero no la puede recordar, relájese para refrescar la memoria. Los estudios indican que es más probable que la respuesta le venga a la mente si no se esfuerza tanto y deja que el cerebro trabaje sin supervisión. Si no logra relajarse, recite el alfabeto mentalmente. Cuando llegue a la letra con la que empieza esa palabra, tal vez pueda evocarla.

Pregunta & Respuesta

¿Estoy condenado a perder la memoria si no tengo título universitario ?

No. El hecho de que las personas con bajo nivel educativo sean más propensas a desarrollar demencia y deterioro mental no significa que usted no pueda hacer nada al respecto. Las personas con menos educación, que regularmente dedican tiempo a la lectura y a los juegos de palabras o rompecabezas y que asisten a conferencias, obtuvieron el mismo puntaje en las pruebas de memoria que las personas con más educación, encontró un estudio realizado por la Universidad de Brandeis. Así que deje de preocuparse sobre lo que no hizo, y empiece a buscar maneras nuevas y divertidas de estimular el cerebro.

SOLUCIÓN*rápida*

Mantenga la agudeza mental con estos consejos que, según las últimas investigaciones, funcionan de verdad:

Cepíllese los dientes y use hilo dental. Los estudios indican que las personas con inflamación, ya sea por enfermedad de las encías o pérdida de dientes, tienen un riesgo mayor de demencia. Tenga buenos hábitos de salud oral y vea a su dentista regularmente.

Limite el tiempo de televisión. Ver menos de siete horas diarias de televisión puede reducir a la mitad el riesgo de deterioro cognitivo leve.

Sepa cuál es su peso ideal. Tener un peso inferior al normal puede incrementar el riesgo de desarrollar demencia. Pregunte a su médico cuánto debe pesar. Si usted está por debajo de ese peso, hable con él para determinar qué problemas podrían estar afectando su peso.

Socialice para mantener la agudeza mental

Contar con una amplia red social puede reducir el riesgo de desarrollar demencia senil. Pero, ¿qué hacer si usted tiene que mudarse a una nueva ciudad y no conoce a nadie?

Empezar una vida social nuevamente de cero puede parecer intimidante, pero no se paralice por ello. Un estudio hecho en Harvard encontró que la memoria se deteriora dos veces más rápido en las personas que son menos activas socialmente en comparación con las que son más activas socialmente. En el estudio, estas últimas trabajaban como voluntarias, estaban casadas o tenían contacto con sus padres, vecinos e hijos.

Los investigadores dicen que muchos aspectos de la interacción social pueden ayudar a conservar la memoria. Por ejemplo, las habilidades de pensamiento y memoria que son necesarias para desenvolverse en una reunión social ayudan a mantener el cerebro ocupado y activo.

Pasar tiempo con las personas que usted quiere le puede dar un sentido a su vida, lo que puede tener efectos positivos en el cerebro.

Llevar una vida social activa puede incluso ayudar a prevenir la presión arterial alta y otros problemas de salud que pueden llevar a la pérdida de memoria. Otros estudios también han constatado que una red social más amplia, el apoyo emocional adicional y niveles más altos de participación social pueden ayudar a que usted conserve sus capacidades intelectuales durante más tiempo y a reducir su riesgo de desarrollar demencia. En un estudio, el riesgo de demencia de las mujeres cayó un 26 por ciento debido a su activa vida social.

Para beneficiarse de estas ventajas, siga los siguientes consejos:

- Si usted vive solo, empiece por lo más sencillo y consígase una mascota. Los expertos consideran que la interacción con animales domésticos es una forma de interacción social, además, usted conocerá una serie de personas interesantes cuando saque al perro —o al conejo— a caminar.

- Después de mudarse a otra ciudad, vuelva a ponerse en contacto con los amigos y familiares con los que no se ha comunicado por un buen tiempo. Es probable que se alegren de tener noticias suyas.

- Sea voluntario en una organización benéfica, un hospital o cualquier otra organización que promueva una causa en la que usted crea. O averigüe si AARP Experience Corps tiene un programa para usted. El trabajo voluntario en esta organización consiste en ayudar a los niños escolares a mejorar sus habilidades de lectura y de uso de bibliotecas. Un estudio encontró que los adultos mayores que participaron en este programa mejoraron sus capacidades de planificación básica, de resolución de problemas y de razonamiento, capacidades necesarias para desenvolverse en la vida cotidiana normal. La mejora en la actividad cerebral incluso se hizo evidente en las imágenes del cerebro hechas con un escáner. Para encontrar el programa de AARP Experience Corps más cercano, visite *www.experiencecorps.org* (en inglés).

- Haga pan casero, prepare su postre favorito o corte flores del jardín para llevar a sus nuevos vecinos y conocerlos mejor.

- Busque en el periódico o el sitio web de su nueva ciudad anuncios de actividades o clases gratuitas.

- Inscríbase en una clase de algo que le interesa. Si estas no están disponibles, busque un club que coincida con sus intereses.

- Participe en una de sus actividades favoritas para mantenerse en forma. Únase a un club de caminantes o a un gimnasio, tome clases de *tai chi* o de ejercicios acuáticos.

- Averigüe lo que hay disponible en el centro para el adulto mayor o en las agencias locales de servicios para personas mayores (*Office for the Aging*, en inglés).

- Pregunte qué actividades y cursos están disponibles en su centro comunitario.

Tres claves del mantenimiento preventivo del cerebro

Solo unos cuantos ajustes en su estilo de vida pueden ayudarle a evitar los olvidos frecuentes, la enfermedad de Alzheimer e, incluso, la disfunción cognitiva típica de la edad avanzada. Mejor aún, estos ajustes pueden tener resultados positivos hoy y en los años por venir.

Duerma para mejorar la memoria. Si usted sufre de insomnio, duerme mal o a menudo duerme poco, puede que haya descubierto la causa del desvanecimiento de la memoria y de la concentración. De acuerdo con la Fundación Nacional del Sueño, las personas con insomnio tienen dificultad para concentrarse. Es más, usted debe mantener patrones regulares de sueño para que su memoria funcione bien. Mientras usted duerme, el cerebro procesa la información recientemente adquirida para que usted pueda recordarla mejor. Este es también el momento en que el cerebro convierte las memorias de corto plazo en memorias duraderas, de largo plazo. De hecho, los estudios muestran que las personas recuerdan mejor la información adquirida el día anterior si han tenido una buena noche de sueño.

El sueño ayuda a proteger sus recuerdos de muchas otras maneras. Las investigaciones parecen indicar que la pérdida de sueño y el sueño de mala calidad pueden incrementar las probabilidades de desarrollar diabetes, lo que a su vez aumenta su riesgo de enfermedad de Alzheimer. Un estudio realizado por la Universidad de Chicago encontró que las personas a las que se les impidió llegar a las etapas más profundas del sueño durante tan solo tres noches, desarrollaron problemas con la tolerancia a la glucosa y la sensibilidad a la insulina, dos signos que aumentan el riesgo de sufrir de diabetes.

Otro estudio descubrió que las personas que duermen menos de seis horas cada noche tienen cinco veces más probabilidades de desarrollar una alteración de la glucosa en ayunas, un problema con el azúcar en la sangre que también puede llevar a la diabetes. Investigaciones adicionales muestran que las personas con diabetes tipo 2 tienen un riesgo más alto de desarrollar la enfermedad de Alzheimer y otros tipos de demencia. Algunos expertos creen que esto sucede porque la deficiencia de insulina o la resistencia a la insulina pueden dañar las células cerebrales y provocar la inflamación del cerebro.

Si le es difícil quedarse dormido, mantenerse dormido o dormir bien, lea el capítulo *Un sueño más profundo da nueva vida a sus días*, en la página 203, y descubra maneras efectivas y naturales de obtener el sueño que usted necesita para pensar mejor, recordar más y combatir la disfunción cognitiva.

Controle el estrés para una salud mental óptima. El estrés puede que no parezca tan perjudicial, pero es un verdadero desastre tanto para el cuerpo como para la mente. Según los expertos, altos niveles de estrés pueden:

- Interferir con la memoria.
- Inhibir la capacidad para recordar.
- Reducir la capacidad para prestar atención.

- Aumentar el riesgo de desarrollar demencia.

- Liberar hormonas que pueden dañar las células cerebrales.

Los científicos creen que el estrés a largo plazo puede incluso contraer la parte del cerebro asociada con la memoria y el aprendizaje. Por suerte la solución a este problema es sencilla. Cuando el estrés le impida recordar algo, simplemente relájese y deje que el recuerdo le venga a la mente.

Para superar un largo período de estrés y recobrar la tranquilidad, aprenda técnicas de relajación como la respiración profunda. Para dominar las tensiones, lea el capítulo *Enemigos del estrés*, en la página 271, y descubra valiosos consejos que le ayudarán a derrotar el estrés. Su cerebro se lo agradecerá.

Centre la atención para recordar más. La sobrecarga informativa y las distracciones son comunes hoy en día. Las investigaciones indican que algunos lapsos de memoria ocurren por no haber dado atención plena a la información que se desea evocar. Pruebe las siguientes tácticas para recordar mejor:

- Tómese tiempo para bloquear todas las distracciones. Para poder concentrarse piense en que ese momento "es importante".

- Evite las multitareas. Tratar de aprender o recordar dos cosas al mismo tiempo es más difícil y a veces no se logra retener ni la una ni la otra.

- Concéntrese exclusivamente en lo que usted desea recordar durante por lo menos ocho segundos.

Estimulante de **ENERGÍA**

Las siestas breves estimulan la capacidad para aprender y recordar hechos. Las investigaciones muestran que las personas que duermen una siesta después de tratar de aprender algo recuerdan mejor que las que no lo hacen. Un estudio encontró que bastaba con una siesta de seis minutos, pero una siesta de 35 minutos puede ser aún mejor.

Ladrones poco conocidos de la memoria

Los medicamentos para las alergias, los analgésicos y ciertos medicamentos de venta con receta médica podrían incrementar su riesgo de desarrollar demencia. Es posible que usted repentinamente empiece a tener problemas de concentración, atención y resolución de problemas. No se alarme. Saber a qué se enfrenta puede ser importante para manejar sus síntomas y riesgos.

Conozca a los ladrones de la mente. En un reciente repaso de las investigaciones realizadas sobre este tema se estableció un posible vínculo entre los trastornos cerebrales, como la demencia, y determinados medicamentos de venta con receta médica y de venta libre. Dichos medicamentos también fueron asociados a estos dos problemas médicos:

- Delirio. Confusión mental severa y repentina que puede ir acompañada de alucinaciones.

- Deterioro cognitivo. Pérdida de memoria leve o capacidades intelectuales y de pensamiento reducidas.

Los anticolinérgicos son una clase de fármacos que pueden aumentar el riesgo de desarrollar estos problemas. Los anticolinérgicos bloquean la acetilcolina, que es un compuesto que el cerebro necesita para la memoria y el aprendizaje. Desafortunadamente, cientos de medicamentos de venta con receta médica y de venta libre contienen ingredientes anticolinérgicos. Por ejemplo, un fármaco anticolinérgico llamado difenhidramina es un ingrediente presente en algunos medicamentos para tratar los síntomas del resfriado y las alergias como *Benadryl*, en las pastillas para dormir como *Unisom* y *Sominex*, y en algunos analgésicos que llevan "PM" al final de sus nombres, como *Tylenol PM*.

Otros anticolinérgicos están presentes en medicamentos de venta con receta para tratar la presión arterial alta, el asma, el insomnio, la incontinencia, la depresión, la ansiedad, la enfermedad de Parkinson, el colesterol y la insuficiencia cardíaca.

Sepa cuáles son los riesgos. ¿A qué se debe que no todas las personas que toman difenhidramina desarrollan demencia? Los anticolinérgicos por sí solos no son suficientes para causar estos problemas del cerebro. Otros factores, como la edad, también intervienen. Los expertos sostienen, por ejemplo, que es más probable desarrollar estos problemas a medida que se envejece, por razones como las siguientes:

- El adulto mayor promedio toma cinco o más medicamentos de venta con receta. Mientras más medicamentos tome, mayor será la probabilidad de estar tomando anticolinérgicos. Y cuantos más anticolinérgicos tome, más probable será que usted desarrolle demencia u otro trastorno cerebral.

- Los adultos mayores son más sensibles a los efectos de los anticolinérgicos de este tipo de medicamentos.

- A medida que envejece, el cuerpo tarda más tiempo en eliminar los medicamentos.

Proteja su cerebro. Si le preocupa el riesgo de desarrollar enfermedad de Alzheimer o si es un adulto mayor que tiene problemas de memoria y dificultad para pensar, haga una lista de todos los medicamentos que toma. Incluya tanto los medicamentos con receta como los de venta libre. Pregunte a su médico o a su farmacéutico si los medicamentos en esa lista tienen efectos secundarios o interacciones con otros medicamentos que puedan causar problemas en su memoria o en su capacidad para pensar. Si ellos dicen que sí, trate de cambiar esos medicamentos.

Un experto considera que el uso a largo plazo de anticolinérgicos puede llegar a triplicar el riesgo de Alzheimer, así que eliminar estos fármacos puede ayudar. Es más, si los síntomas relacionados con la memoria y el pensamiento se deben a un medicamento, es probable que desaparezcan al dejar de tomarlo.

Una pequeña advertencia: nunca deje de tomar un medicamento recetado por su médico sin su aprobación.

Sorprendente cura para los olvidos

Durante las fiestas navideñas, Harry y su esposa notaron por primera vez que su mamá de 89 años estaba teniendo problemas de memoria. "Cuando la visitamos de nuevo en julio, su memoria había empeorado", recuerda Harry. "Estaba confusa y ya no podía hacerse cargo de las tareas diarias más sencillas".

Desesperado, Harry consultó los sitios web que ofrecían información sobre la demencia. Fue entonces que leyó un artículo sobre los efectos secundarios de un medicamento para el control de la vejiga que su mamá estaba tomando. Pérdida severa de la memoria, era uno de ellos. Harry y su esposa solicitaron el cambio de ese medicamento. "En tres meses, mi mamá estaba bien y todo había vuelto a la normalidad", dice Harry.

Beba a la salud de su memoria

Conozca cuáles son las bebidas que acompañan el desayuno y que pueden protegerle de la demencia y la pérdida de la memoria.

Descubra el poder de los jugos de frutas. Las personas que beben jugo de frutas o verduras tres veces a la semana son 76 por ciento menos propensas a desarrollar Alzheimer que quienes lo hacen menos de una vez a la semana, concluyó un estudio realizado por la Universidad de Vanderbilt. Otros estudios parecen indicar que esta observación también es válida para los jugos comerciales hechos a partir de concentrados.

Los expertos creen que los radicales libres y la inflamación en el cerebro son un importante factor de riesgo para la enfermedad de Alzheimer. A eso se debe en parte que los investigadores de Vanderbilt consideren que los jugos ricos en polifenoles pueden funcionar mejor para disminuir el riesgo. Los polifenoles tienen poder antioxidante y antiinflamatorio. Es más, los estudios muestran que los polifenoles en los jugos de manzana, de uva y de frutos cítricos tienen más poder para proteger el cerebro que las vitaminas antioxidantes. Estos no son los únicos jugos con propiedades curativas. Un estudio pequeño encontró que los adultos mayores con problemas de memoria mejoraron considerablemente sus puntajes en las pruebas de aprendizaje y memoria luego de beber 2 1/2 tazas de jugo de arándanos azules diariamente durante 12 semanas.

Asigne "guardaespaldas" a las células cerebrales bebiendo café. A muchas personas les gusta empezar el día con una taza de café, debido al estímulo adicional que reciben de la cafeína. Ese estímulo puede tener beneficios adicionales. En un estudio, los hombres mayores que bebieron café mostraron tener menos deterioro mental que aquellos que no lo hicieron. Una de las causas del deterioro mental es el compuesto llamado beta amiloide, que puede dañar las células cerebrales. La cafeína del café puede iniciar una reacción en cadena para enviar un "destacamento especial" de compuestos que defiendan las células cerebrales del daño del compuesto beta amiloide. Si usted bebe café, recuerde no hacerlo al final del día. La cafeína podría mantenerlo despierto toda la noche.

SOLUCIÓN*rápida*

Atención amantes del *tofu*. El exceso de algo bueno puede llevar a la demencia. Un estudio reciente realizado en Indonesia, encontró que los adultos mayores que consumían más *tofu* también eran más propensos a la pérdida de memoria. Los investigadores creen que los fitoestrógenos de la soya pueden tener efectos dañinos en el cerebro de las personas mayores. No se observó una relación entre comer *tempeh*, un producto de soya fermentada, y la pérdida de memoria. El *tempeh* puede ser más seguro debido a que el proceso de fermentación aumenta su contenido de folato, y el folato protege el cerebro.

En otro estudio realizado en Japón se vio que los hombres que comían *tofu* dos o más veces a la semana también eran más propensos a desarrollar problemas de memoria al envejecer. Limite su consumo de *tofu* a una vez por semana, y prefiera el *tempeh* siempre que sea posible.

Ocho meriendas para la inteligencia

Merendar es bueno. Convierta la próxima merienda en una excusa para disfrutar de estos deliciosos "alimentos para el cerebro":

Las zarzamoras. Los estudios sugieren que el daño de los radicales libres y la inflamación contribuyen al deterioro mental que ocurre con el paso de los años o cuando se desarrolla demencia. Afortunadamente, los antioxidantes pueden prevenir el daño de los radicales libres.

Los estudios de laboratorio muestran que la zarzamora, también conocida como mora negra, tiene un alto poder antioxidante y antiinflamatorio. Esto tal vez explique por qué un estudio reciente realizado con animales encontró que las zarzamoras pueden ayudar a mejorar la memoria. El secreto detrás de ese éxito de la zarzamora pueden ser los polifenoles llamados antocianinas. Estas antocianinas no solo le dan su distintivo color oscuro a la zarzamora, también aportan un poder antioxidante y antiinflamatorio adicional para la defensa del cerebro. Otras opciones ricas en polifenoles incluyen los arándanos azules, las nueces, las fresas, los arándanos rojos, las espinacas y las ciruelas.

Los *bagels*. Las roscas de pan que se conocen como *bagels* tienen un alto contenido de ácido fólico, una importante vitamina B, y saben muy bien con mermelada de zarzamora. Un estudio encontró que el riesgo de desarrollar la enfermedad de Alzheimer era hasta un 50 por ciento menor en las personas que consumían más ácido fólico. Para asegurarse de obtener cantidades suficientes de esta vitamina esencial, disfrute de alimentos como el arroz blanco fortificado, las lentejas, los frijoles carita, los frijoles pinto, los frijoles negros y los espárragos.

Los cereales para desayuno. Los cereales para desayuno como *Product 19* y *Special K* son buenas fuentes de vitamina B12. Esto es importante porque un estudio reciente encontró que en los adultos mayores con los niveles sanguíneos más altos de vitamina 12, la probabilidad de una contracción del cerebro era seis veces menor. La contracción del cerebro puede llevar a la pérdida de memoria o a la demencia. Los adultos mayores absorben menos cantidades de esta vitamina, así que nutra su cuerpo con la mayor cantidad posible de alimentos ricos en B12. Buenas opciones incluyen la carne, el pescado, la leche y los cereales enriquecidos para el desayuno.

Muchos cereales para desayuno también son excelentes fuentes de vitamina D. Eso es bueno porque la demencia ha sido asociada a niveles bajos de vitamina D. Usted necesita la vitamina D para proteger las células cerebrales. Lamentablemente, las personas mayores de 60 años tienden a presentar una deficiencia de esta vitamina. Hable con su médico para determinar si usted debe hacerse una prueba para la deficiencia de vitamina D. Entretanto, consuma muchos alimentos con alto contenido de esta vitamina, como la leche, el pescado y los cereales para desayuno.

Las manzanas. Las manzanas no solo son ricas en antioxidantes, sino que también son una buena fuente de un importante mineral traza, el boro. Un investigador en temas de nutrición del Departamento de Agricultura de Estados Unidos cree que la falta de boro en la dieta puede afectar los procesos de memoria y de pensamiento. También señala que la mayoría de las personas no están obteniendo suficiente boro para la salud cerebral. Para agregar más boro a su dieta, coma manzanas, crema de cacahuate y pasas.

Las nueces. Agregar un puñado de nueces a su dieta puede ayudar a mejorar la memoria a corto plazo, sugiere un estudio realizado en animales. Pero no coma más de seis nueces al día o podría empezar a acumular grasa alrededor de la cintura.

El arroz integral. Para los días en que tiene más ocupaciones, prepare esta merienda con anticipación. Solo necesita cocinar un poco de arroz integral, agregarle pasas, espolvorearle canela y añadir un poco de miel. El arroz integral es rico en vitamina B3 (la niacina). Pero cuando la niacina ingresa al cuerpo, se transforma en otra forma de B3 llamada nicotinamida.

En un estudio reciente realizado en animales se encontró que la nicotinamida adicional ayudó a prevenir los problemas de memoria y de pensamiento en los animales que tenían demencia. Aunque más investigaciones son necesarias, usted podría empezar por elegir más alimentos ricos en vitamina B3, como un arroz integral con pollo.

La coliflor. Agregue coliflor a la fuente de verduras picadas y sírvala con su aliño favorito o con una salsa. La coliflor puede aportarle algo extra, un compuesto llamado citicolina. En un estudio reciente en animales se descubrió que cantidades adicionales de citicolina ayudaron a prevenir una clase de daño cerebral que puede resultar en demencia vascular, el segundo tipo más común de demencia. La citicolina también puede tener efectos positivos en la memoria y la capacidad de aprendizaje. Para darle a su cuerpo más citicolina, coma más pescado y cacahuates.

El cacao. Las barras de chocolate oscuro y el chocolate oscuro caliente pueden ser buenos para usted en pequeñas cantidades. Eso se debe a que contienen unos antioxidantes llamados flavanoles. En un estudio pequeño, los participantes respondieron mejor a problemas matemáticos difíciles y experimentaron menos fatiga mental en los días en que bebían chocolate caliente con alto contenido de flavanoles. Los investigadores no saben a ciencia cierta a qué se debe esto, pero creen que los flavanoles aumentan el flujo de sangre al cerebro. Esa es una buena excusa para tener siempre un poco de chocolate oscuro a mano para los días en que su cerebro necesita un estímulo extra.

Estimulante de **ENERGÍA**

¿Recuerda usted aquellos días en que podía recordar mejor? Reavive la memoria utilizando la nariz. En un estudio les fue mejor a las personas que tomaron pruebas de memoria en una sala que olía a menta que a las que tomaron la misma prueba en una sala perfumada con *ylang ylang* o sin olor alguno.

Para probarlo, compre en línea un vaporizador que también funcione con aceites esenciales. Usted también puede colocar en un pañuelo tres o cuatro gotas de aceite de menta e inhalar a la distancia de vez en cuando. Recuerde mantener los aceites esenciales lejos de la boca y los ojos, y nunca aplicar aceites sin diluir directamente sobre la piel. Estos siempre se deben diluir en un aceite base, como el aceite de almendra, albaricoque, semilla de uva o *jojoba*.

Cómo retirar la demencia del menú

Cada comida que usted se sirve puede alejarlo del riesgo de sufrir pérdida de memoria o acercarlo un poco más. La clave está en saber cuáles son los alimentos que usted debe incluir en el menú y cuáles podrían traerle problemas.

Elija las grasas adecuadas. Los participantes de un estudio que consumieron la mayor cantidad de grasas saturadas y grasas trans fueron dos veces más propensos a desarrollar la enfermedad de Alzheimer que los participantes que evitaron esas grasas. Otro estudio realizado durante seis años con adultos sanos mayores de 65 años encontró que cuanto mayor era su consumo de grasas saturadas y grasas trans, más alto era su nivel de deterioro mental.

Las grasas saturadas son las que se encuentran en las carnes, la leche entera, el queso y la mantequilla. Las grasas trans se encuentran comúnmente en las comidas rápidas, los alimentos fritos y los alimentos envasados. Sustituya las grasas saturadas y las grasas trans por grasas no saturadas, que son las que se encuentran en alimentos como el pescado, el aceite de oliva, el aceite de *canola*, el aguacate, la crema natural de cacahuate y los frutos secos.

Cuidado con las dietas bajas en carbohidratos. El peso puede no ser lo único que se pierde en una dieta baja en carbohidratos, sobre todo si inicia la dieta eliminando los carbohidratos por completo. Un pequeño estudio de la Universidad de Tufts encontró que las mujeres que dejaron de comer todo tipo de carbohidratos obtuvieron puntajes más pobres en las pruebas de memoria que las mujeres que siguieron una dieta baja en calorías, pero que incluía carbohidratos. Cuando las mujeres pasaron a una dieta que permitía pequeñas cantidades de carbohidratos, mejoraron sus resultados en las pruebas de memoria.

Cada vez que usted come carbohidratos, como los cereales, las frutas o las verduras, el cuerpo las descompone en glucosa. El cerebro necesita glucosa para funcionar de la misma manera que un auto necesita combustible. En consecuencia, cuando usted elimina los carbohidratos de su dieta, usted detiene el suministro de combustible al cerebro. Los investigadores de la Universidad de Tufts recomiendan mantener al menos unos cuantos carbohidratos en la dieta en todo momento.

Coma al estilo mediterráneo. Imagínese descansando en una isla griega y comiendo como los lugareños: en su mesa tendrá más pescado fresco, abundantes granos enteros y frijoles, vibrantes frutas y verduras, crujientes frutos secos y el saludable aceite de oliva. Los estudios señalan que las personas que siguen esta dieta mediterránea son, como mínimo, 40 por ciento menos propensas a desarrollar la enfermedad de Alzheimer. Esa es una notable diferencia. Solo recuerde estas pautas sencillas:

- Coma pescados grasos, como el salmón y el arenque, y muy pocas carnes rojas.
- Incluya solo pequeñas cantidades de pollo y pavo.
- Limítese a solo unos cuantos huevos a la semana.
- Evite los productos lácteos con alto contenido de grasa, como el helado y la leche entera. En su lugar, elija la leche descremada y el yogur sin grasa.
- Encuentre nuevas maneras de agregar frijoles a su menú.

- Trate de comer 10 porciones de frutas y verduras al día. Saltee las verduras o prepárelas al vapor.

- Disfrute de los panes y cereales integrales, y pruebe nuevas opciones, como el arroz integral, el cuscús y el *bulgur*.

- Agregue nueces, almendras y otros frutos secos a su dieta, pero deje de lado las versiones saladas o tostadas con miel.

- Prefiera las grasas buenas, como el aguacate y el aceite de oliva.

Estimulante de ENERGÍA

Aparte unos minutos por las mañanas para tomar desayuno. Los estudios comprobaron que mejora la memoria y la resistencia física. Un estudio realizado en Canadá encontró que la grasa, las proteínas y los carbohidratos que aporta el desayuno pueden mejorar la memoria. Otros estudios mostraron los mismos resultados. Además, no desayunar significa que usted estaría por lo menos 14 horas sin comer.

En otro estudio se descubrió algo aun más sorprendente: las personas que se saltan el desayuno son cuatro veces y media más propensas a volverse obesas que las que toman desayuno. Otra razón para disfrutar de un desayuno bajo en azúcar y bajo en grasa, que sea también rico en fibra, carbohidratos y proteínas. Un ejemplo es una tostada integral con crema de cacahuate y fruta.

Trucos para la salud del corazón y del cerebro

Mantener el corazón sano podría ser su arma secreta contra la pérdida de memoria y la demencia. Un estudio realizado en Francia descubrió que el tratamiento de los factores de riesgo cardíaco hacía más lento el progreso de la demencia en las personas que ya la tenían. Esa es una buena razón para seguir estas cuatro recomendaciones sencillas para protegerse, al mismo tiempo, de los ataques cardíacos, los accidentes cerebrovasculares y la pérdida de memoria.

Quítese un peso de encima. Un estudio concluyó que las personas obesas de edad mediana son tres veces más propensas a desarrollar Alzheimer que las personas con un peso saludable. Esto puede ser debido a que las células grasas producen compuestos inflamatorios peligrosos que viajan al cerebro. Sin embargo, en un estudio realizado en Alemania se observó que quienes redujeron su ingesta de calorías y perdieron entre 5 y 8 libras de peso obtuvieron mejores resultados en las pruebas de memoria apenas tres meses más tarde.

Sustituya la sal por especias. Reducir el consumo de sal es clave para combatir la presión arterial alta, un problema que puede llevar a pequeños y silenciosos derrames cerebrales o a la formación de placas cerebrales que, con el tiempo, podrían afectar su memoria. Las investigaciones muestran que las personas con la presión arterial alta son un 60 por ciento más propensas a desarrollar demencia que las personas con la presión arterial normal. Estudios preliminares sugieren que adoptar medidas para tratar o evitar la presión arterial alta puede ayudar.

Aléjese de los alimentos fritos o envasados. Estos a menudo contienen grasas trans que pueden aumentar el colesterol malo LDL y reducir el colesterol bueno HDL. Un nivel de colesterol superior a 200 mg/dL puede contribuir a la formación de placas cerebrales, que causan demencia, o desencadenar problemas que reduzcan el flujo de sangre esencial para el cerebro. Tal vez por eso un nivel alto de colesterol total en la mediana edad ha sido asociado a un riesgo mayor de desarrollar trastornos mentales y demencia. Pero eso no es todo. Un estudio reciente parece indicar que las personas con el colesterol HDL por debajo de 40 mg/dL son 53 por ciento más propensas a tener pérdida de memoria que las personas con un HDL superior a 60 mg/dL. Los científicos creen que esto se debe a que el HDL puede ayudar a prevenir la formación de placas en el cerebro. Entre las buenas maneras de elevar su nivel de HDL están el ejercicio aeróbico, adelgazar si usted tiene sobrepeso, evitar las grasas trans y dejar de fumar. Estas tácticas también pueden ayudar a reducir el nivel de colesterol total.

Consuma más fibra. Comer alimentos ricos en fibra, como los cereales integrales, hace más lenta la capacidad del cuerpo para absorber la glucosa que eleva el nivel de azúcar en su sangre. La fibra también puede reducir el riesgo de desarrollar diabetes. Esa es una buena noticia porque la diabetes y los niveles altos de insulina pueden casi duplicar el riesgo de desarrollar la enfermedad de Alzheimer. No olvide que:

- La diabetes daña los vasos sanguíneos en el cerebro.

- Niveles elevados de azúcar en la sangre pueden dañar las células del cerebro.

- Niveles altos de insulina pueden prevenir la degradación natural de la beta amiloide, proteína relacionada con la aparición de las placas cerebrales y la enfermedad de Alzheimer.

Afortunadamente, los estudios iniciales sugieren que un buen control sobre el azúcar en la sangre puede ayudar a prevenir el deterioro mental.

Para conocer más detalles sobre estas medidas saludables para el corazón, vea los capítulos *Remedios naturales que animan el corazón,* en la página 117, *Mantenga niveles seguros y estables de azúcar en la sangre y disfrute de energía sin fin,* en la página 61, y *La grasa abdominal: maneras fáciles de adelgazar y cargarse de energía,* en la página 1.

¿Beber o no beber alcohol?

Aunque beber en exceso puede aumentar su riesgo de desarrollar pérdida de memoria, beber poco o con moderación puede tener el efecto opuesto. Beber en pequeñas cantidades puede mejorar el flujo de sangre al cerebro, dicen algunos profesionales de la salud. Si usted no bebe, no empiece a hacerlo. Pero si bebe, recuerde que una cerveza de 12 onzas o una copa de vino de 5 onzas cuentan como un trago. Limite su consumo a dos tragos al día si es hombre y a uno si es mujer.

Revierta la "demencia falsa"

Los olvidos y la confusión no siempre son signos de Alzheimer. Otros problemas médicos pueden causar síntomas similares. Estos pueden disminuir o hasta desaparecer una vez que reciba tratamiento. Antes de preocuparse sobre la posibilidad de tener Alzheimer, siga estos consejos:

Converse con su médico. Un paciente que creía tener síntomas de Alzheimer se sorprendió al enterarse de que no tenía ningún tipo de demencia. En su lugar fue diagnosticado con hidrocefalia de presión normal, que es cuando un exceso de líquido comprime el cerebro. Los síntomas desaparecieron después de recibir tratamiento.

Aunque este es un caso particular, hable con su médico si usted además tiene problemas para caminar e incontinencia. Otros problemas de salud que también pueden causar fallas de memoria, pensamiento lento o confusión son la diabetes, la baja función tiroidea (hipotiroidismo) y la apnea del sueño, entre otros. Pregunte a su médico si usted debe hacerse pruebas para alguna de estas enfermedades que pueden provocar los síntomas atribuidos a una pseudodemencia o "demencia falsa".

Mida sus niveles de B12. Una deficiencia de vitamina B12 puede llevar al médico a pensar que usted ya tiene la enfermedad de Alzheimer, aun cuando no sea así. La vitamina B12 ayuda a mantener la salud de las células nerviosas. Obtener suficiente vitamina B12 se vuelve más difícil con la edad porque el cuerpo no la absorbe con la misma eficiencia de antes. Eso hace que el riesgo de deficiencia de esta vitamina sea mayor. Si presenta un déficit de B12, usted puede desarrollar problemas de confusión y pérdida de memoria que pueden confundirse con el mal de Alzheimer. En ese caso, pregunte a su médico si usted debe tratarse la deficiencia de vitamina B12. Mientras más pronto reciba ese tratamiento, más probable será que usted se recupere del todo.

Preste atención a los líquidos. Con el envejecimiento disminuye la capacidad del cuerpo para sentir sed. Esa puede ser una razón que explica por qué la deshidratación está detrás de casi el 7 por ciento de las hospitalizaciones entre los adultos mayores. La deshidratación ocurre cuando el cuerpo recibe muy poco líquido. Las investigaciones muestran que la deshidratación puede causar un rendimiento mental deficiente, mala memoria a corto plazo y tiempos de reacción más lentos para la toma de decisiones. Hable con su médico sobre la cantidad de agua que usted debe tomar al día, y lleve un registro de todo lo que bebe.

Tome más agua si el clima está más caliente o seco, o cuando hace ejercicio o esfuerzo físico. Y esté atento a estos signos de deshidratación:

- Boca y labios secos
- Mareos o dolores de cabeza
- Olvidos o confusión
- Respiración rápida
- Aumento en el ritmo cardíaco
- Orina oscura o estreñimiento
- Debilidad o falta de energía

Cuidado con la trampa del alcohol. El alcohol puede interactuar con algunos medicamentos y causar pérdida de memoria. Si usted bebe alcohol, hable con su médico o farmacéutico.

Piense en positivo para mejorar su memoria

Una razón por la cual su memoria podría empeorar con el paso de los años es porque usted espera que así sea. Fueron los adultos mayores que creían que las personas de edad tendrían resultados más pobres en las pruebas de memoria, los que obtuvieron las puntuaciones más bajas en dichas pruebas, según resultados de un estudio. En otro estudio se descubrió que los adultos de mediana edad y los adultos mayores que esperaban conservar su memoria y su capacidad para pensar obtuvieron mejores puntuaciones que las personas que no compartían esa manera de pensar.

En lugar de preocuparse por la pérdida de memoria, concéntrese en lo que intenta recordar o aprender ahora. Esto ayuda a afinar sus destrezas de memoria. Sustituya sus temores de pérdida de memoria con nuevos retos para el cerebro, y podría sorprenderse de lo bien que estarán su memoria y su capacidad para pensar.

Enemigos del estrés

Supere el estrés comiendo

Olvídese de las pelotas antiestrés y concéntrese en las frutas, las verduras y los alimentos integrales. La clave para combatir las tensiones de la vida diaria está en el refrigerador y no en la caja de juguetes. Obtenga la cantidad suficiente de los nutrientes esenciales que usted necesita para desestresarse, cargarse de energía y empezar a sentirse mejor.

Reponga los minerales que son tranquilizantes naturales. Tanto el magnesio como el calcio pueden ser eliminados rápidamente por el organismo durante una situación de estrés. Eso significa que usted puede no contar con las reservas necesarias de estos nutrientes esenciales.

Cuando usted siente ansiedad, sus niveles de glucosa en la sangre son menores, lo que lleva a un aumento de las catecolaminas, que son las hormonas asociadas con la reacción de "lucha o huida", como la epinefrina que el cuerpo libera para afrontar el estrés adicional. Este cambio hormonal, a su vez, reduce los niveles de magnesio en el cuerpo. En un estudio se comprobó que durante la época de exámenes los estudiantes universitarios perdían una cantidad mayor de magnesio a través de la orina. Eso no es todo. Cuando se está bajo estrés, el cuerpo produce cortisol, la llamada hormona del estrés, lo que eleva la excreción de calcio. Estamos hablando entonces de la pérdida de dos minerales importantes.

Recupere lo perdido obteniendo más calcio y magnesio de los alimentos. La espinaca, las semillas de girasol y de calabaza, y los frijoles blancos y negros son buenas fuentes de magnesio. Para el calcio, busque productos lácteos bajos en grasa, como la leche, el yogur y el queso, y verduras, como la espinaca y la berza.

Mantenga el cortisol en equilibrio. Asegúrese de obtener cantidades suficientes de estos otros nutrientes, los cuales pueden afectar sus niveles de cortisol:

- Ácidos grasos omega-3. Esta grasa saludable para el corazón, abundante en el aceite de pescado, actúa como un tampón para el exceso de hormonas del estrés. Un estudio que dio seguimiento a trabajadores de una universidad en Australia, encontró que tomar suplementos de omega-3 durante seis semanas les ayudó a sentir menos tensiones y hostilidad. Los participantes del estudio tomaron cada día 1-1/2 gramos de un omega-3 específico, el ácido docosahexaenoico (DHA, en inglés). Parece que el DHA redujo los niveles sanguíneos de norepinefrina —una de las hormonas asociadas con la reacción de "lucha o huida"—, así como los niveles de las proteínas que elevan la inflamación en el cuerpo. Trate de consumir pescados grasos, como el salmón y el atún, para obtener esta grasa saludable de las comidas y no de una pastilla.

- Vitamina C. Esta importante vitamina antioxidante es esencial para el funcionamiento de la glándula suprarrenal. Obtener suficiente vitamina C ayuda a estabilizar los niveles de cortisol. Usted necesita algo de vitamina C todos los días, así que elija buenas fuentes de esta vitamina, como las fresas, el jugo de naranja, los pimientos dulces y el brócoli.

- Vitaminas B. Estas joyas nutricionales solubles en agua son una gran ayuda para combatir los daños producidos por el estrés. La tiamina (vitamina B1) y la pantetina (vitamina B5) impiden que el cuerpo produzca demasiado cortisol. A la pantetina se la conoce también como la vitamina antiestrés, porque ayuda al cuerpo a producir adrenalina y mejora la resistencia física. La vitamina B6 participa en la producción de ciertas sustancias químicas cerebrales que ayudan a afrontar el estrés. Obtenga las vitaminas que su cuerpo necesita prefiriendo los granos integrales, como la avena, el arroz integral y las harinas integrales de trigo y centeno.

SOLUCIÓNsencilla

Comerse las uñas es un síntoma clásico de estrés. Estos son tres consejos para lucir uñas perfectas en poco tiempo:

- Terapia de la banda elástica. Para superar el mal hábito de comerse las uñas, asócielo con un momento de dolor. Lleve una banda elástica alrededor de la muñeca. Estire y suelte la banda sobre la muñeca cada vez que se dé cuenta que está comiéndose las uñas.

- Encubrimiento rápido. Colóquese uñas artificiales o curitas sobre las puntas de las uñas. La barrera física le impedirá comérselas y le recordará que debe dejar de hacerlo.

- Tratamiento del mal sabor. Las cremas y los esmaltes de uñas con sabor desagradable le ayudarán a recordar que debe mantener los dedos fuera de la boca. Busque los productos *Mavala Stop* o *Control-It*.

Libere la tensión a la hora del té

Sentarse a disfrutar de una buena taza de té es una experiencia relajante. Nuevas investigaciones muestran que no solo la taza de té caliente con el delicioso panecillo y la compañía placentera son los que hacen que usted se sienta cómodo a la hora del té. En varios tipos de té hay ingredientes que reducen la respuesta del cuerpo al estrés.

Relájese con té negro. Un estudio entre hombres jóvenes realizado en Londres, ciudad de bebedores de té, encontró que los niveles de estrés ante una situación difícil fueron menos elevados en aquellos que bebieron té negro cuatro veces al día durante seis semanas. La comparación se hizo con hombres que tomaron una bebida similar que no contenía té. Los dos grupos tuvieron que afrontar una situación de estrés, como la posibilidad de perder sus empleos o de ser acusados de robar en una tienda. Cada uno luego tuvo que defenderse frente a una cámara. Los investigadores comprobaron que los bebedores de té tenían niveles sanguíneos más bajos de cortisol, la hormona del estrés. Tenían además una menor incidencia de ciertos factores de riesgo cardíaco y mostraron estar más relajados al concluir la prueba.

El té negro tiene tantos ingredientes activos, entre ellos los flavonoides, los polifenoles y las catequinas, que los expertos no saben con certeza a qué se debió este resultado. Especulan que la clave radica en la teanina, un aminoácido que puede bloquear los efectos de las emociones en el cuerpo.

Apueste al verde para un cambio relajante. El té verde, la tradicional bebida china, también puede ser una opción relajante, ya que al igual que el té negro contiene teanina. Ambos proceden de la planta *Camellia sinensis*. Investigaciones realizadas en Japón encontraron que el extracto de teanina ayudó a que estudiantes pudieran relajarse, incluso justo después de tomar un examen de matemáticas. En otros estudios se observó que beber té verde puede reducir el riesgo de sufrir depresión y otras formas de angustia mental. El mayor beneficio se obtuvo con cinco o más tazas diarias. Este poderoso refuerzo para la salud también puede ayudar a reducir la presión arterial, hacer más lento el endurecimiento de las arterias y mantener el peso bajo control.

Mantenga la calma con manzanilla. La infusión de manzanilla, bebida favorita a la hora de acostarse, también ayuda a aliviar la ansiedad. Los investigadores observaron a un grupo de personas que con seguridad estaban bajo estrés: pacientes que iban a someterse a un procedimiento de cateterismo cardíaco. Y efectivamente, más del 80 por ciento de los pacientes que bebieron dos tazas de infusión de manzanilla se quedaron profundamente dormidos a los 10 minutos. La infusión de manzanilla se prepara con *Matricaria chamomilla*, que no es la misma planta de donde se obtiene el té negro y el té verde. El ingrediente activo en la manzanilla con efectos relajantes es probablemente la apigenina, un flavonoide. Un estudio realizado en ratones encontró que la apigenina actúa como un medicamento tranquilizante.

Medidas sencillas para controlar el estrés

El estrés por lo general no surge de la nada. Usted tal vez pueda identificar las situaciones que le provocan ansiedad si presta atención a lo que está sucediendo en su vida cuando empieza a sentirse abrumado. Cada persona es distinta, de modo que identificar las situaciones y los factores que a usted le provocan estrés le ayudará a evitarlo y a controlar sus estados de ánimo.

Cree un mapa de sus estados de ánimo. Lleve un registro o un "diario de estrés" durante por lo menos una semana, anotando sus estados de ánimo a ciertas horas o momentos del día. Divida cada página en cuatro o cinco secciones, una por cada momento del día:

- para las primeras horas de la mañana
- para las últimas horas de la mañana
- para las primeras horas de la tarde
- para las últimas horas de la tarde
- para las horas de la noche

Describa brevemente cómo se sintió en cada momento del día, por ejemplo, "con mucha ansiedad", "más o menos" o "ninguna ansiedad". Utilice una escala del uno al cinco, donde uno indica "de muy mal humor" y cinco "de muy buen humor". También lleve registro de otros datos importantes para cada segmento de tiempo. Estos datos clave podrían incluir lo que usted cree que fue la causa de su estrés, si usted se sintió mal físicamente y cuál fue su comportamiento en respuesta al problema.

Revise su diario de estrés después de por lo menos una semana y trate de identificar los patrones de estrés, ansiedad o descontento. ¿Suelen darse en las mismas horas del día? ¿Podrían estar relacionados con el consumo de cafeína? ¿Se encontraba usted solo o acompañado? ¿Sentía hambre o sentía prisa? Preguntas como estas pueden ayudarle a identificar los factores desencadenantes u otras fuentes de su estrés o ansiedad.

Recupere el control. Usted no está condenado a tratar con el mismo tipo de estrés, día tras día, semana tras semana. Usted puede superar estas situaciones de tensión una vez que determine qué acciones o eventos tienden a causarle problemas. Estas son cuatro maneras "A+" de combatir una situación estresante:

- *Aléjese* de la causa del estrés para que ya no sea un problema para usted. Esto significa que usted debe empezar a evitar ciertas personas o situaciones.

- *Altere* el estrés transformándolo en algo que usted pueda manejar sin ansiedad.

- *Adáptese* al estrés para poder controlarlo mejor. Usted tal vez deba dejar de buscar la perfección o tal vez deba sencillamente cambiar la manera cómo ve y enfrenta determinadas situaciones.

- *Acepte* el estrés si no lo puede cambiar. Algunas cosas en la vida están más allá de su control.

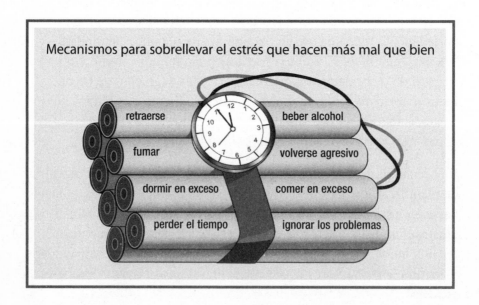

Mecanismos para sobrellevar el estrés que hacen más mal que bien

retraerse · beber alcohol · fumar · volverse agresivo · dormir en exceso · comer en exceso · perder el tiempo · ignorar los problemas

Pregunta & Respuesta

¿Es el estrés siempre malo?

El exceso de estrés que no parece tener fin puede afectar negativamente su salud mental y física. Pero el estrés en pequeñas cantidades es parte normal de la vida y hasta puede darle un toque de sabor a su día. Sin el estrés, la vida sería aburrida y monótona. Aprenda a manejar los pequeños momentos de estrés en la vida para que no se agraven hasta convertirse en un problema serio.

Juegue ahora o pague más tarde

¿Cuándo fue la última vez que usted hizo algo solo por diversión? Sin un objetivo específico, sin un plan para el éxito, sin cronogramas, simplemente para pasar el tiempo y pasar un buen rato. Ese es el verdadero significado de "jugar" y los adultos no lo hacen con la frecuencia suficiente. La sociedad nos enseña que el juego es para los niños y que los adultos deben ser productivos a toda hora y deben evitar perder el tiempo. Sin embargo, los expertos advierten que la falta de juego puede condenar a una persona a una vida de pesadumbre y desdicha, sin la capacidad de poder librarse de las tensiones de la vida cotidiana.

El juego adquiere una importancia aún mayor cuando se viven tiempos difíciles, cuando la economía está en declive o cuando ocurren acontecimientos tristes o con consecuencias negativas. Las investigaciones muestran que el estrés crónico en animales contrae las partes del cerebro responsables de la memoria y del aprendizaje de nuevas tareas. En cambio, el juego reduce los niveles de las hormonas del estrés en la sangre, lo que ayuda a mantener la salud del cuerpo.

Si su vida carece de diversión y frivolidad, estas son algunas ideas para que usted pueda reconquistar la alegría de la hora del juego.

Concéntrese en relajarse y en divertirse, en lugar de tratar únicamente de incluir más logros en su día.

- Reviva las actividades que disfrutaba hacer en su niñez. ¿Le gustaba montar a caballo? ¿Jugar al baloncesto? ¿Andar en bicicleta? Usted aun puede practicar esas actividades y puede que las disfrute tanto como antes.

- Observe cuál es su actitud frente a los juegos para adultos. Si usted se toma demasiado en serio la técnica del *swing* cuando juega golf o está obsesionado en mejorar sus tiempos cuando corre, entonces no se está divirtiendo. Esa actitud es una fuente de estrés, no es jugar.

- Busque amigos que sepan jugar. Entre los mejores están los perros y los nietos pequeños. A ellos les interesa únicamente divertirse, no cumplir con un horario ni obtener el puntaje más alto.

- Salga y siembre. El cardiólogo Meyer Friedman, quien desarrolló el concepto de la personalidad tipo A propensa a un elevado nivel de estrés, recomienda pasar más tiempo en compañía de las tres P: las personas, los perros y las plantas. Las tres P pueden alimentar su lado creativo. Es más, las plantas no van a discrepar con usted ni le van a contestar mal. Así que salga a su jardín y póngase manos a la obra.

- Vuelva a la mesa de trabajos manuales. Pero no trate de pintar el cuadro perfecto o producir un cinturón de cuero repujado digno de un rey. Simplemente diviértase tratando de hacer algo con las manos.

- Programe una cita para jugar con su pareja. Sí, una cita de juegos íntimos. Si usted y su cónyuge se sienten físicamente saludables para disfrutar de actividades íntimas, pásenla bien entre las sábanas. Usted podrá relajase y olvidar el mundo exterior, y luego ambos se sentirán rejuvenecidos.

Estimulante de **ENERGÍA**

El estrés puede producir cansancio. Supere el agotamiento y recupere el entusiasmo con estos consejos para vencer la fatiga:

- Tome desayuno para evitar la melancolía producida por la caída del nivel de azúcar en la sangre.

- Duerma la cantidad adecuada de horas.

- Aprenda a decir "no" para reducir el estrés y ahorrar energía.

- Evite las comidas abundantes que pueden provocar la sensación de pesadez y de falta de energía.

- Destierre de su vida a las personas negativas que minan su energía.

- Anímese sin cafeína y evite así la fatiga de rebote.

- Sáltese el cóctel de mediodía para no sentir deseos de tomarse una siesta en la tarde.

- No fume. La nicotina puede ser un obstáculo para lograr tener un sueño reparador.

- Verifique los efectos secundarios de sus medicamentos para determinar si son la causa de su decaimiento.

- Hágase una prueba de sangre para saber si tiene una enfermedad del hígado o de la tiroides.

Relájese para aplanar el abdomen

El estrés es parte de la vida, incluso de la buena vida. Lamentablemente, el estrés también suele estar relacionado con el aumento de peso. Nuevos estudios muestran que el estrés hace que la grasa se acumule alrededor de la cintura.

La relación estrés-peso funciona de la siguiente manera: cuando usted está bajo estrés de largo plazo, el cuerpo responde liberando grandes cantidades de cortisol. A esta hormona de la glándula suprarrenal también se la conoce como la "hormona del estrés". La presencia de cantidades excesivas de cortisol estimula la acumulación de grasa adicional en el abdomen.

Nuevas investigaciones demuestran que los animales sometidos a situaciones de estrés empiezan a subir de peso alrededor de la sección media del cuerpo. La misma investigación se hizo en seres humanos y los resultados fueron similares, la grasa se acumuló en la zona abdominal. Aprender a relajarse y liberar el estrés ayuda a eliminar el vientre abultado para siempre.

Concéntrese en mantenerse activo. El estrés también es útil para otro propósito: lo prepara para estar en movimiento. Esto se debe a la reacción de "lucha o huida", que le permite escapar de un peligro repentino. Pero cuando usted está bajo estrés durante períodos prolongados y no tiene la oportunidad de aliviar dicho estrés a través del movimiento, usted acaba cocido en su propio jugo, por así decirlo.

Hacer ejercicio puede enseñarle al cuerpo a manejar el estrés sin sufrir daños. De hecho, las pruebas demuestran que adoptar el hábito del ejercicio a largo plazo reduce los niveles de cortisol y eleva los niveles de otras hormonas, como la hormona androgénica DHEA y la hormona del crecimiento, protegiéndole del daño de la inflamación crónica.

La actividad física también ayuda a mitigar los sentimientos de ansiedad y depresión. El ejercicio aeróbico regular, como nadar o andar en bicicleta, funciona especialmente bien para las personas con ansiedad que no han sido activas antes. En una revisión de las investigaciones realizadas sobre este tema, solo los medicamentos de venta con receta médica —no la psicoterapia ni la meditación— fueron más eficaces que el ejercicio para aliviar la ansiedad. Esos son resultados significativos.

Haga algo que disfrute. Usted no tiene que inscribirse en un equipo de fútbol de mayores ni entrenar para correr una maratón para aprovechar los efectos del ejercicio sobre su estado de ánimo. Elija su favorita entre las siguientes actividades. Usted tendrá una mejor disposición y se sentirá mejor consigo mismo.

- Caminar. Las investigaciones realizadas con mujeres de edad mediana en Filadelfia encontraron que aquellas que participaron en un programa de caminatas tenían menos estrés, ansiedad y depresión. Las mujeres caminaron enérgicamente ya sea durante 40 o 90 minutos cinco veces a la semana. Aquellas que hicieron más ejercicio fueron las que más se beneficiaron.

- Correr, nadar o andar en bicicleta. Estas son actividades que requieren más esfuerzo físico. Si usted cree poder hacerlas, elija una de ellas. Los expertos dicen que se debe intentar hacer una actividad física moderada durante por lo menos 20 o 30 minutos en la mayoría de los días de la semana.

- Yoga. Las mujeres con artritis reumatoide que tomaron clases de yoga tres veces a la semana gozaron de mejor salud en apenas 10 semanas. También dijeron tener más equilibrio, menos dolor y discapacidad, y un mejor estado de ánimo.

Asegúrese de consultar con su médico antes de empezar un nuevo programa de ejercicios.

Siga el ejemplo de las "Abuelitas"

Si va a un campo de fútbol en la provincia de Limpopo, en Sudáfrica, lo más probable es que vea a mujeres de 80 años practicando ese deporte. Son las "Abuelitas", un equipo de abuelitas futbolistas que practican durante una hora, dos veces por semana, para participar en torneos de adultos mayores. Ellas dicen que el fútbol las ha ayudado a combatir la artritis, la diabetes y otros problemas de salud propios del envejecimiento. Y que incluso ha mejorado su manera de ver la vida.

"El fútbol me ayudó a librarme del estrés", dice Chrestina Machabe, de 61 años de edad. "Sufro de hipertensión, pero desde que empecé a jugar fútbol me siento más saludable. Incluso duermo mejor por las noches". La señora Machabe sabe por experiencia propia que el ejercicio físico ayuda a aliviar el estrés.

SOLUCIÓN*rápida*

La próxima vez que tenga demasiadas tensiones y sienta que está a punto de estallar, bostece con ganas.

No es broma. El bostezo es un signo típico de la somnolencia, que también puede aliviar el estrés. El bostezo ayuda a refrescar el cuerpo y a veces uno lo hace por reflejo. Usted puede emplear este truco del bostezo cuando desee calmarse rápidamente. El campeón olímpico de patinaje de velocidad Apolo Anton Ohno bosteza a propósito antes de las grandes competencias, para llevar más oxígeno a los pulmones y darle fuerza a sus músculos. También libera el estrés a través de estos bostezos intencionales. Si nos basamos en las ocho medallas olímpicas que Ohno ha ganado, este truco parece funcionar.

Una nueva ruta hacia la relajación

¿De qué manera pueden "mover las manos como nubes" o "acariciar la cola del pájaro" ayudar a aliviar el estrés? Cuando usted practica estos y otros movimientos típicos del *tai chi*, le está enseñando a su cuerpo y a su mente a trabajar juntos en armonía. A eso se debe que este antiguo arte pueda hacer que usted se sienta mejor tanto física como emocionalmente.

Conéctese. El *tai chi* es un arte marcial tradicional de China que hoy se realiza mayormente como una serie de formas lentas y deliberadas y de movimientos elegantes. Se cree que el *tai chi* mejora la conexión entre la mente y el cuerpo y que es así como ayuda a aliviar el estrés. Usted tiene que prestar atención a todos los detalles de lo que está haciendo su cuerpo mientras ejecuta los movimientos de *tai chi*. Eso le ayuda a mantener la concentración y a desconectarse de todos los demás problemas persistentes que pueden estar haciendo que usted se sienta abrumado.

En investigaciones realizadas con un grupo reducido de adultos jóvenes se encontró que los principiantes de esta disciplina se beneficiaron tanto física como mentalmente del *tai chi*. Dijeron sentirse mejor y tener menos estrés luego de tomar clases de *tai chi* durante apenas 18 semanas. Las pruebas psicológicas y físicas mostraron que los participantes de este estudio no estaban imaginando estos niveles inferiores de estrés: los buenos resultados eran reales.

Ayude a su cuerpo y a su cerebro. Estos son otros beneficios del *tai chi* para la salud:

- Evita la pérdida de memoria. Esta forma de ejercicio relajante reduce el estrés y ayuda a dormir mejor. Tanto el estrés como la falta de sueño pueden llevar a problemas de memoria, de modo que todo lo que usted haga para combatir estos dos problemas puede mantener la memoria en forma y fortalecer el cerebro.

- Baja la presión arterial. Varios estudios sobre los efectos físicos del *tai chi* han observado que esta disciplina puede reducir sus lecturas de presión arterial sistólica (el número superior) y de presión arterial diastólica (el número inferior). Este hallazgo ha llevado a los expertos a recomendar la práctica de *tai chi* como una opción útil de tratamiento sin fármacos para personas que sufren de presión arterial alta.

- Mejora el equilibrio y la flexibilidad. El *tai chi* puede ayudar a mejorar su estado físico, tanto como correr hasta quedar sin aliento. Los investigadores comprobaron que las mujeres mayores que hacían *tai chi* durante tres meses gozaban de mejor equilibrio y flexibilidad y tenían más fuerza en las piernas. El programa de *tai chi* tuvo mejores efectos para ese grupo de mujeres que los que tuvo el programa de caminatas vigorosas para otro grupo de mujeres mayores. Aunque pueda creer que no está esforzándose lo suficiente cuando hace los movimientos en cada una de las poses, usted en realidad está mejorando su capacidad aeróbica, es decir, su capacidad de utilizar el oxígeno al hacer ejercicio.

Hágalo bien desde el principio. Muchas personas aprenden *tai chi* en clases con un instructor que dirige al grupo a través de una serie de movimientos. Usted también puede hacer los movimientos por su cuenta una vez que los domine. Algunas personas sienten que practicar los movimientos de *tai chi* entre 15 y 20 minutos cada mañana es una gran manera de empezar el día. Averigüe en su centro local para adultos mayores, en un centro educativo de la comunidad o en el YMCA si ofrecen clases de *tai chi* que sean apropiadas para adultos mayores.

Hable con su médico antes de empezar a hacer *tai chi*, sobre todo si usted sufre de problemas musculares o en las articulaciones, como artritis o tendinitis, o cualquier otro problema médico que hace que sea difícil para usted mantener un buen equilibrio. También tenga cuidado si usted toma algún medicamento que le pueda provocar mareos o vértigo.

Una nueva actividad proporciona alegría y genera amistades

Gretchen fue durante 30 años maestra de educación preescolar. Nunca le preocupó encontrar tiempo para hacer ejercicio porque la mayor parte del día se la pasaba gateando por el suelo o correteando detrás de los niños en el área de juegos.

Una vez que se jubiló, Gretchen dejó de ser una persona activa. Durante un tiempo se dedicó a ponerse al día en sus proyectos. Una mañana su vecina la convenció de ir a una clase de *tai chi* en el centro del adulto mayor de su comunidad.

"Nunca pensé que yo haría algo así", dice Gretchen. "Pero ahora me encanta mi clase de *tai chi*. Los movimientos me relajan aunque necesito concentrarme mucho para hacer la rutina. Además, soy feliz cada vez que veo a mis nuevos amigos que hice en la clase".

Inhale un poco de tranquilidad mental

Respire profundamente, cuente hasta 10 y sus preocupaciones irán desapareciendo. Bueno, se supone que es así como funciona. En realidad, es necesario practicar para tener un mayor control sobre la respiración y poder sostenerla después de llegar a 10. Sin embargo, la idea básica sigue en pie: si usted cambia la forma como respira puede controlar su nivel de estrés. Hacerlo puede fortalecer el sistema inmunitario, lo que a su vez puede prolongarle la vida.

Dele una ventaja a su sistema inmunitario. Su sistema inmunitario se activa brevemente cada vez que usted enfrenta un evento estresante repentino. Esta reacción se debe a que el cuerpo se está preparando para luchar contra una infección o, tal vez, contra un oso pardo.

Si el estrés permanece durante mucho tiempo, su inmunidad acabará por agotarse, así como su capacidad para luchar contra esa infección. Con el tiempo, demasiada presión sobre el sistema inmunitario sencillamente provocará más desgaste. Las células del sistema inmunitario, diseñadas para combatir a invasores foráneos como las bacterias y los virus perjudiciales, no funcionan tan bien después de un largo período de estrés. Los adultos mayores y las personas que sufren otras enfermedades además del estrés corren un riesgo mayor. Es por esa razón que vivir bajo estrés constante incrementa las probabilidades de enfermarse.

Cambie la manera de respirar. Usted inhala aproximadamente entre 14 y 16 veces cada minuto mientras está en reposo. Sin embargo, cuando usted vive una situación de estrés, la respiración tiende a acelerarse a medida que los pulmones se esfuerzan por obtener más oxígeno, como parte de la reacción de lucha o huida.

La respiración profunda funciona de la siguiente manera. Cuando se respira profundamente se utiliza el diafragma, que es la poderosa lámina muscular que separa la cavidad torácica de la cavidad abdominal. La inhalación profunda hace que el diafragma se contraiga y descienda, alargando la cavidad torácica al presionar contra los órganos en la cavidad abdominal y hacer espacio para que los pulmones puedan expandirse al llenarse de aire. Luego, con la exhalación, el diafragma ejerce presión hacia arriba sobre los pulmones, para expulsar el dióxido de carbono. Este tipo de respiración está asociada con la llamada "respuesta de relajación", que es lo opuesto a la respuesta al estrés.

Las investigaciones demuestran que la práctica de ejercicios de respiración profunda puede reducir la ansiedad, el estrés y la depresión y, a la vez, aumentar el sentimiento de optimismo. Este modo de aliviar el estrés es seguro y no cuesta nada. Además, usted puede practicarlo en cualquier lugar y en cualquier momento.

Conozca el camino para aplacar el estrés. Encuentre tiempo para hacer estos ejercicios de respiración profunda varias veces a lo largo del día, incluso si no se siente especialmente estresado. Primero, inhale a través de la nariz lenta y profundamente, contando hasta 10. Asegúrese de expandir solo el estómago y el abdomen, no el pecho. Luego exhale a través de la nariz lentamente, también contando hasta 10. Concéntrese en respirar y contar durante cada ciclo, para calmar la mente. Repita el ciclo entre cinco y 10 veces.

No olvide los músculos. También puede relajar los músculos de manera progresiva, sobre todo si su objetivo es reducir el estrés, relajarse y lograr dormir bien. La relajación progresiva de músculos se hace de la siguiente manera:

- Acuéstese boca arriba y póngase cómodo. No cruce las piernas ni los brazos.

- Asegúrese de seguir respirando lentamente.

- Tense un grupo de músculos fuertemente mientras cuenta hasta 10. Luego relaje ese grupo de músculos y siga con el siguiente.

- Empiece con los músculos de la cabeza y continúe, hacia abajo, con los grupos de músculos de la parte superior de los brazos, de los antebrazos, de las manos, de los muslos, de las pantorrillas, de los pies y así sucesivamente.

- Concéntrese en qué tan relajados y pesados se sienten los músculos cuando deja de tensarlos.

Apacigüe la ira para dormir bien por la noche

Una persona típica pasa cada día por 15 situaciones que pueden provocar reacciones de ira. Pero la ira no siempre es algo negativo. Hay expertos que sostienen que se puede pensar con más claridad cuando se está enojado. Esta poderosa emoción parece estimular los procesos del pensamiento analítico. Demasiada ira, sin embargo, sobre todo si usted no sabe cómo controlarla, puede dañar su salud y mantenerlo despierto por las noches.

Las investigaciones apuntan a los aspectos negativos de la ira. Un estudio encontró que las personas con desfibriladores implantables que tenían reacciones fuertes cuando pensaban en algo que les daba cólera sufrían las consecuencias más adelante, ya que la probabilidad de que tuvieran un problema de ritmo cardíaco en los siguientes cuatro años era mayor. En otro estudio se observó que las emociones negativas de distintos tipos, incluida la ira, son perjudiciales para el corazón y aumentan el riesgo de desarrollar una enfermedad cardíaca. La risa, en cambio, ayuda a relajar los vasos sanguíneos y beneficia al corazón.

La risa es la mejor medicina

Más risa

Menos estrés

Mejor flujo de sangre

No se vaya a la cama enojado. Reprimir la ira puede interferir con el sueño. Cuando los expertos hicieron seguimiento a unas 1,000 personas con enfermedades del corazón, encontraron que quienes trataban de reprimir su ira también tenían dificultades para dormir. Otro estudio sugiere que el hábito de no desahogarse y expresar la cólera puede ponerlo en riesgo de desarrollar presión arterial alta.

El problema puede tener una explicación física. La ira —incluso mientras se duerme— altera el sistema límbico, o la parte del cerebro que controla las emociones. Esta alteración hace que a usted le sea difícil entrar a la fase de movimiento ocular rápido (REM, en inglés), que es la fase de sueño profundo en la que el cerebro está activo y se tiende a soñar.

Desahóguese. Busque maneras seguras de expresar su rabia. Trate de no desahogarse de manera descontrolada, llorando, gritando o riéndose. Los expertos advierten que este método de catarsis no ayuda y no hace sino reforzar la ira. En su lugar, pruebe uno de estos trucos:

- Hable con la persona que lo enfureció. Dígale lo que siente, pero no busque culpables y evite desquitarse con terceros.

- Hable con su diario. Trate de expresar su cólera y de encontrarle sentido a lo sucedido, ya sea escribiendo o dibujando. Esta actividad puede darle una perspectiva distinta y ayudarle a comprender mejor su reacción.

- Hable con sus músculos. La actividad física libera la ira reprimida. Pruebe el boxeo utilizando una consola Wii para videojuegos. Así usted podrá "golpear" algo de manera segura, mientras hace ejercicio y se divierte.

Lleve una vida sin estrés en la vejez

El estereotipo del joven hipertenso y del anciano relajado y despreocupado puede tener algo de cierto, según los resultados de una nueva investigación.

Una encuesta telefónica realizada por Gallup a más de 340,000 personas en Estados Unidos, encontró que las personas tienden a estar más preocupadas y estresadas entre los veinte y los treinta años. Las personas mayores de cincuenta años, sin embargo, manifestaron vivir con menos estrés y ser más felices. Es más, en las personas de setenta y ochenta años se observaron los niveles más bajos de emociones negativas. Los expertos creen que muchas personas mayores aprenden a concentrarse en la felicidad presente, en lugar de pasarse el día preocupándose por el futuro.

Pregunta & Respuesta

¿Es cierto que un trauma o un momento difícil en la vida puede hacer que el cabello se vuelva canoso?

Nuevas investigaciones muestran que el estrés no provoca la aparición de canas, sino la herencia genética. Un estudio de gemelas danesas encontró que el estrés de la vida no parece tener efecto alguno sobre la aparición de las canas. La genética es la que determina en qué momento el cabello empezará a perder su color, no un empleo de alta presión o la indisciplina de los niños. Es más, las personas que encanecen prematuramente no están destinadas a morir jóvenes. Así que celebre su cabellera plateada como una muestra de sabiduría y no como un recuerdo de los tiempos difíciles que le tocó vivir.

Hierbas curativas ofrecen alivio natural

El estrés es tan antiguo como la lucha por sobrevivir de los primeros hombres y tan moderno como nuestras apretadas agendas de hoy. Pruebe estos remedios que nos han sido transmitidos a través de generaciones y compruebe usted mismo su eficacia para aliviar el estrés.

Relájese con valeriana. La *Valeriana officinalis,* que comúnmente se conoce como valeriana, es una planta herbácea conocida por su capacidad para calmar la ansiedad y ayudar a dormir. Los expertos creen que el secreto de que pueda actuar de manera similar a un fármaco común contra la ansiedad reside en la combinación de sus compuestos químicos naturales. De hecho, un estudio encontró que la valeriana reducía la ansiedad casi tan bien como el diazepam (*Valium*). La valeriana puede tardar varias semanas en surtir efecto, así que tenga paciencia. Una dosis típica es de entre 400 y 600 miligramos (mg) de extracto en una cápsula.

Gánele al estrés con *ginseng*. El tradicional remedio herbario chino para el estrés también ofrece otros posibles beneficios, como mejorar la memoria y fortalecer el sistema inmunitario. Al *ginseng* se le conoce además como un adaptógeno o remedio que funciona de una manera no específica para eliminar el estrés sin causar daño al cuerpo. Los estudios muestran que el *ginseng* parece actuar sobre las glándulas suprarrenales y sobre la glándula pituitaria, las cuales liberan hormonas en respuesta a los episodios de estrés del cuerpo.

Usted encontrará varios tipos de *ginseng* en el mercado, como el americano, el chino o coreano, y el siberiano. Los expertos aconsejan buscar un producto etiquetado como *Panax ginseng* y estandarizado para contener entre 4 y 7 por ciento de ginsenósidos, el ingrediente activo del *ginseng*. Se considera seguro tomar entre 200 y 400 mg al día durante ocho semanas máximo.

Tenga cuidado al comprar suplementos herbarios ya que sus ingredientes no están estrictamente regulados por la Administración de Alimentos y Fármacos (FDA, en inglés). Vaya a *www.consumerlab.com* (en inglés) para obtener información confiable sobre estos suplementos.

Planta curativa que requiere cautela

Existe una gran interrogante respecto a la seguridad de un remedio natural que parece ser efectivo para combatir el estrés.

La *kava* (*Piper methysticum*) es una planta cuyas raíces se utilizan con fines medicinales. En estudios realizados en Europa se observó que la raíz de *kava* es tan efectiva como el *Valium* y otras benzodiazepinas, para tratar la ansiedad y la falta de sueño. Actúa con rapidez, después de tan solo una o dos dosis.

Pero la *kava* fue puesta en la lista negra cuando, hace unos años, fue asociada a la ocurrencia de daño hepático. Lotes contaminados de *kava* podrían haber sido los culpables. Los expertos también creen que la *kava* puede causar problemas graves después de un uso prolongado o en dosis más altas que las recomendadas. No tome *kava* sin antes consultar con su médico.

Aromas que relajan

Muchas mujeres logran levantarse el ánimo con solo oler el aroma de su perfume favorito. Puede ser que les recuerde una época o un lugar donde fueron felices, o que simplemente disfruten de la fragancia particular de cierta flor o especia exótica. Ese es el poder de la aromaterapia y usted puede utilizarlo de muchas maneras para relajarse.

Ciertas fragancias, como la lavanda, la rosa, el neroli y el olíbano, son conocidas por su capacidad para reducir el estrés.

- La lavanda se ha utilizado con este fin desde la antigüedad. En un estudio, el linalol, un compuesto que se encuentra en la lavanda y otras plantas aromáticas como el limón y la albahaca, redujo los niveles de sustancias químicas asociadas con el estrés en ratas que habían sido sometidas a una prueba de esfuerzo. En otro estudio, los pacientes en una unidad de cuidados intensivos mostraron niveles más bajos de ansiedad después de recibir un masaje con aceite esencial de lavanda. La flor también ayudó a tranquilizar a los pacientes ansiosos de un consultorio dental que inhalaron el aroma del aceite de lavanda de un difusor o quemador de aromaterapia.

- El olíbano, también conocido como franquincienso (*frankincense*, en inglés), es uno de los regalos que llevaban los tres Reyes Magos. El olíbano es una resina de árbol utilizado tradicionalmente como incienso aromático en las ceremonias religiosas en el Medio Oriente y en Europa. Las investigaciones realizadas en ratones muestran que el olíbano, al quemarse, libera una sustancia química que actúa sobre determinados circuitos cerebrales para disminuir la ansiedad.

Si usted desea gozar todo el día de los beneficios de la aromaterapia, busque perfumes o colonias que incluyan estas fragancias relajantes. O sencillamente elija un aroma que disfrute y que le sirva para distraerse de las preocupaciones y librarse del estrés.

Para una noche relajante, utilice velas y sales de baño perfumadas con su fragancia calmante favorita. También puede aromatizar los ambientes de la casa utilizando un difusor eléctrico o un anillo para lámpara. Los aceites esenciales no deben usarse directamente sobre la piel ni en el agua para el baño ya que pueden irritar la piel.

SOLUCIÓN*rápida*

"Desperdiciamos la vida en detalles", escribió el famoso escritor minimalista Henry David Thoreau. "Simplifique, simplifique". Para lograrlo pruebe estos 10 trucos que harán que su vida sea más fácil de manejar:

- Prepárese para el día la noche anterior.

- Levántese 15 minutos más temprano por las mañanas.

- Anote lo que tiene que hacer en lugar de confiar en su memoria.

- Tenga un segundo juego de llaves para todo.

- Diga "no" con más frecuencia a las nuevas responsabilidades.

- Evite a las personas negativas.

- Use su tiempo sabiamente.

- Simplifique sus comidas.

- Repare o tire todo lo que no funciona.

- Divida los trabajos grandes en pequeñas tareas más manejables.

La mejor manera para combatir el estrés

¿No sería genial poder encontrar un remedio para sus males que además sea agradable? Eso es lo que ofrece el masaje: una ayuda infalible para calmar el estrés y la ansiedad. El masaje se siente bien e incluso los expertos coinciden en que aporta beneficios.

Elija el masaje que más le convenga a sus músculos. Hay varios tipos de masajes que pueden aliviar el estrés y proporcionarle una sensación de relajación:

- El masaje sueco, el más popular, combina deslizamientos largos y suaves con la técnica de "amasar" los músculos.

- El *shiatsu* es más vigoroso y se caracteriza por aplicar presión intensa sobre puntos específicos. Puede que usted experimente algo de dolor durante la sesión, pero se sentirá relajado después.

- La reflexología se concentra en los puntos de presión de las manos y los pies.

Un terapeuta de masaje normalmente busca crear un ambiente que transmita calma y tranquilidad con luces tenues, música relajante y fragancias agradables. Todos estos elementos hacen que la experiencia del masaje sea placentera y reconfortante.

Los beneficios del masaje van más allá de la simple relajación. Un masaje produce cambios positivos en las sustancias químicas naturales del cuerpo, como bajar los niveles de cortisol, la hormona del estrés, y elevar los niveles de serotonina y dopamina, las hormonas estimulantes del estado de ánimo. Los expertos creen que el masaje también ayuda a que el sistema nervioso no opte por la reacción de "lucha o huida" y esté más dispuesto a tener una respuesta de "descanso y digestión". Eso ayuda a que el ritmo cardíaco y la respiración se desaceleren, a que los vasos sanguíneos se relajen y a que el sistema digestivo se active.

Encuentre un lugar a su alcance. Los *spas* y los salones de belleza ofrecen masajes, pero a precios muy altos. Una hora de masaje suele costar $75 o más en un *spa* o un salón. Usted podría encontrar un terapeuta certificado de masaje que cobre menos en un gimnasio, un hospital, un hogar de ancianos o en un consultorio particular. Averigüe si su póliza de seguro médico cubre las terapias con masaje como un tratamiento para un estilo de vida saludable, como lo hace con los programas de pérdida de peso o de control del estrés.

Aprenda a darse un automasaje. Usted también puede aliviar la ansiedad rápidamente con un automasaje. Ubique el punto de presión

que está en la planta del pie y masajee presionando con los dedos.
Entre el dedo gordo y el segundo dedo del pie, deslice los dedos desde
la membrana interdigital hacia el centro del pie hasta sentir los huesos.
Presione firmemente o frote en pequeños círculos sobre este punto
sensible durante unos 30 segundos para ayudar a eliminar la tensión.

O bien relájese en pareja. Un estudio encontró que las parejas que
utilizaron las técnicas del "toque cálido", que incluyen masajes en el
cuello y los hombros, lograron reducir los síntomas físicos del estrés
en el curso de un mes. Esta es una buena excusa para darle más afecto
a su persona favorita.

Pregunta & Respuesta

¿Puede una situación de gran tensión emocional o una sorpresa repentina provocar un ataque al corazón?

Sí. Una situación repentina de estrés puede hacer que el sistema
nervioso simpático libere las hormonas del estrés llamadas
catecolaminas. Estas hormonas elevan de inmediato la frecuencia
cardíaca, la presión arterial y la fuerza de las contracciones del
corazón. Esa presión puede hacer que la placa de las arterias se
desprenda, obstruyendo el flujo sanguíneo. ¿Cuál sería un posible
resultado? Un ataque al corazón. El estrés también está asociado a
la arritmia, o trastorno del ritmo cardíaco, y puede aumentar el
riesgo de tener niveles altos de colesterol no saludable. Conserve
la calma para proteger a su corazón.

Declárele la guerra al desorden en casa

El millonario Langley Collyer murió en 1947 al quedar atrapado bajo
pilas de objetos acumulados en su casa de Nueva York. Los bomberos
tardaron días en encontrar su cuerpo entre las rumas de periódicos viejos,
libros, chatarra, ramas de árboles y hasta un auto Ford Modelo T.

Langley Collyer sufría de acumulación compulsiva, un trastorno que obliga a las personas a coleccionar y guardar todo tipo de cosas, útiles o no. En los casos más graves, pueden llegar a abarrotar su casa con pertenencias inservibles. En los casos más leves, sin embargo, el desorden les puede provocar tensión y malestar. Acabe con el desorden en su hogar y se sentirá menos estresado.

Organícese para despejar la mente. La mayoría de los expertos coinciden en que el problema del desorden es generalmente un problema de personalidad, no un problema con el espacio de la casa. En lugar de tratar de acomodar todo en cajas y bolsas y deshágase de las cosas que no necesita. Recuerde que en algunas ocasiones menos es más.

"Existe una relación entre el desorden y el estrés", dice la psicóloga y experta en organización Kathleen Kendall-Tackett. "La vida es mucho más estresante cuando reina el caos. Uno tarda más en hacer la misma cantidad de trabajo. Un hogar limpio y organizado le permite vivir la vida de manera más tranquila".

La falta de organización, en cambio, puede interferir con su vida. Usted no puede tomar su medicamento si no puede encontrarlo y no puede salir a caminar si no sabe dónde están sus zapatillas deportivas. Demasiado desorden hace que sea difícil limpiar su casa a fondo, y la suciedad y los gérmenes que quedan en el ambiente pueden causarle enfermedades. Usted también corre el riesgo de sufrir una caída si tiene que sortear entre pilas de cajas en el pasillo.

Conozca los secretos para organizar su casa. Para acabar con el desorden extremo usted tal vez necesite la ayuda de un organizador profesional. Pero si desea hacerlo usted mismo, siga estos consejos para mantener su hogar en perfecto orden:

- Encuentre un lugar para cada cosa. Tenga un cesto de basura en cada habitación para poder tirar inmediatamente lo que no sirve. Coloque los productos de limpieza donde los necesita, en la cocina o el baño. Busque un lugar de fácil acceso para la libreta de direcciones, las estampillas, los sobres y la chequera, y mantenga todo junto y a la mano para cuando tenga que pagar las facturas.

- Almacene, pero no demasiado. Mantenga la ropa de temporada en la parte delantera del armario y guarde el resto en un lugar aparte. Al cambiar sus vestidos de lugar al inicio de cada estación, fíjese en las piezas que no se ha puesto y deshágase de ellas. En la cocina, tenga las ollas, las sartenes y las cucharas grandes para mezclar cerca de la estufa, y los cuchillos y tablas de cortar en el área donde prepara sus alimentos.

- Deshágase de los artículos no esenciales. Piense si usted realmente necesita conservar ese objeto o esa pieza de información, o si sencillamente son un estorbo. Si los llegara a necesitar más adelante, ¿podría encontrarlos en otro lugar? ¿Esa revista está al día? ¿Esos zapatos siguen de moda? Revise sus pertenencias y observe si tiene la tendencia a guardar cosas que ya no sirven. Deje ese hábito.

- Piense en términos minimalistas. ¿Vale la pena el esfuerzo de quitar el polvo cada semana a esa colección de autos de época en miniatura? ¿Realmente disfruta regar y cuidar esas 17 plantas de interiores? Usted no tiene la obligación de conservar todo lo que posee. Quédese solo con lo que realmente le hace feliz. Done los bienes que le sobran a una tienda de segunda mano y permita que otros los disfruten.

Sea creativo y siéntase en paz

Dicen que la música apacigua a las bestias salvajes. También podría apaciguar sus estados de ansiedad y estrés. Los estudios demuestran que ser creativo, ya sea a través de la música o el arte, puede ayudar a las personas a relajarse, incluso si sufren de un problema médico serio. Tome un pincel, desempolve ese oboe y recupere la paz mental.

Encuentre la serenidad a través de la música. La musicoterapia es respetada desde que ayudó a los soldados heridos de la Primera y Segunda Guerra Mundial a recuperarse. También puede mejorar el estado de ánimo y aliviar el estrés. Esta terapia puede consistir en escuchar música que le agrada o en tocar un instrumento. Un terapeuta musical puede servirle de guía y usted puede trabajar solo o en grupo. Puede incluir música en vivo o grabada, vocal o instrumental.

Las investigaciones han demostrado que la musicoterapia puede combatir el estrés y la ansiedad y, al mismo tiempo, levantar el ánimo. En un estudio, las personas con enfermedades cardíacas tenían menos problemas de presión arterial alta y de frecuencia cardíaca, así como menos complicaciones médicas y menos estrés, cuando escucharon música relajante. Según las investigaciones, el hecho de escuchar la música que uno más disfruta, puede hacer que las arterias se expandan y que la circulación mejore. Elija piezas con un ritmo lento y armonías predecibles y sin cambios repentinos. Manténgase alejado de la música que no le gusta, la cual podría llegar a provocarle más ansiedad.

Usted sentirá que su vida está en armonía cuando escucha música agradable. Si usted no cuenta con un sonido relajante favorito, vea las melodías calmantes que toca la arpista Sue Raimond, que han probado tener la capacidad para serenar tanto a las personas como a las mascotas. Usted puede adquirir estos CDs a través de *www.petpause2000.com* (en inglés), o tal vez pueda encontrar otros CDs con música de arpa en una tienda cercana.

Si lo que prefiere es involucrarse directamente, siéntese al piano, saque su clarinete e invierta algo de tiempo volviendo a aprender una vieja afición. O únase a un círculo de percusión, donde pueda expresar sus emociones mientras sigue los patrones rítmicos indicados por el líder. Tocar en grupo (con cada persona en su propio tambor) fomenta un increíble sentido de comunidad y ayuda a reducir el estrés. Encuentre un círculo de percusión cerca de usted a través de su periódico local o en el listín de *www.drumcircles.net* (en inglés).

Dé rienda suelta a su artista interior. Tocar o escuchar música no es para todos. Usted tal vez disfrute más dibujando, pintando o trabajando en arcilla para aliviar el estrés. La terapia artística le permite expresar lo que piensa y lo que siente sin necesidad de palabras. Usted se beneficia al poder expresarse y al participar en una discusión sobre la vida y la forma como esta se refleja en los trabajos que ha creado.

Los expertos han determinado que la terapia artística ayuda a lidiar con el estrés y el trauma al reducir los niveles de ansiedad y tensión. Usted incluso podría obtener beneficios físicos que favorecerían el sistema inmunitario, el sistema nervioso y el corazón. Y no solo eso. Esta terapia es además muy divertida.

Al igual que con la musicoterapia, usted puede hacer terapia de arte en sesiones individuales o grupales, con o sin la presencia de un terapeuta, en una sola sesión o en reuniones periódicas. Muchos hospitales ofrecen terapia de música o de arte. Usted también puede inscribirse en una clase en su centro local de bienestar o centro comunitario, o visitar el consultorio privado de un terapeuta.

SOLUCIÓN*rápida*

Algunas personas tienden a preocuparse —parece ser que constantemente— por mil y una cosas terribles que podrían ocurrir. Está bien planificar el futuro para evitarse posibles complicaciones. Sin embargo, la preocupación constante por catástrofes improbables no ayuda a nadie, por el contrario, puede afectar negativamente su salud mental y física.

Pruebe el siguiente truco para poner fin a las preocupaciones interminables. Programe para cada día una "pausa de preocupaciones" de 15 a 20 minutos de duración. Dedique ese tiempo para darle a sus preocupaciones toda su atención. Si las preocupaciones le importunan en otros momentos del día, trate de aplazarlas para la próxima "pausa de preocupaciones". De esta manera, usted podrá concentrarse durante la mayor parte del día en vivir la vida y no en los asuntos que le preocupan.

Cambie el ceño fruncido por una sonrisa

Usted reconoce la voz. Esa vocecita interior que le dice que el tráfico será pesado, que lloverá torrencialmente y que no puede darse el lujo de volar para ver a su hija durante las fiestas. Esa es la voz del pesimismo y puede hacer que un vaso medio lleno de leche fresca se convierta en un vaso medio vacío de leche agria. Usted solamente podrá cambiar de actitud si logra retomar el control y acallar esa vocecita negativa que lleva dentro.

Identifique al optimista que lleva dentro. No vea al optimista como alguien que no puede reconocer la realidad de una situación, que no sabe apreciar lo estresante que es la vida o que sencillamente es una persona con suerte. Uno se puede fijar en el lado buena de las cosas sin usar anteojeras. El autor Brian Luke Seaward, Ph.D., describe así las principales características de las personas optimistas:

- Ven el lado positivo, incluso en una mala situación.

- Se concentran en sus logros y no en sus desdichas.

- Son personas felices y es un placer estar alrededor de ellas.

- Se toman las cosas con calma y se adaptan a la situación.

- Tienen suficiente fe en sí mismas para sobrevivir una crisis.

Elimine los pensamientos tóxicos. Los expertos señalan que muchas veces nos dejamos consumir por los pensamientos negativos y hacemos una montaña de un grano de arena, culpamos a otros de nuestros problemas y esperamos que suceda lo peor. Estos pensamientos negativos nos mantienen en un estado de estrés constante.

No permita que esos pensamientos se apoderen de usted. Cada vez que se dé cuenta de que está teniendo un pensamiento negativo, interrúmpalo, ponga fin al pensamiento tóxico y trate de replantear la situación bajo una luz positiva. Como se trata de un nuevo hábito, usted tendrá que practicar esta habilidad hasta que le salga bien. Los psicólogos lo conocen como la "restructuración cognitiva" es decir, la técnica de prestar atención a sus pensamientos negativos y hacerlos de lado de manera consciente. La reformulación de sus pensamientos es una estupenda herramienta para hacer frente al estrés.

Elabore una nueva narrativa personal. Reemplace las viejas maneras negativas de ver el mundo con pensamientos positivos. Matthew Budd, médico de Harvard y autor del libro *Tú eres lo que dices,* sostiene que uno puede mejorar su vida y su salud cambiando su "historia personal".

Budd describe la manera como las personas crean sus propias historias sobre la vida y el estado de su salud, y la manera como acaban viviendo esas historias. Por ejemplo, si usted se autoconvence de que está demasiado ocupado para comer bien o para hacer ejercicio, o de que no está bien de salud, entonces eso es exactamente lo que ocurrirá. Se convierte en una profecía autocumplida. Pero si usted decide no dar crédito a esa historia negativa y, en su lugar, apostar a una historia diferente, usted podrá cambiar su vida y su salud. El cambio hasta le puede ayudar a encontrar alivio para sus males crónicos.

Budd incluso aconseja hacer uso del efecto placebo y aprovecharlo de una manera positiva. El efecto placebo es la tendencia que tienen las personas de creer que un remedio va a funcionar y de convencerse de que efectivamente ha funcionado, aun cuando se trata de una pastilla de azúcar, que no tiene poder real alguno para curar. Pero el efecto placebo logra cambiar las expectativas y, a veces, un cambio de actitud es todo lo que se necesita para producir un cambio en el cuerpo. Inténtelo y empiece a creer que usted superará el estrés.

Sea feliz, sea saludable. Usted puede incluso sanar o por lo menos tener un mejor control de ciertos problemas físicos relacionados con el estrés, tan solo cambiando sus pensamientos. Los dolores de cabeza, el dolor de mandíbula, el insomnio, los malestares estomacales, todos pueden estar asociados con el exceso de estrés. Esa es la base del programa "Caminos hacia el bienestar" (*Ways to Wellness*) desarrollado en Harvard y utilizado por organizaciones de seguros médicos en todo Estados Unidos. Pero no es necesario un programa para autocurarse: basta con mirar en su interior y encontrar el optimista que lleva dentro.

Deje de rechinar los dientes por las noches

El dolor de mandíbula, los dientes desgastados, los dolores de cabeza matinales y las quejas de su pareja sobre el ruido que hace. Todas son señales de que el estrés se ha apoderado de sus noches y que usted ha empezado a rechinar los dientes.

Bruxismo es el nombre técnico que recibe el hecho de rechinar los dientes y apretar la mandíbula, que por lo general ocurre durante el sueño. El bruxismo suele estar asociado con el estrés, de modo que si usted puede acabar con el estrés, dejará de rechinar los dientes. Algunos dentistas han observado que más personas tienen problemas con el rechinamiento de los dientes durante las épocas de crisis económica. En otros casos, el rechinamiento de los dientes se debe a que la dentadura no encaja debidamente.

Es posible que usted ni siquiera sepa que está rechinando los dientes mientras duerme, hasta que su pareja se queja del horrible ruido que hace durante las noches. Su dentista sí podrá ver las consecuencias en el desgaste de sus dientes.

Una mandíbula apretada es potente. Puede ejercer una presión de hasta 300 libras y causar problemas serios como:

- Desgaste del esmalte dental, aumentando el riesgo de desarrollar caries. Esto también puede acelerar la enfermedad de las encías.

- Dientes rotos o fractura de dientes sanos y sin caries.

- Dolor e inflamación en la articulación de la mandíbula, lo que se conoce como trastorno de la articulación temporomandibular (TMJ, en inglés).

Usted puede salvar sus dientes con un protector de mordida que debe colocarse durante las noches. Su dentista le podría cobrar entre $300 y $1,800 por prepararle un protector a su medida. El precio puede llegar a $2,500 si también debe corregir una mordida mal alineada. También puede usar un protector bucal de venta libre que está a $20 o más.

Alternativamente, trate de cambiar su comportamiento, sobre todo si ha empezado a sentir dolores en la articulación de la mandíbula:

- En primer lugar, adquiera el hábito de hacer que la lengua descanse detrás de los dientes superiores y de cerrar los labios. Esta posición mantiene la mandíbula abierta y relajada.

- En segundo lugar, coloque la pantalla de su computadora en alto y el teclado más abajo. La postura que se necesita para trabajar en esta posición evita que la mandíbula se proyecte hacia afuera.

- En tercer lugar, no duerma boca abajo.

- Por último, trate de reducir su nivel de estrés.

Gánele la guerra al síndrome del intestino irritable relacionado con el estrés

Toda la semana ha estado esperando con ansias que llegara el domingo para la cena que reuniría a toda la familia. Y luego, justo cuando está por sentarse a la mesa a disfrutar del pollo asado, le viene un ataque de diarrea. No le molestaría tanto si esto le sucede solo de vez en cuando, pero le ocurre varias veces a la semana.

Esto no es raro para alguien que sufre del síndrome del intestino irritable (SII), que se conoce en inglés como IBS y que se considera como un grupo de síntomas —no una enfermedad— que puede poner su vida de cabeza. Usted puede experimentar flatulencia dolorosa, distensión abdominal y episodios de estreñimiento alternados con episodios de diarrea, lo que, a su vez, puede causar hemorroides, y todo esto a pesar de que no hay nada que indique que usted tiene un problema físico en el tracto gastrointestinal. Tener síntomas como estos durante por lo menos tres meses puede ser un signo de SII, a veces llamado colon espástico.

Si no se trata de un problema físico, entonces, ¿qué es lo que tiene? El síndrome del intestino irritable puede estar relacionado con la forma como usted controla su estrés. Por extraño que parezca, el cerebro y el sistema digestivo mantienen un vínculo estrecho. Muchas hormonas y partes del sistema nervioso controlan tanto al uno como al otro. En vez de las suaves contracciones saludables de la pared intestinal, que reciben el nombre de peristalsis y que mueven los alimentos a lo largo de la vía digestiva, usted experimenta dolorosos espasmos.

Mientras pone en práctica otras soluciones para reducir el estrés de su vida, trate de incorporar algunos de los siguientes cambios para aliviar los síntomas físicos del SII. Cada persona es diferente, así que pruebe qué le va mejor.

Llénese de fibra soluble. Las personas que consumen harina blanca y cereales procesados a menudo no obtienen cantidades suficientes de esta maravilla nutricional. Eso puede hacer que su digestión se vuelva lenta y puede provocar estreñimiento y dolores estomacales. De modo que agregar fibra a su dieta puede que sea lo primero que recomiende el médico para combatir el SII. Tanto la fibra soluble —del psilio, la avena y las frutas— como la fibra insoluble del salvado de trigo pueden ayudar a acelerar la digestión. Pero opte por la fibra soluble para mejorar los síntomas comunes del SII, en vista de que las investigaciones han demostrado que es lo que mejor funciona.

Empiece tomando psilio o *psyllium* —se utiliza la cáscara externa de la semilla— en la forma de un producto de venta libre, como *Metamucil*. O visite el sitio web *www.helpforibs.com* (en inglés) para obtener información sobre otro tipo de fibra soluble, la acacia, que ha demostrado tener buenos resultados en algunas personas, tanto para combatir la diarrea como el estreñimiento. Por supuesto, la mejor manera de obtener fibra soluble es directamente de los alimentos frescos, como las manzanas, los cítricos, los frijoles, la cebada y la avena.

Calme sus síntomas con aceite de menta. Este remedio natural ha sido utilizado durante siglos para aliviar el malestar estomacal. Funciona al relajar los músculos lisos en los intestinos y parece mejorar muchos síntomas del SII, incluido el dolor. Pruebe tomar entre tres y seis cápsulas con cubierta entérica (*enteric-coated capsules*, en inglés) al día. No mastique las cápsulas para evitar que se abran antes de que el aceite de menta llegue a los intestinos.

No olvide los probióticos. Ciertas cepas de bacterias benéficas viven en el intestino y aseguran su buen funcionamiento. Estas bacterias desplazan a las que causan enfermedades y, a la vez, ayudan a digerir la fibra. Algunos tipos de probióticos hasta pueden acabar con el dolor y otros síntomas del SII. Usted puede contar con más bacterias benéficas consumiendo probióticos presentes en alimentos como el yogur o el *kefir* activo o en suplementos. Fíjese en las etiquetas, busque los nombres de cepas de bacterias como *Lactobacillus* y *Bifidobacterium*, y procure que el producto que compre proporcione entre 10 y 100 mil millones de bacterias al día. Usted puede encontrar este tipo de yogur probiótico en el supermercado, bajo las marcas comunes de *Stonyfield Farm*, *Activia* y *DanActive*.

Estimulante de **ENERGÍA**

Usted puede hacer un sencillo movimiento de brazos, inspirado en el yoga, en cualquier lugar y en cualquier momento. Este antiguo movimiento estimula el sistema nervioso y aumenta la energía en 20 segundos.

- Respire tres veces mientras permanece sentado en una silla. Estire los brazos hacia adelante, manteniéndolos paralelos al piso, mientras inhala y exhala.

- Inhale profundamente y empuje el pecho hacia afuera mientras mueve los brazos a los lados. A continuación llévelos hacia atrás, tan lejos como pueda hacerlo cómodamente.

- Exhale lentamente mientras lleva los brazos nuevamente hacia adelante, encorvándose ligeramente. Relájese.

- Repita entre tres y cinco veces.

Si usted tiene dolor de hombro, como cuando se sufre de artritis o bursitis, no fuerce los movimientos y hágalos con calma.

Potencia muscular:
salud y fuerza

Ábrase paso con fuerza a un futuro poderoso

Pobreza de la carne. Eso es lo que significa sarcopenia en griego. Es el desgaste gradual de los músculos conforme se envejece y puede comenzar incluso a partir de los 30 años.

La sarcopenia a menudo viene acompañada de debilidad, pérdida de independencia, caídas y fracturas. Es una razón común para entrar en un hogar de ancianos, en donde alrededor del 60 por ciento de los residentes padecen esta dolencia. Pero usted no tiene por qué aceptar una fragilidad creciente cuando puede aumentar su fuerza muscular con un poco de esfuerzo.

Utilícelo o piérdalo. Cuando se trata de los músculos, este adagio lo dice todo. Continúe ejercitando los músculos conforme envejece y podrá conservar su masa muscular.

Entre los 30 y los 60 años, usted suele perder media libra de músculo al año, al mismo tiempo que aumenta una libra de grasa. El cambio gradual puede no ser obvio, puesto que su peso puede permanecer relativamente estable. Los expertos piensan que la pérdida muscular se debe a una combinación de factores, entre ellos la inflamación, los cambios hormonales y el estrés oxidativo.

Por suerte, los ejercicios de resistencia, como el levantamiento de pesas, ayudan a las personas de todas las edades a retrasar el envejecimiento y la atrofia de los músculos. Esta actividad no es solo para los fisicoculturistas. Levantar pesas dos o tres veces por semana aumenta la fuerza al desarrollar la masa muscular y la densidad ósea.

Un estudio encontró que las personas mayores que levantaron pesas dos veces por semana durante seis meses aumentaron su fuerza muscular en un 50 por ciento. Hicieron ejercicios que trabajan todo el cuerpo, como la prensa de piernas (*leg press*, en inglés), la extensión de piernas, la flexión de piernas, la prensa de pecho, la prensa de hombros y la elevación de pantorrillas (*calf raise*), debían utilizar todo el cuerpo.

El entrenamiento de fuerza o resistencia fortalece los músculos de la siguiente manera: cuando se pone estrés en un músculo haciendo que trabaje, se producen pequeños desgarramientos en las fibras musculares. El cuerpo repara estos desgarramientos y agrega fuerza y tamaño al músculo. Eso hace que el músculo se haga más grande y más fuerte, y esté preparado para la siguiente sesión de trabajo. Este ciclo de ruptura y reparación muscular explica por qué no se debe levantar pesas todos los días.

Disfrute de los beneficios. Además de aumentar la fuerza y la masa muscular, estos ejercicios de resistencia también pueden mejorar el equilibrio y ayudar a prevenir caídas. En un estudio realizado con personas mayores que vivían en asilos o centros similares se encontró que realizar durante seis semanas ejercicios con bandas elásticas de resistencia para fortalecer los tobillos mejoró la fuerza, el equilibrio y la movilidad de los participantes. Se ejercitaron solo 15 minutos al día, tres veces por semana, trabajando los músculos que se utilizan para poner los pies en punta y para flexionar el pie: los dorsiflexores del tobillo y los músculos flexores plantares. Al final del estudio, los participantes habían reducido su riesgo de sufrir una caída peligrosa.

Estos ejercicios también pueden combatir el aumento de peso al envejecer. Por último, aumentar la masa muscular mejora la capacidad del cuerpo para utilizar la insulina y mantener estable el azúcar en la sangre.

No se deje vencer. El entrenamiento de fuerza o de resistencia es bueno para casi todo el mundo. Usted puede beneficiarse aun cuando sufra de artritis, enfermedades cardíacas o diabetes, ya sea usted joven o una persona mayor. Asegúrese de hablar con su médico antes de comenzar, especialmente si tiene la presión arterial alta o problemas cardíacos. Pero el entrenamiento de fuerza o resistencia no es fácil. Conforme nos hacemos mayores, es cada vez más difícil ejercitar los músculos. Eso significa que usted tiene que utilizar un mayor porcentaje de su capacidad máxima de trabajo para realizar la misma tarea. En otras palabras, mover el mismo peso requiere mayor esfuerzo. Eso puede ser desalentador y hacer que usted no quiera continuar, creando un círculo vicioso de debilidad. Pero el esfuerzo vale la pena.

Un programa puede ser tan simple como levantar unas pesas pequeñas llamadas mancuernas. Usted también puede utilizar máquinas de pesas en un gimnasio o las bandas de resistencia. Si busca un plan de bajo presupuesto, cree su propio equipo de gimnasio con artículos que tenga en la casa. Por ejemplo, una lata de piña de 16 onzas puede usarse como si fuera una pesa de 1 libra o usted puede llenar con agua un envase de un galón si necesita más peso. Mire lo que tiene y sea creativo.

Para comenzar un programa de entrenamiento de fuerza o de resistencia, vea *Tres actividades para vencer el dolor de la artritis* en la página 325. Para ejercicios específicos, vea *Póngase en forma sentado en una silla* en la página 56.

La fuente de juventud de Jack

Jack ha hecho ejercicio desde que era joven. La primera vez, un amigo lo llevó a un gimnasio y le enseñó una rutina sencilla de levantamiento de pesas. Jack siguió el programa durante años ya que disfrutaba verse musculoso y sentirse bien.

Jack tiene ahora 78 años y sigue levantando pesas varias veces a la semana. Con el paso de los años Jack ha descubierto nuevos beneficios de mantenerse en forma.

"Mis vecinos ahora me piden que les ayude con las bolsas del mercado", dice. "Aún tengo la fuerza para hacer muchas de las cosas que siempre he hecho. Eso me hace sentir joven, aun cuando mi licencia de conducir muestre lo contrario".

Increíble nutriente quema calorías y estimula el desarrollo muscular

Las proteínas que se encuentran en alimentos como la carne magra y los frijoles negros pueden ayudar a derretir la grasa y a fortalecer los músculos sin esfuerzo. De hecho, usted podría quemar hasta 200 calorías al día simplemente comiendo más alimentos ricos en proteínas. El cuerpo utiliza más energía digiriendo proteínas que digiriendo grasas o carbohidratos. Por cada gramo (g) de proteína que consume, usted quema alrededor de una caloría. Consuma 200 g de proteína y podría quemar unas 200 calorías adicionales. Desafortunadamente, consumir tanta proteína puede no ser saludable. Es mejor comer con moderación alimentos ricos en proteínas y como parte de una dieta equilibrada.

Este importante nutriente también ayuda a evitar la pérdida de masa muscular que acompaña al envejecimiento. Las personas mayores en particular deben consumir más proteínas para mantener el tono muscular y la movilidad. Comer tan solo una porción de un alimento de alto valor proteico, como la carne magra, incrementa la capacidad de formar músculo en un 50 por ciento.

Consumir 30 g de proteína por comida le brinda el máximo beneficio para el fortalecimiento muscular. Eso es unas 4 onzas de pollo, pescado, carne magra o productos lácteos. O bien un desayuno de un huevo con un vaso de leche, una taza de yogur o un puñado de frutos secos.

Procure consumir 30 g de proteína en cada comida para mantener los músculos fuertes y sanos. Eso puede significar consumir más proteína de lo usual en el desayuno y el almuerzo, y menos en la cena.

"Por lo general, comemos muy pocas proteínas en el desayuno, algo más en el almuerzo y una gran cantidad por la noche. Es decir, no consumimos suficientes proteínas durante el día para un desarrollo muscular eficiente y, por la noche, estamos consumiendo más de lo que podemos utilizar. La mayor parte del exceso de proteína se oxida y puede terminar como glucosa o grasa", dice Douglas Paddon-Jones, profesor asociado de la Facultad de Medicina de la Universidad de Texas. Lo peor de esta manera de comer no es que sea ineficiente, sino que engorda.

SOLUCIÓN sencilla

¿Le es difícil obtener suficientes proteínas de la carne y otros alimentos? Entonces considere la posibilidad de tomar suplementos de proteínas.

Las mujeres mayores que tomaron diariamente suplementos de aminoácidos esenciales —que son las unidades estructurales de las proteínas— lograron desarrollar más músculo en tres meses que las mujeres que solo tomaron una píldora de azúcar. Los suplementos contenían 15 gramos (g) de los aminoácidos específicos que el cuerpo no puede fabricar y debe obtener de los alimentos.

Otro estudio encontró que 15 g de proteína de suero de leche (*whey protein*, en inglés) pueden funcionar incluso mejor que los suplementos de aminoácidos. Es fácil encontrar proteína de suero de leche en polvo en las tiendas de productos naturales o en el supermercado. Prepárese un desayuno "aumenta músculo" combinando su fruta favorita, leche y cubos de hielo con 4 cucharadas de proteína de suero de leche en polvo.

Ponga en marcha su entrenamiento con café

El café ya no es solo para despertarse. Nuevas investigaciones muestran que la cafeína también puede ayudar a los músculos a lidiar con el ejercicio, permitiéndole hacer más con menos dolor.

En un estudio se observó a un grupo de hombres jóvenes en una sesión intensa de 30 minutos en bicicletas estáticas. Una hora antes de empezar, los hombres recibieron una pastilla de cafeína o un placebo. La dosis de cafeína fue el equivalente a unas dos o tres tazas de café. Quienes tomaron la cafeína experimentaron menos dolor en los cuádriceps, que son los músculos grandes de los muslos, durante el ejercicio de bicicleta.

Curiosamente, la cafeína tuvo el mismo efecto en todos los hombres sin importar que estos consumieran típicamente mucha cafeína, digamos unas tres o cuatro tazas de café al día, o casi nada de cafeína.

El investigador Robert Motl, profesor de la Universidad de Illinois, explica la forma como la cafeína puede ayudarle a mejorar su actitud con respecto al ejercicio.

"Si usted va al gimnasio, hace ejercicio y le duele, puede estar tentado a dejar de ir porque el dolor es un estímulo aversivo que le dice que se detenga", señala Motl. "Si al consumir algo de cafeína usted logra reducir la cantidad de dolor que está experimentando, eso tal vez sea un buen estímulo para seguir haciendo ejercicio".

Pruebe el té negro o los refrescos de dieta como fuente de cafeína si no le gusta el sabor del café. Una taza de ocho onzas de té negro tiene aproximadamente 53 miligramos (mg) de cafeína, mientras que un refresco de dieta de 12 onzas tiene alrededor de 42 mg.

La cafeína no es lo único que puede consumir para sacar el máximo provecho a sus músculos. Para obtener más información sobre qué comer y beber para reducir el dolor muscular, vea *Trucos deliciosos para hacer ejercicio sin dolor* en la página 356.

Dos formas sencillas de evitar las caídas

No se deje derribar por la fragilidad. Las terribles caídas envían a ocho millones de personas a la sala de emergencias cada año. Estas son dos formas sencillas para mantenerse fuerte y firme sobre los pies.

Levántese del sofá. Un poco de ejercicio es el primer truco para evitar las caídas. Un estudio encontró que los hombres que permanecieron físicamente en forma a través de ejercicios aeróbicos redujeron su riesgo de sufrir caídas. Los investigadores hicieron seguimiento a un grupo de personas durante un período de 20 años, preguntándoles cuánto ejercicio hacían, si se habían caído y lo que estaban haciendo cuando se cayeron. Las personas mayores que se cayeron al caminar solían tener niveles bajos de acondicionamiento físico.

Los resultados son lógicos puesto que el riesgo de caerse se ve afectado por el equilibrio y el acondicionamiento muscular. Solo dos horas semanales de actividades divertidas, como caminar o nadar, pueden ayudarle a mantener los músculos de las piernas en forma, para así evitar las caídas.

Fortalezca los huesos con vitamina D. La vitamina de la luz del sol puede proteger el corazón y reducir la inflamación. Las investigaciones muestran que esta vitamina también ayuda a desarrollar músculos fuertes y a prevenir una caída peligrosa.

En un estudio reciente, los hombres y mujeres mayores que tenían los niveles más altos de vitamina D obtuvieron los mejores resultados en las pruebas de rendimiento físico. Las pruebas incluían actividades como caminar 400 metros tan rápido como fuese posible, lo que equivale a una vuelta en una pista estándar. También tuvieron que levantarse de una silla sin utilizar los brazos, mostrar su capacidad para mantener el equilibrio y completar otras pruebas de resistencia con las piernas. Las personas con mayores niveles de vitamina D al inicio del estudio también fueron las que pudieron mantenerse fuertes, obteniendo mejores resultados en las pruebas realizadas cuatro años más tarde.

La deficiencia de vitamina D afecta los músculos de muchas maneras:

- En un estudio con mujeres jóvenes en California, se encontró que las que tenían los niveles más bajos de vitamina D tenían también más grasa en el tejido muscular.

- Una carencia grave de vitamina D está ligada a la debilidad muscular. En el peor de los casos, el problema puede llegar a ser tan severo que imita a la esclerosis lateral amiotrófica (ALS, en inglés) o enfermedad de Lou Gehrig.

- La deficiencia de vitamina D está ligada a trastornos musculares del piso pélvico, tales como la incontinencia urinaria y el prolapso de los órganos pélvicos, en las mujeres mayores.

- De las personas que toman estatinas y sufren de dolor muscular, dos tercios también tiene niveles bajos de vitamina D.

Para obtener más información sobre cómo obtener suficiente vitamina D, vea *La supervitamina que cuida el corazón* en la página 134.

Añada brío a su paso

Si siente cansancio y fatiga puede que no se deba necesariamente a la falta de sueño. Hay muchas causas de fatiga, desde los desequilibrios químicos hasta los niveles de azúcar en la sangre y los efectos secundarios de los medicamentos. Si está cansado de sentirse cansado todo el tiempo, siga los siguientes consejos para inyectar un poco de energía a su día.

Haga las paces con su tiroides. Los músculos tienden a sentirse débiles después de un gran esfuerzo, por ejemplo, si usted jugó un partido intenso de tenis o salió a dar un paseo largo en bicicleta con sus nietos. Ese tipo de debilidad y fatiga por lo general desaparece en unos pocos días.

Pero en contadas ocasiones, la debilidad muscular general puede ser causada por un desequilibrio químico, específicamente un problema de tiroides. Eso se debe a que la tiroides, una pequeña glándula en forma de mariposa ubicada en el cuello, controla la forma en que el cuerpo utiliza la energía. El funcionamiento de esta glándula puede fallar de dos maneras principales:

- El hipotiroidismo, o niveles bajos de la hormona tiroidea, puede causar fatiga, debilidad y lentitud. También puede provocar aumento de peso, depresión, problemas de memoria, estreñimiento, piel seca o amarillenta, intolerancia al frío, engrosamiento o adelgazamiento del cabello y uñas quebradizas.

- El hipertiroidismo, o niveles altos de la hormona tiroidea, puede causar síntomas que son similares, o todo lo contrario, como fatiga, pérdida de peso, intolerancia al calor, ritmo cardíaco elevado, sudoración, irritabilidad, ansiedad, debilidad muscular y agrandamiento de la tiroides.

Consulte a su médico para que revise sus niveles hormonales si usted sospecha que su tiroides puede estar ocasionándole problemas.

Coma regularmente. Los cambios en los niveles de azúcar en la sangre pueden producir fatiga. Es por eso que usted debe mantener constante su azúcar en la sangre y no permitir que caiga. Usted puede lograrlo evitando comidas abundantes. En su lugar, fraccione su alimentación en varias comidas pequeñas a lo largo del día. De esa forma su cuerpo y su cerebro reciben un suministro más constante del combustible necesario para estimular su energía.

Lo más importante, no se salte el desayuno. Si lo hace, tiene más probabilidades de sentirse cansado e irritable más tarde. Pero no coma una rosquilla o algún otro bocadillo dulce. En vez de eso, elija un desayuno que incluya algo de grasa, proteínas y carbohidratos complejos, para que el combustible se libere gradualmente, manteniendo la energía estable durante más tiempo.

Cuidado con los efectos secundarios. La fatiga puede ser un efecto secundario de algunos medicamentos, incluidos los antihistamínicos, los medicamentos para la presión arterial, los esteroides y los diuréticos.

Hasta los medicamentos para tratar este problema pueden en realidad ser los culpables. Por ejemplo, las pastillas para dormir pueden ayudarle a descansar mejor durante la noche, pero pueden tener un efecto secundario cruel: somnolencia diurna al día siguiente. Ese "bajón" al día siguiente constituyó un problema para más de un tercio de los usuarios de pastillas para dormir, según una encuesta.

Pero no importa qué tan seguro esté de que son los medicamentos los responsables de su fatiga, no deje de tomarlos sin antes consultar con su médico.

Dele una oportunidad a los remedios naturales. He aquí algunas medidas que usted puede probar antes de acudir a un médico:

- No duerma poco, pero tampoco demasiado. Si permanece acostado sin dormir, reduzca el tiempo en cama y no tome siesta durante el día. Estos cambios pueden disminuir su fatiga, porque usted se dormirá más rápidamente cuando vaya a la cama.

- No se exija demasiado a sí mismo. Un programa demasiado apretado puede hacer que se sienta estresado y el estrés puede hacer que se sienta agotado. Elimine las actividades innecesarias de su día, tanto como le sea posible, para evitar la sensación de ansiedad.

- Controle sus malos hábitos. En primer lugar, no fume. La nicotina del tabaco es un estimulante, lo que empeora el insomnio. En segundo lugar, preste atención a cuánto alcohol consume. El alcohol interfiere con sus patrones de sueño por la noche. Beber una copa en el almuerzo puede hacerle sentir somnolencia durante la tarde. Si bebe antes de acostarse, el alcohol se elimina de su sistema cuatro o cinco horas más tarde. Y eso puede hacer que se despierte totalmente, impidiendo un descanso completo.

- Permanezca activo. El metabolismo se lentifica cuando se lleva una vida sedentaria. Eso puede hacer que sienta pereza. Así que póngase en movimiento y sentirá más energía. Evite los atajos de la vida moderna, como los ascensores, las escaleras mecánicas o ir en coche, cuando puede caminar o andar en bicicleta.

SOLUCIÓN*rápida*

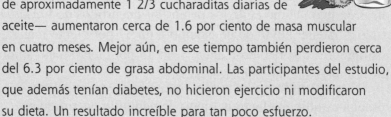

Pierda grasa y gane músculo con solo cambiar de aceite.
Un estudio encontró que las mujeres de mediana
edad con sobrepeso que tomaron aceite de cártamo
(*safflower oil*, en inglés) en cápsulas —el equivalente
de aproximadamente 1 2/3 cucharaditas diarias de
aceite— aumentaron cerca de 1.6 por ciento de masa muscular
en cuatro meses. Mejor aún, en ese tiempo también perdieron cerca
del 6.3 por ciento de grasa abdominal. Las participantes del estudio,
que además tenían diabetes, no hicieron ejercicio ni modificaron
su dieta. Un resultado increíble para tan poco esfuerzo.

Los expertos creen que los beneficios provienen de las grasas
poliinsaturadas presentes en el aceite de cártamo. Usted puede
comprar aceite de cártamo en forma de suplementos o puede
agregar un poco de aceite a sus vinagretas para las ensaladas.

Calme los calambres con jugo de pepinillo

Un antiguo remedio popular para los calambres musculares es beber
un trago de salmuera o jugo de pepinillo encurtido. Los atletas y
los entrenadores ponen su mano al fuego por esta cura y ahora los
científicos afirman que funciona. Las investigaciones muestran que
el jugo de pepinillo encurtido puede aliviar los calambres musculares,
sin necesidad de medicamentos.

Los calambres musculares pueden ocurrir en cualquier momento. Los
calambres en las piernas durante la noche son un problema que le roba
el sueño al 70 por ciento de las personas mayores de 50 años. Esto
puede deberse a la fatiga muscular, la deshidratación o el desequilibrio
electrolítico, o puede ser un efecto secundario de los medicamentos.

Algunos calambres ocurren durante el ejercicio. Los expertos no saben
a ciencia cierta qué los desencadena. Solían culpar a la deshidratación,
pero los estudios parecen indicar que esta no es necesariamente la causa.

Una nueva teoría afirma que los calambres se producen como consecuencia de un excesivo esfuerzo muscular. Entonces los nervios que evitan que los músculos se contraigan en exceso empiezan a fallar, permitiendo que el músculo se contraiga en un calambre.

¿Y qué hay de ese jugo de pepinillo encurtido? Este remedio se probó con un grupo de hombres jóvenes mientras hacían ejercicio. Beber 2.5 onzas de jugo, como el de los pepinillos encurtidos de *Vlasic Dill*, les ayudó a obtener alivio de un calambre un 37 por ciento más rápido que los hombres que bebieron agua, y un 45 por ciento más rápido que los hombres que no bebieron nada.

Esta prueba estudió el efecto del jugo de pepinillo encurtido en calambres inducidos por el ejercicio, pero el remedio también puede funcionar para los calambres nocturnos. Consumir mostaza, vinagre o chucrut también puede funcionar, pero el jugo de pepinillo encurtido puede ser un remedio más agradable.

Esta es otra forma de encontrar alivio. Un extracto de la corteza de pino llamado *Pycnogenol* puede interrumpir los calambres y aliviar el dolor muscular, ya sea en reposo o durante el ejercicio. A veces se toma este suplemento antioxidante para combatir el dolor de la artritis. Los expertos afirman que aumenta el flujo sanguíneo a los músculos, lo cual acelera su recuperación. El *Pycnogenol* ayudaría a la actividad del óxido nítrico, un gas en la sangre que ayuda al flujo sanguíneo. Un estudio determinó que los participantes encontraban alivio con cuatro pastillas de 50 miligramos (mg) de *Pycnogenol* al día.

Si los calambres en las piernas perturban su sueño, siga estos trucos útiles para la prevención de calambres.

- Manténgase hidratado bebiendo de 6 a 8 vasos de agua al día.

- Estire los músculos a lo largo del día y antes de acostarse.

- No deje que una sábana demasiado ajustada o un cubrecama pesado restrinjan el movimiento de sus pies y piernas.

- Asegúrese de consumir suficiente calcio, potasio y vitamina E.

Un baño para el dolor muscular

Un baño de inmersión en agua tibia puede calmar el dolor muscular por ejercicio intenso. Esta es la fórmula para encontrar alivio:

1/4 de taza de hojas de romero, frescas o secas

2 cucharadas de hojas secas de mejorana

12 hojas de laurel trituradas

2 tazas de sal marina

Combine todos los ingredientes en un molinillo de café, eche la mezcla a una bañera con agua tibia y sumérjase en el agua entre 15 y 20 minutos. Las hojas de laurel y la mejorana son buenas para estimular la circulación y aliviar los músculos adoloridos.

Gánele al calor y haga ejercicio cómodamente

El exceso de calor no es broma. Nuevas investigaciones muestran que un episodio de hipertermia puede conducir a daños a largo plazo en los riñones, el hígado y el cerebro. Eso significa que el viejo consejo de tan solo esperar una semana más o menos para retomar el ejercicio después de un evento de hipertermia, puede no ser suficiente.

Excederse haciendo ejercicio intenso a altas temperaturas significa que la sangre que debería estar circulando a los músculos para ayudarles a trabajar debe redirigirse a la piel para refrescar el cuerpo. Hasta un 25 por ciento de la sangre del cuerpo puede ser desviada y alejada de los músculos o los órganos. En situaciones de calor extremo, este desvío puede producir un agotamiento por calor, usted puede llegar a colapsar y ser incapaz de continuar haciendo ejercicio. Si empeora, puede llevar a lo que se conoce como golpe de calor, una condición peligrosa que puede incluir el delirio y el coma.

Los expertos están empezando a entender que las enfermedades relacionadas con el calor producen daños a largo plazo. Cuando los intestinos no reciben suficiente sangre, se producen fugas. Eso significa que las toxinas se escapan provocando inflamación y graves daños a otros órganos, especialmente al hígado y los riñones. Por eso algunos médicos recomiendan realizar una prueba de tolerancia al calor antes de volver a hacer ejercicio a las personas que han sufrido un golpe de calor.

Si usted se ha expuesto a un exceso de calor, enfríese de inmediato con toallas frías o con un baño de agua helada. Mejor aún, tome medidas para prevenir el problema.

Enfríe su cuerpo desde adentro. Aunque usted no lo crea, uno se puede preparar para hacer ejercicio en el calor bebiendo antes un granizado, esa sabrosa bebida de hielo triturado con jarabe. Un estudio puso a prueba la idea de que "enfriar" a los atletas antes de un entrenamiento podría retrasar el que se sobrecalienten con el ejercicio, lo que normalmente perjudica su rendimiento.

Los jóvenes en el estudio bebieron ya sea un granizado de fruta o agua con sabor a fruta antes de correr en una banda caminadora en una habitación caliente. Los hombres que bebieron los granizados lograron correr un promedio de 50 minutos antes de parar, mientras que aquellos que bebieron el agua con sabor a fruta solo lograron correr un promedio de 40 minutos.

El truco del granizado también puede resultar efectivo para usted. El beneficio que proporciona este tipo de "preenfriamiento" es más bien a corto plazo, pero es todo lo que usted puede necesitar antes de un partido de tenis o de una caminata de tres millas en el calor. Eso sí, no abuse de los deliciosos granizados porque pueden tener muchas calorías.

Envuélvase y refrésquese. También se puede enfriar el cuerpo desde afuera. Utilice una bufanda o toalla de enfriamiento cuando juegue al golf en un día caluroso. Estas toallas enfrían por evaporación. Usted las moja con agua caliente o fría, las escurre y las usa. Están hechas de un material superabsorbente y son reutilizables y lavables. Marcas populares incluyen las toallas *Frogg Toggs ChillyPad*, las toallas para enfriar y secar *Sammy Cool 'n Dry* y la toalla de enfriamiento por evaporación *ChillOut*. También puede usar toallas desechables, como las toallas *Chill Cooling Towels*.

Pregunta & Respuesta

Mi amiga dice que recibir un masaje después de correr una carrera ayuda a recuperarse. ¿Es eso cierto?

Esa es la razón por la que muchos atletas, desde los profesionales hasta los entusiastas, se dan el lujo de un masaje después de un entrenamiento intenso o de una carrera difícil. Durante años se les ha dicho que el masaje mejora la circulación de sangre hacia los los músculos y ayuda a eliminar el ácido láctico y otros productos residuales. Pero nuevas investigaciones apuntan a lo contrario.

Científicos en Canadá monitorearon el flujo sanguíneo de un grupo de atletas después de una sesión intensa de ejercicios. Algunos atletas recibieron un masaje y otros no. Los científicos observaron que el masaje en realidad desaceleraba el flujo de sangre a los músculos, de modo que los residuos no llegaban a ser eliminados.

Si usted desea recibir un masaje porque se siente bien, adelante. Pero no lo haga si lo que busca es acelerar su recuperación.

Fortalezca los músculos con estiramientos

¡Ah! Qué agradable es la sensación de un estiramiento suave. Puede hacer que usted se sienta más flexible, al mismo tiempo que le ayuda a relajarse después de hacer ejercicio. Los expertos ahora sostienen que agregar estiramientos al entrenamiento de fuerza o de resistencia puede ayudar a desarrollar la fuerza muscular más rápidamente. Pero hágalo de la manera correcta.

Desafíe a los músculos. Nuevas investigaciones muestran que los estiramientos pueden mejorar la fuerza adquirida en las sesiones de levantamiento de pesas. Un estudio pequeño con estudiantes universitarios comparó los beneficios de levantar pesas con los beneficios de levantar pesas y además hacer estiramientos.

Todos los estudiantes realizaron la misma rutina de levantamiento de pesas tres veces por semana durante ocho semanas. La mitad de los estudiantes hizo además 30 minutos de estiramientos dos veces por semana. Los que agregaron los estiramientos mejoraron su fuerza muscular más que aquellos que solo levantaron pesas.

Tanto en los ejercicios de resistencia como en los estiramientos se utilizaron los músculos de la parte inferior del cuerpo. Los expertos afirman que los estiramientos desafían a los músculos de formas similares al levantamiento de pesas, de modo que este entrenamiento doble les ayuda a fortalecerse.

El calentamiento es lo primero. ¿Recuerda cómo su profesor de gimnasia del colegio le hacía tocarse los pies y luego tratar de tocar el cielo? Se trata de estiramientos anticuados, que se hacían antes de los ejercicios en un intento de evitar lesiones. A veces dolían, pero se suponía que el dolor era bueno para los músculos.

Pero hacer estiramientos antes de que los músculos están calientes puede ser un error. Nuevas investigaciones parecen indicar que usted puede hacerse más daño que beneficio estirando los músculos antes de una sesión de ejercicio, cuando están todavía fríos. De hecho, esto podría hacer que los músculos se contraigan más, es decir que se tensen como respuesta al estiramiento, lo cual podría aumentar el riesgo de sufrir lesiones. En vez de eso, haga los estiramientos en otro momento, tal vez justo después de la sesión de ejercicio.

No deje de moverse. El calentamiento antes de hacer ejercicio sigue siendo necesario y los estiramientos dinámicos parecen ser la mejor opción. Algunos expertos dicen que los estiramientos dinámicos como, por ejemplo, las zancadas o desplantes (*lunges*, en inglés), que le mantienen en movimiento y que trabajan más de un grupo muscular, son una mejor opción que los estiramientos estáticos, como la vieja rutina de tocarse los pies y sostener la postura.

En los estiramientos estáticos, usted simplemente soporta el dolor del estiramiento. En el estiramiento dinámico, los músculos aprenden a ser más flexibles mientras que están en movimiento. Se parece más a lo que ocurre durante el ejercicio. El estiramiento dinámico también proporciona más beneficios en términos de aumentar la flexibilidad y el rendimiento. Busque estiramientos dinámicos que imiten el deporte que practica, como las sentadillas laterales o las zancadas profundas si usted es un corredor.

Extienda los beneficios. Los estiramientos ofrecen muchas ventajas. El tipo de estiramiento adecuado en el momento adecuado puede:

- Mejorar la flexibilidad.

- Mantener el rango de movimiento para que usted pueda realizar movimientos cotidianos, como girar la cabeza para mirar hacia atrás cuando conduce.

- Prevenir los calambres musculares.

Además, estirarse de manera correcta produce una sensación agradable.

SOLUCIÓN*rápida*

Beber demasiados refrescos (sodas o bebidas gaseosas) le puede hacer engordar. También puede hacer que se sienta débil.

Las investigaciones muestran que beber demasiados refrescos puede conducir a la hipopotasemia (también conocida como hipocaliemia), un trastorno que se caracteriza por un descenso en los niveles de potasio, lo cual afecta la función muscular. Esto puede provocar desde una debilidad ligera hasta la parálisis. Los altos niveles de glucosa, fructosa y cafeína en estas bebidas pueden provocar este trastorno.

En otros estudios realizados en ratones se observó el efecto que las grandes cantidades de fosfato en estas bebidas pueden tener en el cuerpo. El exceso de fosfato parece fomentar la atrofia muscular, la piel marchita, la enfermedad renal e incluso el endurecimiento de las arterias. Todo esto se suma al proceso normal de envejecimiento.

Estiramientos para un viaje cómodo

Viaje cómodamente, incluso durante un viaje largo. Evite que sus músculos se tensen y sus articulaciones se pongan rígidas mientras pasa horas sentado en un avión o en coche. Usted puede realizar los siguientes estiramientos mientras permanece sentado:

- Estiramiento de cuello. Lentamente incline la cabeza hacia un hombro, sostenga durante un minuto, luego incline y sostenga en la otra dirección.

- Estiramiento de hombros. Doble el brazo izquierdo ligeramente y crúcelo sobre el pecho tanto como pueda. Ponga el brazo derecho sobre el codo izquierdo y sostenga la posición durante 10 segundos. Cambie de brazo y repita.

- Giro de hombro. Gire varias veces ambos hombros hacia adelante en un movimiento circular. Luego invierta los círculos, girando ambos hombros hacia atrás.

- Contracción abdominal. Presione la zona lumbar contra el respaldar del asiento al mismo tiempo que aprieta los músculos del vientre. Sostenga durante unos segundos.

- Extensión de pierna. Siéntese con los pies planos sobre el piso y las rodillas juntas. Levante el pie izquierdo delante suyo mientras endereza la pierna izquierda. Elévela hasta que la pierna esté paralela al piso y los dedos apunten hacia el cielo. Sostenga, luego cambie de pierna.

Lo que es aún más importante, salga del coche o levántese del asiento del avión y camine cada una o dos horas para evitar la sensación de rigidez. El movimiento periódico puede también impedir que se forme un coágulo sanguíneo en la pierna, una dolencia llamada trombosis venosa profunda.

Sorprendente causa del dolor muscular

El dolor y debilidad muscular no siempre se debe al exceso de ejercicio. Si usted está tomando una estatina, puede ser un efecto secundario del medicamento. Los médicos pueden analizar sus niveles de enzimas para tratar de determinar si la estatina le está haciendo daño.

La prueba estándar de enzimas busca la presencia de altos niveles en la sangre de la enzima muscular creatinfosfocinasa (CPK, en inglés). Ese es un signo típico de miopatía o daño muscular. Sin embargo, los estudios sobre el daño a las fibras musculares han sido hechos en personas que ya sabían que tenían miopatía. De los 44 participantes de un estudio, 25 mostraron daño estructural del músculo, aunque solo uno presentaba un alto nivel de CPK. Eso significa que el examen de CPK no estaba registrando todo el daño.

Se encontró daño muscular incluso entre personas que habían dejado de tomar estatinas durante mucho tiempo. Por lo general, se espera que la debilidad y los dolores musculares asociados con el uso de estatinas desaparezcan unos días o unas semanas después de haber suspendido el tratamiento. Estos hallazgos sorprendieron a los investigadores, ya que demuestran que aunque los niveles de enzimas en la sangre estén normales, puede seguir existiendo daño muscular debido a las estatinas.

Alrededor del 10 por ciento de las personas que toman estatinas reportan efectos secundarios relacionados con los músculos. A los casos de menor severidad se les conoce como miositis, es decir, dolor e inflamación muscular que ocurre cuando las estatinas provocan una acumulación de CPK en la sangre.

El problema más grave es la rabdomiólisis, un trastorno en el cual los músculos de todo el cuerpo se vuelven débiles y adoloridos. Y eso no es todo: las enzimas musculares se acumulan en los riñones, llevando a la insuficiencia renal e incluso a la muerte. Llame a su médico si usted está tomando una estatina y tiene dolores musculares inusuales o inexplicables. También debería hacerse exámenes de sangre periódicos para determinar si tiene niveles altos de una enzima del hígado conocida como transaminasa. Niveles altos de esta enzima son un signo de daño hepático.

Una de las primeras estatinas, la cerivastatina (*Baycol*), fue retirada del mercado después de que 31 personas que la tomaban murieran de rabdomiólisis. Las estatinas de hoy son más seguras, aunque estos efectos secundarios aún son posibles, incluso si ha estado tomando estos medicamentos durante años sin haber tenido problema alguno.

El daño muscular grave también es más común en ciertas situaciones:

- Cuando se toma a la vez una estatina y ciertos medicamentos, como los fibratos y la niacina, el inmunosupresor ciclosporina, ciertos antifúngicos y antibióticos, el antidepresivo nefazodona y el fármaco para el corazón verapamilo.

- Cuando se bebe mucho jugo de toronja, más de un cuarto de galón (un litro) al día.

- En la edad avanzada, especialmente en los mayores de 80 años.

- Cuando se tiene debilidad o una estructura corporal pequeña.

- Cuando se tiene enfermedad renal crónica.

- Cuando se tiene una cirugía.

Otros posibles efectos secundarios de las estatinas son los trastornos oculares, los problemas de memoria y pensamiento y la neuropatía periférica, que es el entumecimiento o dolor en los dedos de las manos y de los pies. Hable con su médico si está tomando una estatina, pero no deje de tomarla sin su aprobación.

Pregunta & Respuesta

¿Los suplementos vitamínicos mejoran el rendimiento a la hora de hacer ejercicio?

Probablemente no. De hecho, nuevos estudios muestran que tomar vitaminas antioxidantes —en este caso, las vitaminas C y E— puede llegar a bloquear algunos de los beneficios obtenidos del ejercicio. Pero los alimentos ricos en antioxidantes no tienen ese efecto. Así que disfrute de las verduras de hoja verde, los frutos cítricos y otros alimentos ricos en vitaminas.

Soluciones sencillas
para vivir sin dolores

Tres actividades para vencer el dolor de la artritis

Las personas de mediana edad que se mantienen en forma duplican sus probabilidades de llegar a los 85 años de edad. Esa es una excelente razón para levantarse y llevar una vida activa. Sin embargo, el dolor de la osteoartritis puede interponerse al régimen de ejercicio que usted siempre ha seguido.

La osteoartritis es bastante común entre las personas que peinan canas. Se desarrolla cuando se desgasta el cartílago que debería amortiguar las articulaciones, dando lugar a una fricción dolorosa entre los huesos. El cambio puede ocurrir debido a la edad, a lesiones o simplemente a su historia familiar. No permita que el dolor de la artritis le paralice. Pruebe una de estas actividades beneficiosas y dé nueva vida a sus viejas articulaciones.

Salga a dar un paseo. Ponga un pie delante del otro y estará de camino a un corazón y unas articulaciones más saludables. Un estudio encontró que las personas con artritis de cadera o de rodilla que iniciaron un programa de caminatas tuvieron menos dolor y mejor movilidad después de tan solo doce semanas. Los participantes del estudio, que tenían entre 42 y 73 años de edad, caminaron 3,000 pasos, o aproximadamente una milla y media, tres o cinco días a la semana. También recibieron suplementos de glucosamina. Se observó que la combinación del programa de caminatas con los suplementos alivió la rigidez y el dolor de la artritis.

Consiga un podómetro que lleve la cuenta de sus pasos, para calcular su actividad diaria total, no solo la de la caminata oficial. Póngase como meta unos 10,000 pasos al día. Aunque no alcance esa meta diaria, su nivel de actividad aumentará y su dolor probablemente disminuirá.

Levante unas cuantas pesas. Los investigadores de la Universidad Tufts encontraron que las personas mayores con artritis de rodilla de moderada a severa se beneficiaron de un programa de 16 semanas de entrenamiento de fuerza y resistencia. Además de músculos más fuertes, menor discapacidad y mejor estado físico general, los participantes del estudio reportaron una disminución del dolor del 43 por ciento. Este tipo de ejercicio también le ayuda durante el envejecimiento, ya que fortalece los huesos y previene las caídas.

El entrenamiento de fuerza puede incluir el uso de pesas ligeras, de máquinas con pesas en el gimnasio o de bandas elásticas de resistencia. Comience con pesos ligeros y aumente gradualmente la cantidad que levanta. Si no puede realizar una serie de ocho repeticiones, entonces el peso es excesivo para usted. Trabaje gradualmente hasta alcanzar entre 10 y 15 repeticiones con cada ejercicio. Es mejor trabajar todos los principales grupos musculares —los brazos, las piernas y los abdominales— por lo menos dos veces por semana. Pero no ejercite el mismo grupo de músculos dos días seguidos. Los músculos necesitan tiempo para descansar y recuperarse.

Disfrute de la natación. Para un entrenamiento cardiovascular de bajo impacto que puede salvar sus articulaciones, dese un chapuzón en la piscina. Obtenga todas las ventajas del ejercicio vigoroso, sin importar su edad o su estado de salud, con esta actividad sencilla. Nadar tonifica todo el cuerpo, acelera el metabolismo y reduce la presión arterial.

La natación también es muy efectiva para eliminar las libras de más, un cambio importante para reducir el estrés en las articulaciones de la parte inferior del cuerpo. Por cada libra de exceso de peso que elimina, usted reduce en 4 libras el estrés en sus rodillas. Una persona de 154 libras que nada en estilo libre en una piscina quema alrededor de 255 calorías en apenas 30 minutos. Eso es más de lo que quemaría si caminara, bailara o se dedicara a la jardinería durante ese tiempo.

SOLUCIÓNsencilla

Andar descalzo puede que sea más llevadero para las rodillas artríticas que el uso de zapatos costosos que brindan estabilidad o de los zapatos normales para caminar, afirman los expertos del Colegio Médico Rush.

Desde luego que a nadie en su sano juicio se le ocurriría andar descalzo por las calles de una ciudad y correr el peligro de pisar todo tipo de desperdicios. Es ahí donde entran en escena las nuevas zapatillas de suela delgada, como la *Five Fingers*, de Vibram, que buscan proteger los pies y a la vez ofrecer una experiencia mucho más cercana a la de caminar descalzo.

Obtenga más información sobre este tipo de calzado flexible en:

- *www.vibramfivefingers.com* (en inglés)
- *www.feelmax.com* (en inglés)
- *www.vivobarefoot.com* (en inglés)

Alivio natural para las aflicciones de la artritis

¿Está buscando un tratamiento no farmacológico para el dolor de la osteoartritis? Entérese de cuáles son los remedios herbarios y naturales que realmente funcionan, y evite la confusión y la decepción de confiar en un impostor.

Tenga fe en los viejos remedios. Los suplementos naturales con un buen historial de efectividad incluyen la glucosamina y la condroitina, que a menudo se combinan en un solo comprimido. Algunas investigaciones muestran que pueden ser tan eficaces como el ibuprofeno para aliviar los síntomas de la osteoartritis (OA).

La glucosamina y la condroitina se encuentran en el cartílago sano normal. Se unen con el agua para amortiguar y proteger las articulaciones y pueden ayudar a reparar los daños. La glucosamina de los suplementos típicamente proviene del caparazón del cangrejo, mientras que la condroitina sintética a menudo procede del cartílago de vaca.

Se han realizado muchas investigaciones para determinar si estos dos suplementos realmente funcionan para hacer más lenta la osteoartritis (OA), preservar el cartílago y reducir el dolor de rodilla. Se esperaba que el extensivo ensayo clínico GAIT (*Glucosamine/chondroitin Arthritis Intervention Trial*) decidiera la cuestión de una vez por todas, pero los resultados no fueron claros. Los dos suplementos demostraron una efectividad limitada en general, pero sí funcionaron en personas con un dolor de OA de moderado a severo.

La glucosamina y la condroitina están disponibles en píldoras y también en forma de bebida premezclada o en polvo que se mezcla con agua para preparar una bebida con sabor a fruta. Los fabricantes de estos productos afirman que las presentaciones en bebida permiten una absorción más rápida de los ingredientes en el cuerpo.

Cualquiera que sea la forma que usted decida probar, procure tomar cerca de 1,500 miligramos (mg) de glucosamina diariamente. Tenga cuidado si sufre de diabetes, ya que la glucosamina puede aumentar el azúcar en la sangre, o si tiene alergia a los mariscos, la fuente más común de este suplemento.

Considere otras alternativas. Si decide que la glucosamina y la condroitina no son para usted, pruebe uno de estos otros enemigos naturales del dolor y la inflamación.

- **Extracto de corteza de sauce.** Algunos expertos en hierbas recomiendan el extracto de corteza de sauce como sustituto de la aspirina para combatir la fiebre, el dolor y la inflamación. Esta planta es una fuente tradicional de salicina, el ingrediente analgésico de la aspirina. De hecho, la investigación muestra que puede ser tan efectivo contra la inflamación como la aspirina y ciertos otros medicamentos que combaten el dolor. El extracto de corteza de sauce en dosis de 120 a 240 mg de salicina es seguro para la mayoría de las personas, pero tenga cuidado o evite este suplemento si tiene un historial de úlceras.

- **SAMe.** Abreviatura de S-adenosilmetionina, SAMe es un compuesto natural que parece ayudar en casos de artritis y de depresión. Se encuentra en todas las células vivas, pero usted puede comprarlo en forma de suplemento. SAMe combate el dolor y la inflamación, y puede ayudar a formar cartílago. Las investigaciones muestran que funciona tan bien como algunos medicamentos antiinflamatorios no esteroideos (AINE). Se pueden tomar hasta 800 mg diarios, divididos en dosis de 200 mg.

- **Escaramujo.** Es el nombre que se le da al fruto del rosal silvestre. El escaramujo ha sido usado tradicionalmente como un antiinflamatorio. Los estudios demuestran que ayuda a las personas con OA de rodilla y de cadera disminuyendo el dolor y aumentando la flexibilidad de las articulaciones. Usted puede comprar el escaramujo en polvo estandarizado o en jugo de fruta.

- *Aquamin.* Este suplemento, hecho de algas marinas rojas de Islandia, contiene una mezcla de calcio, magnesio y unos 74 minerales más. Con tal combinación de ingredientes potencialmente activos, los expertos no saben cuáles son los verdaderos responsables del alivio, pero parece que *Aquamin* es un antiinflamatorio natural. En un estudio, las personas con dolor de rodilla encontraron que *Aquamin* funcionaba mejor que la glucosamina y la condroitina, aliviando el dolor e incrementando su movilidad. Búsquelo en su farmacia o en sitios web tales como *www.drugstore.com* y *www.amazon.com*.

Hable con su médico antes de empezar a tomar un suplemento nuevo, aun cuando se trate de algo supuestamente "natural" o "herbario", para evitar cualquier posible interacción con medicamentos que usted ya esté tomando.

El cuidado de las encías alivia la AR

No es coincidencia que las personas que sufren de artritis reumatoide (AR) también puedan tener problemas con los dientes. La inflamación que es el resultado de una de estas dolencias también se manifiesta en la otra. Usted puede matar dos pájaros de un tiro prestando atención a sus dientes y encías.

La artritis reumatoide (AR) es un trastorno autoinmune, lo que significa que el cuerpo comienza a atacarse a sí mismo por razones desconocidas. En la AR, el revestimiento de las articulaciones es el blanco principal del ataque. Esto conduce a la hinchazón y al dolor de las articulaciones. Puede que la AR también produzca rigidez, debilidad y fatiga general.

La inflamación presente tanto en las articulaciones como en la boca es el vínculo entre la AR y la gingivitis. A menudo las manos adoloridas dificultan que se realice el tipo de higiene bucal cuidadosa que puede retardar el desarrollo de la gingivitis. Un estudio encontró que las personas con gingivitis de moderada a severa, o periodontitis, tienen un riesgo tres veces mayor de desarrollar AR. El vínculo funciona en ambas direcciones; otro estudio encontró que las personas con AR son ocho veces más propensas a sufrir de gingivitis.

Así que si ya tiene AR, siga estos pasos para mimar sus dientes y encías. Este esfuerzo puede también reducir la severidad de su artritis.

Cuide sus dientes. Usted ya conoce la rutina: cepillarse con pasta dental que contenga flúor, utilizar el hilo dental diariamente y reemplazar su cepillo de dientes cada tres meses, tal como recomienda el dentista. Algunos dentistas también aconsejan añadir un enjuague bucal diario con flúor para una protección extra. Si el dolor de las manos le impide un cepillado cuidadoso, considere la posibilidad de utilizar un cepillo de dientes eléctrico o un cepillo con un mango ancho y fácil de agarrar.

Hágase amigo de su dentista. La Fundación de la Artritis recomienda que las personas con AR vayan más allá de la limpieza dental habitual y soliciten un raspado dental y un alisado radicular al menos dos veces al año. Estos tratamientos penetran debajo de la línea de las encías para eliminar restos, pus, bacterias y sarro de lugares a los que usted no puede llegar, y luego alisan las superficies radiculares para ayudar a mantenerlas limpias. Su dentista también puede colocar gel antibiótico en los espacios o bolsas de las encías para controlar el crecimiento bacteriano.

Incremente su vitamina D. Una nueva investigación ha encontrado que las mujeres que viven en los estados del norte de Estados Unidos que reciben poco sol, lugares como New Hampshire, Vermont y Maine, son más propensas a desarrollar AR que aquellas que viven en climas más soleados. La diferencia puede ser una carencia de vitamina D. Recordemos que el cuerpo no puede producir esta vitamina sin luz solar.

La falta de vitamina D también se ha vinculado a la periodontitis. Usted necesita esta vitamina solar para formar y mantener huesos y dientes fuertes. Se cree que la vitamina D tiene propiedades antiinflamatorias, lo que puede ayudar a reducir la hinchazón y el sangrado de las encías. Otros problemas de salud, incluida la osteoporosis, la esclerosis múltiple y ciertos tipos de cáncer, también pueden estar relacionados con la falta de vitamina D.

Usted puede obtener la vitamina D de la luz del sol, de los alimentos o de los suplementos. Usted puede recibir la cantidad suficiente tomando sol al mediodía con la cara, las piernas y los brazos expuestos sin filtro solar durante 30 minutos, dos veces por semana. Si no puede tomar la luz de sol añada a su dieta alimentos enriquecidos con vitamina D, como la leche, y alimentos ricos en vitamina D, como el salmón, la caballa y el atún. Si no se expone mucho al sol es recomendable que tome suplementos. usted puede tomar 1,000 UI de vitamina D3 al día.

Pregunta & Respuesta

¿Tronarse los nudillos puede causar artritis?

No. Tronarse o chasquear los nudillos de la mano no causa artritis. Sin embargo, hacerlo habitualmente puede provocar lesiones en los ligamentos que rodean las articulaciones o la luxación de los tendones en esa articulación. Con el paso del tiempo, este hábito puede llevar a un debilitamiento de la mano en comparación con las personas que no chasquean los nudillos. Si ya tiene artritis y hace sonar los nudillos con frecuencia, usted tiene más probabilidades de sufrir una lesión de ligamento o de tendón que otras personas.

Obtenga ayuda con las labores domésticas

¿Es torpe con los dedos? Esa puede ser una consecuencia de la rigidez y el dolor de la artritis. Antes de pedir ayuda con las tareas sencillas relacionadas con la vida cotidiana, pruebe algunos de estos útiles artículos:

- El abridor de frascos. Usted puede encontrar uno que se monte debajo de un armario de la cocina para fácil acceso, o elija una versión portátil que se parezca a una pinza de presión o alicate. Una solución aun más simple es utilizar un círculo de goma que le ayudará a sujetar firmemente las tapas de los frascos.

- Los mangos gruesos. Busque tenedores, cucharas, peladoras de zanahoria, incluso cepillos de dientes, con mangos más gruesos que facilitan el agarre.

- El abotonador. Esta herramienta de mano le permite abotonar botones de camisa muy pequeños sin forzar los dedos.

- El abridor de puertas. Usted puede encontrar el estilo adecuado que le permita abrir con mayor facilidad las perillas de las puertas de su casa o las manijas abatibles de la puerta del coche.

- Las tijeras asistidas por resorte. Apriete las tijeras para cortar y luego relaje la presión y las tijeras se abrirán por acción de un resorte sin estresar sus manos.

- Las pinzas para alcanzar y tomar objetos a distancia. Esta herramienta parece un palo largo que termina en un par de tenazas. Le permite recoger objetos del suelo sin agacharse.

- El sostén con cierre frontal. Se abrocha por adelante con velcro y ganchos grandes, en lugar de utilizar broches pequeños en la espalda.

SOLUCIÓN sencilla

Sus articulaciones envejecen, así como lo hace el resto del cuerpo. Pero usted puede prevenir el aumento del dolor y tal vez hasta evitar un reemplazo articular si sigue estos cincos consejos clave para mantener las articulaciones jóvenes y saludables:

- Baje de peso de ser necesario. El exceso de peso significa más presión sobre las rodillas y las caderas con cada paso.

- Opte por ejercicios de bajo impacto. Siga trotando si lo disfruta, pero de vez en cuando haga también ejercicios que tengan menos impacto sobre las articulaciones, como la natación o el *tai chi*.

- Evite las lesiones. No participe en actividades que presentan un mayor riesgo de lesión, como, por ejemplo, un partido exigente de baloncesto o de fútbol.

- Manténgase en buen estado físico. Fortalezca los músculos para mantener las articulaciones debidamente alineadas.

- Coma bien. Consuma alimentos que contengan ácidos grasos omega-3, como el salmón y el atún, para reducir la inflamación.

Encuentre alivio sin ver a un médico

A veces la mejor persona para tratar el dolor no es un médico sino un quiropráctico. El campo del cuidado quiropráctico toma en cuenta las relaciones entre la columna vertebral, el sistema nervioso y el resto del cuerpo. A veces eso implica realizar un ajuste quiropráctico o manipulación de la columna, un procedimiento que aplica una presión rápida sobre una articulación para movilizarla o aumentar su rango de movimiento.

Un quiropráctico, osteópata o fisioterapeuta puede realizar este ajuste vertebral para aliviar el dolor causado por una mala alineación. Si su dolor de espalda ha durado menos de un mes y no hay señales de un trastorno que afecte la raíz de un nervio espinal, como la hernia discal o la estenosis espinal, usted puede ser un buen candidato para el tratamiento de manipulación de la columna.

Las investigaciones han mostrado repetidamente que el tratamiento quiropráctico y la manipulación de la columna pueden ayudar a aliviar el dolor lumbar y los dolores de cabeza por tensión. Mejor aún, es probable que su seguro médico o Medicare cubran la atención quiropráctica.

Sin embargo, en ocasiones, ciertos quiroprácticos sobrepasan los límites de su profesión y hacen afirmaciones exageradas que no son reales o incrementan demasiado sus costos. Esté atento a estos signos que delatan a un quiropráctico de dudosa profesionalidad:

- No realiza un examen físico completo y no solicita un historial médico completo antes de comenzar el tratamiento, sin embargo, quiere tomar radiografías de la columna vertebral completa antes de empezar el tratamiento.

- Afirma que el tratamiento curará o prevendrá una enfermedad, como el cáncer o las enfermedades del corazón, o que fortalecerá su sistema inmunitario.

- Intenta conseguir que los miembros de su familia le visiten para recibir tratamiento.

- Él o su equipo intentan venderle curas de vitaminas, curas de limpieza o remedios homeopáticos.

- No desea trabajar junto con su médico de cabecera o desacredita la medicina tradicional.

- Su consultorio requiere que usted firme un contrato para un tratamiento a largo plazo.

Usted puede encontrar un quiropráctico acreditado solicitando referencias a sus amigos y parientes, o buscando uno que sea miembro de la Asociación Estadounidense de Quiropráctica (ACA, en inglés).

Aunque es inusual, a veces pueden ocurrir complicaciones con un ajuste quiropráctico, especialmente en personas con afecciones como artritis, enfermedad de los huesos frágiles, enfermedades que consisten en un reblandecimiento de los huesos, trastornos de coagulación o migrañas. El ajuste quiropráctico también puede ser riesgoso si usted tiene un aneurisma o ciertos problemas circulatorios, o si toma anticoagulantes.

Fortalezca el centro para acabar con los dolores

David pasaba horas todos los días encorvado sobre el teclado de su computadora. Pensó que podía compensar los efectos de este hábito levantando pesas y saliendo a veces a correr. Con todo, seguía sufriendo de rigidez en el cuello y de contracciones o "nudos" dolorosos en la espalda y los hombros.

En su gimnasio le recomendaron el entrenamiento de la zona media del cuerpo (core training, en inglés), que son ejercicios para fortalecer los músculos del abdomen, la espalda y los lados del torso, desde los hombros hasta las caderas. Algunos ejercicios se hacen con una pelota de fisioterapia, que es como una enorme pelota de playa.

En solo unos meses, David dejó de sentir dolores en los hombros y el cuello, aun cuando su postura ante la computadora no había mejorado. Eso es algo en lo que todavía está trabajando.

Resultados con remedios poco convencionales

Puede que la cirugía alivie el dolor de espalda o el dolor de las articulaciones. Pero valgan verdades, puede que no sea así, y le resultará muy costoso averiguarlo. Antes de someterse al bisturí, investigue uno de estos tratamientos más baratos y menos invasivos para el dolor crónico de rodillas, espalda, cuello y otras partes del cuerpo.

Promueva la salud desde adentro. La proloterapia consiste en una serie de inyecciones de glucosa, un azúcar simple, en la zona adolorida. Las inyecciones activan el sistema inflamatorio del cuerpo, estimulando la acumulación de tejido adicional en los ligamentos para estabilizar los huesos y los músculos de una articulación. Un estudio encontró efectos positivos en 32 de 36 personas con tendinosis de Aquiles, lo que les permitió volver a sus rutinas de ejercicios. Otras investigaciones vieron efectos beneficiosos en personas con dolor de rodilla y de espalda.

Reciba un shock contra el dolor. La neuroestimulación eléctrica transcutánea (TENS, en inglés) parece un trabalenguas, pero es un tratamiento sencillo. El dispositivo TENS, que envía impulsos eléctricos suaves, tiene pequeños electrodos que se adhieren a la piel en el sitio del dolor o cerca de él. Los expertos creen que el TENS funciona al estimular a los nervios a cambiar su percepción del dolor, posiblemente elevando el nivel de las endorfinas, las hormonas naturales del cuerpo que hacen que usted se sienta bien. Los resultados de los estudios sobre la efectividad del TENS no son concluyentes. Evite este procedimiento si tiene un marcapasos o un desfibrilador cardíaco implantado.

Permita que un experto le dé un pinchazo. La electroacupuntura es similar a la acupuntura tradicional que coloca pequeñas agujas en puntos específicos del cuerpo donde los nervios entran en los músculos. La diferencia es que la electroacupuntura incluye cables conectados a las agujas de modo que una corriente eléctrica estimula la liberación de sustancias químicas cerebrales que alivian el dolor.

Obtenga alivio con un rayo de luz. La terapia de láser en frío, también llamada terapia de láser de bajo nivel, es un tratamiento relativamente nuevo para el dolor de cuello, de rodilla y otros males crónicos, incluido el dolor y la rigidez matinal causados por la artritis reumatoide. Este tratamiento consiste en el uso de una llamada "luz pura", luz de una sola longitud de onda, pero sin calor. Produce reacciones químicas en ciertas células que alivian el dolor y la rigidez. La terapia de láser en frío no tiene efectos secundarios, así que es bastante segura. Pero sus beneficios parecen desaparecer después de unos cuantos meses.

Únase a un grupo. Reunirse con otras personas que sufren los mismos problemas puede ser útil. Un estudio hizo seguimiento a 600 personas con dolor de espalda, dándoles a elegir entre una terapia de grupo o un tratamiento médico estándar que incluía medicamentos. Tan solo seis sesiones de terapia de grupo, de un estilo llamado terapia cognitiva conductual, proporcionaron un alivio que duró hasta un año.

Consulte con su médico si desea probar alguno de estos tratamientos. El seguro médico no siempre cubre las terapias alternativas.

Pregunta & Respuesta

Siento que puedo pronosticar los cambio de clima según el dolor de los dedos de mis manos. ¿Es eso posible?

Sentir dolor en las articulaciones cuando el tiempo está por cambiar puede que se deba a los cambios en la presión barométrica. Esta variación puede provocar un cambio de presión en el fluido sinovial que lubrica las articulaciones. Un estudio observó que los cambios en la presión barométrica y la caída de las temperaturas afectaban el dolor de las articulaciones. Sin embargo, los resultados de las investigaciones no son concluyentes, así que no se mude a un clima más seco y templado en busca de la curación para su artritis. No hay garantía de que vaya a encontrar alivio.

Rompa la cadena de dolor de la gota

Los ataques de gota ocurren cuando los cristales de ácido úrico se acumulan alrededor de ciertas articulaciones, especialmente en el dedo gordo del pie. El ácido úrico proviene de las purinas, ya sea de los alimentos que come o producidas por el cuerpo. Si bien el problema es más común entre los hombres de 40 y 50 años, las mujeres se vuelven más propensas a padecer esta enfermedad a medida que envejecen.

Un nuevo fármaco para la gota, el febuxostat (*Uloric*), puede ayudar a reducir los niveles de ácido úrico. Puede ser una buena opción si no tolera el alopurinol (*Zyloprim*), el medicamento de siempre, o la probenecida, que no es apropiada para personas con problemas renales. También puede tomar medicamentos antiinflamatorios no esteroideos (AINES) bajo receta, para combatir el dolor y la inflamación de un ataque de gota hasta que se calme, generalmente en unos cinco días. Si no puede tomar medicamentos AINES, existe la opción de la colchicina o de un corticosteroide.

Aun cuando encuentre un medicamento que funcione para reducir el ácido úrico, eso no significa que usted esté a salvo. El aumento o la disminución en los niveles de ácido úrico pueden desencadenar un ataque de gota. Así que si empieza a tomar un medicamento para bajar los niveles de ácido úrico, el dolor puede comenzar de nuevo. Muchos profesionales de la salud recomiendan seguir tomando el medicamento y esperar unos meses a que los ataques desaparezcan.

La mejor manera de evitar una dolorosa recaída de la gota es prestar atención a su alimentación:

- Evite los alimentos ricos en purinas, típicamente alimentos ricos en proteínas, como las vísceras y el tocino, además de la levadura y pescados, como el arenque, la caballa y las sardinas.

- Evite la deshidratación. En un estudio se observó que las personas susceptibles a la gota que bebieron más agua (entre cinco y ocho vasos diarios en lugar de un solo vaso), redujeron su riesgo de sufrir un ataque de gota en un 40 por ciento.

- Obtenga suficiente vitamina C. Las investigaciones han encontrado que los hombres que tomaron suplementos de vitamina C (apenas 1,000 miligramos al día), tuvieron menos riesgo de desarrollar gota en un lapso de 20 años. Los expertos creen que la vitamina C funciona al disminuir la inflamación y reducir los niveles de ácido úrico. Elija alimentos ricos en vitamina C, como los pimientos, las fresas y los cítricos.

- Beba leche. Un estudio encontró que la leche descremada puede ayudar. El ácido orótico de los lácteos ayuda a los riñones a eliminar el ácido úrico del cuerpo.

- Evite el alcohol, especialmente la cerveza, y también las sodas, gaseosas o refrescos. El alcohol contiene purinas, además estimula al cuerpo a producir ácido úrico. Y beber tan solo una gaseosa endulzada con azúcar al día aumenta el riesgo de gota. Las gaseosas de dieta no tienen el mismo efecto, ya que es el jarabe de maíz con alto contenido de fructosa (*high-fructose corn syrup*, en inglés) presente en las bebidas regulares lo que eleva los niveles de ácido úrico en la sangre.

- Disfrute de su café matutino. Los hombres que beben cuatro o más tazas de café al día reducen el riesgo de sufrir la enfermedad de gota hasta en un 60 por ciento. El té y otras bebidas con cafeína no tienen el mismo efecto.

- No olvide las cerezas. Estas frutas son ricas en vitamina C. Haga de las cerezas su fruta de elección y obtenga además los beneficios de las antocianinas, que son las sustancias químicas de origen vegetal que le dan su color a la fruta. Estas pequeñas joyas reducen la inflamación y el dolor producidos por la gota.

Usted también puede reducir la probabilidad de sufrir un ataque de gota adelgazando. Bajar de peso ayuda a reducir los niveles de ácido úrico.

Aléjese siete pasos del dolor de pie

No es necesario que sus piececitos viejos y cansados se sientan mal. Los pies adoloridos no son consecuencia inevitable del envejecimiento. Ya sea que se deba a un calzado estrecho en la punta y que comprime los dedos o a la fuerza del impacto al pisar con el talón, su dolor de pies tiene una solución.

El dolor de pies puede deberse a muchos factores, no solo a los cambios relacionados con el envejecimiento y el uso excesivo. Las personas tiende a estar de pie más o menos cuatro horas al día. Y con 33 articulaciones, 26 huesos y más de 100 tendones, ligamentos y músculos, el pie es una parte compleja del cuerpo, que puede fallar de muchas maneras.

Siga estas reglas básicas para evitar dolores innecesarios en los pies:

Cuídese los pies. Evite las dolorosas uñas encarnadas cortándolas rectas, sin redondear los bordes. Mantenga las uñas lo suficientemente largas para que los bordes no se incrusten en la piel. También puede usar sandalias o zapatos abiertos para ejercer menos presión sobre las uñas.

Preste atención a los signos de envejecimiento. Manténgase alerta ante la aparición de estos cambios estructurales relacionados con la edad:

- Los dedos en martillo. También se les llama dedos en garra porque los dedos del pie se curvan hacia abajo en forma de una garra. Evite el dolor usando un calzado amplio de punta cuadrada o aparatos ortopédicos especialmente diseñados para este problema.

- Los juanetes. Estos crecimientos óseos que se forman en el lugar donde el dedo se une con el pie son causados por la presión constante de los zapatos que empujan un dedo contra los otros. Para evitar este problema, utilice zapatos anchos de cuero suave y de tacón bajo, que se amarren por arriba o bien sandalias que permitan que los dedos se muevan con libertad.

- El adelgazamiento de la almohadilla de grasa en la parte inferior de los pies. Esto significa que usted tendrá menos amortiguación, así que busque zapatos más resistentes.

Lleve calzado adecuado. Sus pies pueden crecer con la edad, así que asegúrese de que le sigan quedando bien sus zapatos. También elija el calzado adecuado para cada actividad, como las zapatillas cuando corre. Es mejor evitar el uso de tacones altos. Si debe usarlos, limítese a tacones de 2 pulgadas o menos, pero no los use por mucho tiempo.

Brinde soporte a sus arcos. Los pies planos son los que necesitan más soporte en el arco. Si sus zapatos no ofrecen apoyo, adquiera unas plantillas ortopédicas para evitar la presión dolorosa en ciertos puntos.

Ponga los pies en remojo. Disfrutar de un baño de pies durante unos 10 minutos un par de veces a la semana puede mantener sus pies relajados, evitar la fatiga y prevenir el dolor. Mezcle media taza de sales de Epsom en el agua tibia para estimular la circulación.

No se quite los zapatos. Tenga cuidado al ir descalzo. Es probable que pueda hacerlo por períodos cortos en buen clima, si aún no tiene problemas en los pies. Pero los pies descalzos están expuestos a un mayor riesgo de lesiones. Nunca debería ir descalzo si tiene diabetes.

Elimine el dolor con estiramientos. La fascitis plantar causa dolor en la parte inferior del pie y en el talón. Pruebe estos estiramientos, muy conocidos por los corredores que sufren de este dolor:

- Siéntese en el piso con el pie adolorido estirado hacia afuera delante de usted. Enrolle una toalla alrededor de la parte inferior del pie y sujete los dos extremos de la toalla con las manos. Luego suavemente tire la toalla para estirar el pie.

- Párese a un brazo de distancia de una pared y luego apóyese contra la misma con las manos. Coloque el pie sin lesiones en el suelo delante del pie lesionado. Levante el talón del pie lesionado y estire suavemente esa pierna y el pie lesionado.

SOLUCIÓN*rápida*

Hay una vieja superstición que dice que si el segundo dedo del pie es más largo que el dedo gordo, usted será el jefe de su familia. Eso es discutible. Los expertos lo llaman el dedo de Morton.

Al caminar, el dedo gordo toca el suelo antes que los demás dedos del pie. En las personas con el dedo de Morton, el segundo dedo toca el suelo primero, pero no es lo suficientemente fuerte como para soportar la presión. Esto hace que cambie la alineación del cuerpo y causa dolor en los pies, las piernas y la espalda. También puede formarse un callo en la planta del pie al lado del segundo dedo.

Esta es una solución sencilla: coloque una almohadilla protectora o de fieltro adhesivo (tipo *Moleskin*) debajo del primer hueso metatarsiano, que es el hueso detrás del dedo gordo. Así será esta parte del pie, y no el segundo dedo, la que toque el suelo primero y luego empuje el pie.

Busque alivio para la migraña con el corazón

Los 30 millones de estadounidenses que sufren de migrañas también pueden estar en riesgo de sufrir un ataque al corazón. Este hallazgo significa que estos terribles dolores de cabeza, a menudo acompañados de náuseas, vómitos o sensibilidad a la luz y al sonido, son algo más que solo una molestia. Pueden ser una señal de que su corazón está en peligro.

Nuevas investigaciones muestran que las personas que sufren de migrañas tienen el doble de riesgo de sufrir un ataque al corazón en comparación con otras personas. El riesgo se triplica si usted sufre de migrañas con aura, que son perturbaciones visuales que pueden ocurrir justo antes de una migraña. Aun así, el riesgo real de un ataque al corazón es bastante bajo, ya que solo alrededor del 4 por ciento de los participantes del estudio tuvieron un ataque cardíaco. Si sufre de migrañas, usted también tiene una mayor probabilidad de sufrir un accidente cerebrovascular, sobre todo si se trata de migrañas con aura.

Pero hay más. Las personas que sufren de migrañas también suelen tener otros factores de riesgo cardíaco, como hipertensión arterial, diabetes y colesterol alto. El vínculo puede estar relacionado con las debilidades en la función del endotelio, que es el revestimiento interior de los vasos sanguíneos. Los expertos también ven una conexión entre la migraña y la rosácea, que es el enrojecimiento de la piel de la cara asociado al ensanchamiento y estrechamiento de los vasos sanguíneos.

¿Cuál es la conclusión? Si usted tiene migrañas, esté más pendiente de la salud de su corazón.

Detenga el dolor naturalmente. Migrañosos famosos incluyen a Thomas Jefferson, Sigmund Freud y Elizabeth Taylor. Estas personas no dejaron que el dolor les impidiera vivir la vida al máximo. Usted también puede asumir el control e impedir que las migrañas controlen sus días.

Ciertos desencadenantes de migrañas están fuera de su control, por ejemplo, las hormonas y el clima cambiante. Pero usted puede llegar a controlar otros factores. Lleve un diario, tome nota de todo lo que comió y bebió, cómo durmió y lo que hizo durante las 24 horas anteriores al ataque de migraña. Esto le ayudará a identificar los factores desencadenantes de sus migrañas y a mantenerle alejado de ellos. A menudo, una combinación de factores desencadenantes puede producir un episodio de migraña.

- Preste atención a la cafeína, especialmente si bebe mucho café. Algunos estudios muestran que la cafeína provoca dolores de cabeza, mientras que otros estudios muestran que los reduce.

- Controle su consumo de alimentos problema comunes, como el vino, el queso y los embutidos, y de los aditivos alimentarios como el glutamato monosódico (MSG, en inglés) y los nitratos.

- Tenga cuidado con las luces brillantes, los ruidos fuertes y los olores potentes. Los estímulos sensoriales muy fuertes pueden ser un desencadenante para algunas personas.

- Duerma lo suficiente, ni mucho ni poco.

- Cuídese del estrés, el principal desencadenante. Una migraña inducida por estrés normalmente se produce después de que el estrés se ha ido.

Usted también puede probar remedios herbarios si no logra protegerse de las migrañas evitando los factores desencadenantes. Masticar las hojas de la matricaria es un método tradicional para prevenir las migrañas. Pero usted tal vez prefiera tomar la matricaria en forma de suplemento, ya que masticar las hojas puede causar llagas en la boca. Un análisis de las investigaciones realizadas sobre este tema encontró que tomar suplementos de matricaria todos los días puede reducir la frecuencia de las migrañas. La petasita es una segunda hierba preventiva muy popular, aunque son escasas las pruebas de que funciona. Algunos expertos en hierbas recomiendan tomarla a diario para ahuyentar las migrañas.

Si todo falla, busque asistencia médica. Las migrañas que no pueden ser detenidas pueden perjudicar gravemente su calidad de vida. Aunque ninguna de estas soluciones de autoayuda logre poner fin a sus dolores de cabeza, aún hay esperanza. Su médico puede recetarle uno de varios medicamentos nuevos que pueden detener un ataque de migraña. Se encuentran dentro de una clase de medicamentos que se conocen como triptanos, entre los cuales están el eletriptán (*Relpax*), el sumatriptán (*Imitrex*) y el zolmitriptán (*Zomig*).

Otra solución puede ser tan sencilla como tomar una dosis alta de aspirina. Un análisis de las investigaciones realizadas sobre este tema encontró que el 50 por ciento de las personas con migraña severa obtenían alivio en el transcurso de dos horas después de tomar entre 900 y 1,000 miligramos (mg) de aspirina. Una tableta de aspirina regular contiene 325 mg. El remedio funcionó contra el dolor, las náuseas, los vómitos y la sensibilidad a la luz. De hecho, una de cada cuatro personas en el estudio obtuvo un alivio completo. Tenga en cuenta que la aspirina tiene efectos secundarios, tales como el ardor de estómago y el sangrado gastrointestinal.

La caja magnética que acaba con las migrañas

Usted muy pronto podrá librarse del dolor de la migraña sin tener que tomar medicamentos. Un grupo de investigadores probó un pequeño dispositivo portátil que suministra pulsos magnéticos en personas que sufrían migrañas con perturbación visual. El dispositivo emite lo que se conoce como estimulación magnética transcraneal (TMS, en inglés) de pulso único. Se cree que este tipo de estimulación interrumpe los eventos eléctricos en el cerebro que provocan los síntomas tempranos de una migraña. De alrededor de 100 personas que utilizaron este dispositivo al inicio de una migraña, cerca del 40 por ciento dijeron estar libres de dolor dos horas después, sin presentar efectos secundarios de gravedad.

Cuatro formas de combatir la fibromialgia

¿Fibro qué? Fibromialgia, una especie de síndrome de dolor crónico que puede ser difícil de diagnosticar y aún más difícil de tratar. Es más común entre las mujeres y puede imponer una tensión real en muchas áreas de su vida.

Las personas con fibromialgia tienen dolor muscular crónico generalizado, fatiga y puntos muy sensibles en el cuerpo. Estos puntos sensibles a la presión, 18 en total, se utilizan para distinguir entre la fibromialgia y otras condiciones dolorosas. En la fibromialgia, no hay ninguna inflamación articular, así que técnicamente no es artritis. Pero la dolencia se ubica en el grupo de enfermedades reumáticas porque provoca dolor crónico y afecta las articulaciones y los tejidos blandos. Otros síntomas incluyen rigidez matutina, dificultad para dormir, problemas de memoria o concentración, también conocidos como "fibroneblina", problemas intestinales, síndrome de las piernas inquietas y hormigueo en las manos y los pies.

Hoy en día, estos síntomas pueden ser tratados con medicamentos. Además de los medicamentos para aliviar el dolor, se suelen recetar ciertos antidepresivos, somníferos y relajantes musculares.

Pruebe estos remedios naturales para acabar con el dolor y recuperar su vida de las garras de la fibromialgia.

Localice el dolor. El antiguo arte curativo de la acupuntura puede ser la solución. Un estudio encontró que las personas que sufren de fibromialgia experimentan alivio del dolor,

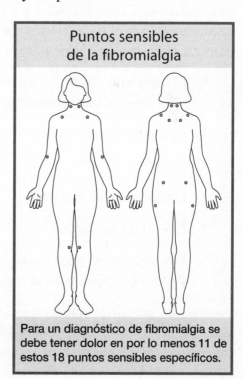

Puntos sensibles de la fibromialgia

Para un diagnóstico de fibromialgia se debe tener dolor en por lo menos 11 de estos 18 puntos sensibles específicos.

la ansiedad y la fatiga después de una serie de tratamientos de acupuntura. Al parecer, el analgésico natural llamado adenosina aumenta en la zona cerca del punto de acupuntura.

Ponga a trabajar a los curanderos de la naturaleza. La escutelaria es una planta herbácea tradicionalmente utilizada para tratar los síntomas de la fibromialgia desde el siglo XIX. Se considera un antiespasmódico natural, aunque hay pocas pruebas científicas para apoyar su uso.

Una opción natural más nueva tal vez sea la clorela, un suplemento a base de algas. Un estudio encontró que tomar diariamente clorela en líquido o en pastillas redujo el dolor en los puntos sensibles en las personas con fibromialgia. Pero el estudio era pequeño y los resultados no fueron concluyentes, de modo que se necesita continuar con las investigaciones para estar seguros.

Determine sus sensibilidades a los alimentos. No existe una sola dieta para lidiar con los síntomas de la fibromialgia, cada individuo tiene sus propias sensibilidades, pero las personas que la padecen han encontrado alivio al hacer ciertos cambios en su alimentación. Para empezar trate de evitar lo siguiente:

- El aspartamo (*NutraSweet*), el glutamato monosódico (MSG) y los nitratos (que se encuentran en los embutidos y el tocino).

- El azúcar, la fructosa y otros carbohidratos simples.

- La cafeína.

- Las levaduras y el gluten.

- Los productos lácteos.

- Las solanáceas (*nightshades*, en inglés), como el tomate, los chiles y los pimientos, la papa y la berenjena.

Además, asegúrese de obtener suficiente vitamina D de los alimentos, de la luz del sol o de suplementos. Los investigadores encontraron que las personas con bajos niveles de vitamina D tenían un mayor riesgo de sufrir dolores musculares y óseos, incluida la fibromialgia.

Manténgase activo, incluso cuando duele. Puede que no tenga ganas de hacer ejercicio cuando ataca el dolor de la fibromialgia, pero las investigaciones demuestran que el ejercicio, tanto aeróbico como el de resistencia, puede ayudar. Doce semanas de ejercicios de resistencia redujeron el dolor y la depresión, al mismo tiempo que estimularon el bienestar general de las personas con fibromialgia. El ejercicio aeróbico moderado también ayudó a mejorar los síntomas. Otros investigadores recomiendan que las personas con esta dolencia hagan ejercicio para mejorar su equilibrio y reducir las caídas.

Una investigación más reciente encontró que la probabilidad de contraer fibromialgia es entre 60 y 70 por ciento mayor en las mujeres que tienen sobrepeso, es decir que tienen un índice de masa corporal (IMC) de 25 o más, que en las mujeres más delgadas. Las que se ejercitaban menos de una hora a la semana también tenían un mayor riesgo.

Pero usted no tiene que pasar horas en el gimnasio. Tan solo 30 minutos al día de "actividad física cotidiana" pueden ayudar a superar la discapacidad y el dolor de la fibromialgia. Intente hacer lo siguiente:

- Suba las escaleras en lugar de tomar el ascensor.

- Trabaje en el jardín.

- Haga elevaciones de pierna o círculos con los brazos mientras ve la televisión.

- Utilice un podómetro para contar sus pasos diariamente.

- Limpie su casa vigorosamente escuchando su música favorita.

Póngale freno a la sensibilidad al gluten

Puede ser que su tostada matutina le esté produciendo malestar y no lo sepa. Una persona típica con sensibilidad al gluten suele sufrir durante 11 años antes de ser diagnosticada. Eso es mucho tiempo para vivir con una dolencia que puede afectar todo el cuerpo. Lo que es aún más preocupante, los investigadores han encontrado que la sensibilidad extrema al gluten, o enfermedad celíaca, puede ser cuatro veces más común hoy que hace solo 50 años. Una solución práctica para usted sería eliminar el gluten de su dieta.

La enfermedad celíaca es una enfermedad del sistema inmunitario, lo que significa que el cuerpo se ataca a sí mismo. En la enfermedad celíaca, una intolerancia permanente al gluten, un componente del trigo y de otros granos, causa inflamación en el intestino delgado. Los síntomas incluyen diarrea crónica, vómitos, estreñimiento, pérdida de peso y dolores estomacales. Otros síntomas incluyen dolor en los huesos o en las articulaciones, migrañas y llagas en la boca.

Obtenga el diagnóstico correcto. Los médicos identifican la enfermedad celíaca con dos exámenes: una biopsia intestinal para encontrar vellosidades aplanadas, lo que indicaría que su cuerpo ha sido atacado, y un examen de sangre que determina la presencia de ciertos anticuerpos. La enfermedad es difícil de diagnosticar en base a los síntomas, ya que algunas personas no los notan en absoluto. En la actualidad, los expertos admiten que es posible tener una sensibilidad al gluten tan baja que ni siquiera aparece en los análisis de sangre. Algunos afirman que no se trata de un diagnóstico afirmativo o negativo, sino más bien de un espectro de mayor o menor sensibilidad al gluten. Es por ello que es posible que usted no satisfaga los criterios de diagnóstico oficiales y, sin embargo, se vea afectado por el gluten de los alimentos que consume.

Elimine el gluten para un mayor bienestar intestinal. Si usted piensa que puede ser sensible al gluten, a pesar de no haber recibido un diagnóstico definitivo, puede probar una dieta libre de gluten para ver si ayuda. Evite el gluten de la siguiente manera:

- Busque el símbolo "GF" (*Gluten Free*, en inglés) dentro de un círculo en las etiquetas de los alimentos. Este símbolo indica que se certifica que el producto está libre de gluten.

- Cuidado con el gluten de fuentes inesperadas, como las hostias para la comunión, los medicamentos, el lápiz labial, los alimentos enlatados, los embutidos, los dulces y los helados.

- Lea las etiquetas de los alimentos para ver si contienen trigo, centeno, cebada, malta o avena. Aunque la avena en realidad no contiene gluten, puede estar contaminada si es procesada en la misma planta con otros granos. Eso significa que se debe evitar la mayoría de los alimentos a base de cereales, como los panes, las galletas saladas, las galletitas dulces y las pastas.

- Busque alternativas sin gluten a sus alimentos preferidos, como pastas hechas de arroz integral, maíz o quinua.

La enfermedad celíaca, cuando no es tratada, puede conducir a problemas de salud a largo plazo, como la osteoporosis, deficiencias de calcio o de vitamina D, daños en el esmalte de los dientes y hasta problemas neurológicos. La eliminación total del gluten no es fácil, pero parece revertir los síntomas y permite que el intestino empiece a sanar. Puede que usted note una mejoría a los pocos días de cambiar su dieta. Hacer cambios en la dieta funciona para el 95 por ciento de las personas con sensibilidad al gluten, pero tendrá que seguir con la dieta de por vida.

La proloterapia ayuda a las articulaciones a curarse por sí solas

A Paul le gustaba andar en bicicleta para mantenerse en forma, pero con el paso de los años notó que ya no podía recorrer las mismas distancias. Cuando quiso mantenerse al ritmo de los ciclistas más jóvenes, acabó con una lesión en la rodilla debido al exceso de uso y tuvo que dejar la bicicleta por algunos meses.

Su médico le recomendó la proloterapia, una serie de inyecciones de glucosa en la articulación. Paul recibió tres inyecciones en la rodilla adolorida en el curso de dos meses, a $125 cada tratamiento. Seis meses más tarde, estaba nuevamente sobre su bicicleta.

"La proloterapia fue menos costosa en el largo plazo que lo que habría sido una cirugía", dice Paul. "Fue lo mejor para mí".

Contraataque al cálculo biliar

Si usted pierde mucho peso con una de esas dietas rápidas, su cuerpo podría vengarse dolorosamente. Los dolores agudos en el abdomen que comienzan cerca de la caja torácica y se irradian hacia la espalda podrían ser una señal de cálculos biliares.

Bajar de peso rápidamente o adelgazar y volver a engordar es algo que a menudo antecede a un ataque de cálculos biliares. Eso se debe a que el hígado reacciona al cambio de peso produciendo más colesterol, uno de los principales componentes de un tipo de cálculo.

La vesícula biliar, un órgano pequeño cerca del hígado, es el tanque de almacenamiento de la bilis, que ayuda al cuerpo a descomponer las grasas de los alimentos que consumimos. Cuando la bilis permanece en la vesícula biliar demasiado tiempo, puede llegar a concentrase y a formar cálculos.

Algunos cálculos biliares no causan dolor al atravesar el conducto biliar, pero otros pueden resultar extremadamente dolorosos, como si alguien intentara hacer pasar una pelota de golf a través de una pajilla. Puede que usted sufra un episodio de dolor después de disfrutar una comida grande, o puede que el dolor le despierte durante la noche unas horas más tarde.

Los problemas de vesícula biliar son comunes. Cada año más de 800,000 personas en Estados Unidos requieren la extirpación de la vesícula biliar. Muchos más tienen cálculos biliares pero no necesitan que sus vesículas biliares sean extirpadas. Hoy en día, es común que la vesícula biliar sea extirpada con cirugía laparoscópica, que es más segura y requiere incisiones más pequeñas y menos tiempo de recuperación que la cirugía convencional.

Tome las siguientes medidas para disminuir el riesgo de sufrir cálculos biliares:

Disfrute de su café matutino. Si bebe café, no deje el hábito. Los resultados de las investigaciones no son concluyentes acerca de si el café previene los cálculos biliares o no. Algunos estudios dicen que sí, mientras que otros afirman lo contrario. El estudio más reciente encontró que las mujeres que bebían café eran menos propensas a que se les extirpara la vesícula biliar a causa de los cálculos.

En general, los expertos creen que beber café puede reducir el riesgo de desarrollar cálculos biliares y renales. La cafeína del café estimula a la vesícula biliar a contraerse y expulsar bilis, impidiendo el desarrollo de cálculos.

Consuma más frutas y verduras. Un grupo de investigadores hicieron un seguimiento durante 16 años a las mujeres que participaron en el Estudio de Salud de Enfermeras. Las participantes que comían más frutas y verduras, especialmente verduras de hoja verde, crucíferas, cítricos y otras frutas, así como verduras ricas en vitamina C, tenían menos probabilidades de desarrollar enfermedades de la vesícula biliar. Lo que significa que las amantes de las frutas y verduras tenían más probabilidades de conservar su vesícula biliar que aquellas que no las consumían.

Entre los ingredientes protectores están los minerales como el magnesio, los antioxidantes como la vitamina C y la fibra, que acelera el movimiento de los alimentos a través de los intestinos y cambia la composición de la bilis.

Evite las pastillas de la terapia de reemplazo hormonal. Si usted es una mujer que está pensando en recurrir a la terapia de reemplazo hormonal (TRH), considere la opción de utilizar un parche o una crema antes que pastillas. Un estudio encontró que las mujeres que recibían la TRH a través de la piel y no en forma oral, presentaban un riesgo menor de desarrollar cálculos biliares.

La TRH por vía oral puede aumentar el riesgo de formación de cálculos biliares porque las hormonas se descomponen en el hígado antes de entrar en el torrente sanguíneo. En contraste, las hormonas que se absorben a través de la piel llegan directamente a la sangre, evitando ese "primer metabolismo" en el hígado. Los expertos dicen que en un período de cinco años, se pudo evitar una extirpación de vesícula biliar por cada 140 mujeres que eligieron la THR en forma de crema o de parche en vez de pastillas.

Consulte acerca de las estatinas. Para reducir el riesgo de formar cálculos biliares que necesitan cirugía, pregúntele a su médico acerca de la posibilidad de tomar una estatina, especialmente si tiene el colesterol alto u otros factores de riesgo para enfermedades cardíacas.

Investigadores en Inglaterra encontraron que las personas de mediana edad que tomaron una estatina durante al menos un año tuvieron un menor riesgo de desarrollar cálculos biliares que requirieron cirugía. Del mismo modo, las mujeres del Estudio de Salud de Enfermeras que tomaron medicamentos reductores del colesterol, sobre todo estatinas, tenían menos riesgo de extirpación de vesícula biliar.

¿Cuál es la conexión? Las estatinas impiden que el hígado produzca demasiado colesterol y los cálculos biliares están hechos ya sea de bilirrubina o de colesterol. Menos colesterol en el sistema significa menos colesterol que puede ser transformado en cálculos biliares.

El dolor en la parte baja de la espalda como señal de alerta

Sentir dolor en la parte baja de la espalda puede ser una señal de que su corazón está en riesgo. Los expertos que analizaron las investigaciones realizadas sobre las enfermedades cardíacas y los problemas de espalda encontraron vínculos entre la acumulación de grasa en la aorta (que es la principal arteria que suministra sangre al cuerpo) y la degeneración de los discos en la columna vertebral. También notaron un vínculo entre las arterias bloqueadas hacia la parte baja de la espalda y el dolor de espalda. Las personas con niveles altos de colesterol y aquellas que fumaban también eran las que más sufrían de dolores de espalda.

El problema puede ser que las enfermedades cardíacas provocan la obstrucción de los vasos sanguíneos hacia la parte baja de la espalda y la columna vertebral. Tome en serio los dolores que tenga en la parte baja de la espalda y vaya a ver al médico.

Buenas noticias para las personas que sufren de herpes zóster

Es como si la varicela, esa terrible enfermedad infantil, volviera a perseguirle en sus años dorados. El herpes zóster, conocido también como culebrilla, produce sarpullido rojo en la piel y dolor punzante. Pero un nuevo parche de capsaicina puede liberar su vida de este dolor.

Conozca los síntomas. Si tuvo varicela de niño, usted esta en riesgo de contraer herpes zóster más adelante. Esto se debe a que el virus se mantiene oculto en el cuerpo durante años, esperando una oportunidad para resurgir en forma de herpes zóster. La mitad de las personas que alcanzan la edad de 85 años lo padecen. Usted puede notar un sarpullido rojo a lo largo de un lado de su cuerpo. Puede extenderse a la cara y causar ceguera si un nervio óptico se ve afectado.

Incluso una vez que la erupción de herpes zóster se ha ido, el dolor de la neuralgia posherpética (NPH) puede ser horrible, llegando fácilmente a durar tres meses. El dolor puede ser tan fuerte que se necesitan grandes cantidades de medicamentos analgésicos o inyecciones epidurales para aliviarlo. Si usted piensa que está contrayendo herpes zóster, consulte a su médico acerca de un medicamento antiviral. Estos funcionan mejor si se toman en el transcurso de las 48 horas a partir del inicio de la erupción.

Coloque un parche sobre el problema. La Administración de Alimentos y Fármacos (FDA, en inglés) aprobó recientemente *Qutenza*, un parche que contiene capsaicina sintética. Esa es la sustancia química de los chiles picantes que hace que le queme la lengua. Se utiliza en algunas cremas analgésicas para desensibilizar la piel y disminuir la cantidad de sustancia P, un compuesto natural que transmite señales de dolor al cerebro.

Qutenza es un parche que se vende con receta médica y que se usa durante una hora aproximadamente. El médico primero aplica anestesia tópica en la piel y luego coloca el parche. El procedimiento duele un poco, incluso con anestesia, y puede hacer que se eleve la presión arterial mientras está actuando. Pero las personas que lo han usado consideran que vale la pena el malestar por un tiempo corto para evitar el dolor de la NPH a largo plazo.

Tome medidas para evitar el herpes zóster. La mejor manera de lidiar con el herpes zóster puede ser evitándolo por completo. Primero, cuando cumpla los 60 años pregunte a su doctor sobre la vacuna para el herpes zóster *Zostavax*. Las investigaciones muestran que puede protegerle de esta afección tan dolorosa. Incluso si contrae herpes zóster después de haber recibido la vacuna, el dolor será menos severo.

Usted también puede fortalecer su sistema inmunitario y evitar el herpes zóster aprendiendo el antiguo arte del *tai chi*. Investigadores en California encontraron que las personas mayores que tomaron clases tres veces a la semana de *tai chi chih*, que es una versión occidentalizada de este arte marcial, aumentaron su inmunidad tanto como si hubieran recibido la vacuna. Mejor aún, aquellos que tomaron las clases y recibieron la vacuna fortalecieron su inmunidad el doble comparados con las personas mayores que solo recibieron la vacuna.

Los estudios también encontraron que las personas mayores que tomaron clases de *tai chi* mejoraron su capacidad de realizar tareas cotidianas, como subir escaleras y cargar paquetes. En otros estudios se vio cómo tan solo 25 semanas de clases de *tai chi* ayudaron a las personas mayores a dormir mejor y a concentrarse mejor.

Pregunta & Respuesta

Tengo una sensación de rigidez después de haber estado mucho tiempo sentado. ¿A qué se debe esto?

A medida que envejece, se producen cambios en los ligamentos, los tendones y los cartílagos, y hay menos líquido para lubricar las articulaciones. Al permanecer sentado durante largo tiempo, el líquido no se distribuye de manera uniforme en los espacios articulares. Así, cuando uno se pone de pie, hay menos lubricación para evitar la fricción del cartílago. Pero a medida que uno empieza a moverse, el líquido también se mueve y la sensación de rigidez disminuye.

Dígale a su médico exactamente lo que le sucede para que pueda determinar el problema articular específico que le aqueja.

Rompa el ciclo de "me pica, me rasco, me pica"

Cuando le pica algo, lo primero que quiere hacer es rascarse. Pero a veces rascarse solo empeora la picazón. Se llama el ciclo de "me pica, me rasco y me pica", que puede hacer que usted se olvide de todo salvo de la molesta sensación.

La picazón, o prurito, se relaciona al dolor, ambos suceden en la piel y se transmiten al cerebro a lo largo de las mismas vías nerviosas. Pero la picazón constante que no puede aliviarse rascándose puede ser más incómoda que el dolor constante. De hecho, algunas personas se rascan tanto que hacen que la comezón se convierta en dolor para que les resulte más fácil soportarlo. El mejor remedio depende de cuál sea la causa de la picazón.

Piel seca. Para piel seca o eczema crónico, utilice una buena crema hidratante y manténgase alejado de los extremos de calor y frío, como los baños calientes. También evite usar irritantes de la piel, como la lana que pica, o restregarse la piel.

El uso de avena coloidal en forma de baño o de loción puede ayudar. Ciertas proteínas y polisacáridos de la avena forman una barrera que protege e hidrata su piel. Usted puede hacer su propia mezcla de baño combinando dos tazas de harina de avena con cuatro tazas de agua. Hierva la mezcla, añádala a una bañera de agua tibia y sumérjase en ella. Tenga cuidado cuando entre a la bañera, ya que el piso estará resbaladizo. También puede comprar lociones y otros productos para el cuidado de la piel que contengan avena coloidal, como los de la línea de productos de *Aveeno*. La acupuntura también parece funcionar para las personas con eczema atópico, ya que estimula la producción de sustancias químicas naturales que bloquean el dolor.

Picaduras y ampollas. Para la picazón causada por las picaduras de insectos o la hiedra venenosa, es recomendable empezar con una compresa fría o una crema de esteroides de venta sin receta médica. Consulte con su médico si la hinchazón y la inflamación se expanden más allá del lugar original de la picadura o la ampolla. Puede que necesite antihistamínicos o corticosteroides orales.

Si no hay una causa clara. Si usted tiene picazón constante sin ningún sarpullido u otro signo visible, puede que se trate de una dolencia grave como anemia, problemas de tiroides o enfermedad hepática o, incluso, un cáncer interno. Consulte con su médico si la comezón no desaparece.

SOLUCIÓN*rápida*

No culpe a los ejercicios de su dolor de espalda. El problema puede ser una mala postura después de hacer estos ejercicios. La fisioterapeuta Robin McKenzie dice que el dolor que no empieza hasta después de haber dejado de correr o de hacer un deporte, a menudo se debe a que las personas tienden a encorvarse o a desplomarse una vez concluida la sesión de ejercicios.

Tal vez sea en el coche de regreso a casa o en un sillón del club, lo cierto es que la mala postura puede dañar las articulaciones de la columna vertebral. Si deja de encorvarse, dejará de sentir dolor. Si usted tiene dolor durante los ejercicios, hágase un chequeo para determinar si tiene una lesión, dice Robin McKenzie.

Trucos deliciosos para hacer ejercicio sin dolor

Si usted ha decidido iniciar un programa de ejercicios, pero no le atrae la perspectiva de articulaciones y músculos adoloridos, no se preocupe. Ponerse en forma no tiene que doler. Siga estos pasos antes, durante y después de cada sesión de actividad física:

Antes: *beba jugo de cerezas.* Los investigadores encontraron que el jugo de cereza agria tenía el poder antiinflamatorio suficiente para reducir el dolor posterior al ejercicio de un grupo de corredores. Los atletas bebieron unas 10.5 onzas de jugo de cereza dos veces al día durante los siete días anteriores a una carrera de relevos de larga distancia. También disfrutaron de un vaso el día de la carrera. Los bebedores del jugo dijeron haber sentido menos dolor muscular después de la carrera que los atletas que no bebieron zumo. Los expertos creen que las antocianinas, unos compuestos antioxidantes presentes en el jugo de cerezas que además le dan su color, son las responsables de reducir la inflamación. ¿Cuál es el beneficio para usted? Menos dolor.

Durante: *haga ejercicio inteligentemente.* Evite las lesiones y dolores que ocurren cuando se entrena en exceso o se repite la misma rutina todos los días y año tras año. Después de los 50 años, usted no puede continuar entrenando de la misma forma en que lo hacía cuando era más joven. Las consecuencias podrían ser lesiones causadas por el exceso de uso, como la tendinitis, la bursitis y las fracturas por estrés. Introduzca estos cambios en su rutina para evitarlas:

- Haga calentamientos y enfriamientos para evitar lesionar los músculos fríos. Usted puede, por ejemplo, pedalear a baja velocidad o caminar sobre el sitio unos minutos antes del entrenamiento. Haga lo mismo después de hacer ejercicio hasta que la respiración y el ritmo cardíaco vuelvan a la normalidad.

- Aprenda a estirarse. Las articulaciones, los músculos y los tendones, que se vuelven menos flexibles a medida que envejecen, se benefician de un estiramiento suave después del calentamiento. Mantenga el estiramiento durante al menos 30 segundos.

- Opte por el entrenamiento mixto (*cross training*, en inglés) o cambie de actividad, para evitar hacer los mismos ejercicios todos los días. Si durante años andar en bicicleta ha sido su ejercicio aeróbico, practique la natación en su lugar. O si pasa sus fines de semana en el campo de golf, intente jugar de vez en cuando un poco de tenis.

- Escuche a su cuerpo. Descanse un día cuando sienta dolor. No se fuerce a pesar del dolor, como tal vez hubiese hecho cuando era más joven. Usted ya es muy mayor para cometer ese error.

Después: *disfrute de un vaso de leche chocolatada.* Esta deliciosa bebida le permite cargarse de proteínas, calcio, vitamina D y de la energía del chocolate. En un estudio, los ciclistas que bebieron leche con chocolate después de un duro entrenamiento fueron capaces de un mejor desempeño durante un segundo entrenamiento que aquellos que bebieron una bebida deportiva típica con sabor a fruta. Otro estudio realizado con levantadores de pesas mostró cómo las proteínas de la leche ayudan al cuerpo a reconstruir el músculo que se descompone durante el entrenamiento de resistencia. Y no olvide que la leche baja en grasa, incluso la leche chocolatada, ayuda a rehidratar el cuerpo después del ejercicio, sustituyendo el líquido perdido al sudar. ¿Quién necesita más razones para disfrutar de este pequeño estimulante de chocolate?

Alivio para las articulaciones adoloridas

Los futbolistas profesionales a veces toman un baño de agua caliente después de un partido para aliviar sus músculos adoloridos. Este truco también puede ser efectivo para usted. Tanto el calor como el frío ayudan a aliviar el dolor de las articulaciones dañadas por la osteoartritis, permitiéndole hacer ejercicio cómodamente.

El calor relaja los músculos alrededor de una articulación rígida, aliviando el dolor de la artritis. Es beneficiosa la aplicación de calor antes y después del ejercicio. Pero no aplique calor durante más de 15 minutos a la vez y siga las instrucciones de seguridad del producto para evitar una quemadura. Estas son algunas opciones de tratamientos térmicos:

- Disfrute del calor húmedo de una bañera con agua caliente, de una ducha caliente o de una toalla húmeda caliente.

- Aplique calor seco utilizando una almohadilla térmica, un guante térmico o una lámpara de calor. O pruebe una compresa de calor para microondas que se mantiene caliente durante horas.

- Sumerja las manos en cera de parafina a una temperatura tibia para un tratamiento de calor para los dedos adoloridos.

El frío ayuda a las articulaciones debido a que reduce la hinchazón, al mismo tiempo que le distrae del dolor. Usted puede aplicar el tratamiento de forma segura utilizando una compresa fría que se conserva en el congelador o puede aplicar un tratamiento casero, por ejemplo, una bolsa de plástico de cubitos de hielo, una toalla húmeda sumergida en agua con hielo o una bolsa de verduras congeladas.

No aplique el hielo directamente sobre la piel. Para evitar la congelación, coloque una toalla de manos sobre la piel antes de aplicar el tratamiento de hielo. No aplique una terapia de frío durante más de 15 o 20 minutos por vez. Usted puede obtener un mayor alivio alternando entre aplicaciones frías y calientes.

El problema con los rayos X

Preste atención a sus dolores, incluso si las radiografías muestran que usted está bien. Las radiografías no siempre logran detectar una fractura de cadera o de pelvis. Pero un escáner de imágenes por resonancia magnética (MRI, en inglés), que es más sensible, sí puede hacerlo.

En un estudio, se les hizo una prueba de MRI a 92 personas con dolores sospechosos. Todas habían pasado por la sala de emergencia, pero sus rayos X no mostraban huesos fracturados. En las imágenes por resonancia magnética, sin embargo, se detectaron 35 fracturas.

Si usted tiene un dolor persistente después de una caída o un accidente, hable con su médico sobre la posibilidad de hacerse una prueba de MRI. Cuanto antes se detecte y se trate una fractura de hueso, mejor.

El poder curativo del tacto

Pruebe este tipo sencillo de masaje que puede ayudar a aliviar muchos de sus problemas de salud. El tipo adecuado de masaje puede fortalecer su inmunidad, aliviar el dolor, reducir la fatiga y hasta bajar la presión arterial. Nuevas investigaciones han demostrado que funciona.

En términos generales, el masaje relaja los músculos y estimula la circulación sanguínea, lo que ayuda a calentar los músculos y reducir el dolor. El masaje incluso puede bloquear las señales de dolor al cerebro.

Alise los nudos. Un tratamiento que se conoce como masaje de puntos desencadenantes (*trigger point massage*, en inglés) puede ayudar a aliviar el dolor. También conocido como masaje de puntos de presión, es una técnica en la que el terapeuta aplica una presión profunda y concentrada en puntos desencadenantes miofasciales o "nudos de tensión" que pueden formarse en los músculos.

Pruebe este truco para combatir el dolor de espalda constante. Con cinta adhesiva una dos pelotas de tenis. Luego acuéstese sobre la espalda con las pelotitas debajo de la columna vertebral. Asegúrese de que estén centradas y paralelas a la cintura, ligeramente por encima de la parte baja de la espalda. Levante los brazos hacia el techo. Luego bájelos uno por uno, primero a los lados y luego por encima de su cabeza. Este movimiento hace que las pelotas de tenis le den un masaje a su espalda.

Si lo que le molesta es la rigidez y dolor de cuello, imagine en la parte posterior de su mano un triángulo con lados iguales, con dos esquinas en los nudillos del dedo índice y el anular y la tercera hacia la muñeca. Masajee la tercera esquina del triángulo y al mismo tiempo estire el cuello y sienta cómo se disuelven la rigidez y el dolor.

Refuerce su inmunidad. Algunos afirman incluso que el masaje puede aumentar la respuesta inmunitaria. Es cierto que el masaje puede aumentar el flujo de la linfa, un fluido que circula por el sistema linfático del cuerpo. La linfa transporta células que combaten las enfermedades y recogen residuos para su eliminación. Algunas personas creen que el masaje aumenta el drenaje del sistema linfático.

Renueve su vitalidad. Usted puede combatir el cansancio masajeando ciertos puntos secretos antifatiga. Investigadores de la Universidad de Michigan enseñaron a un grupo de estudiantes a usar dos técnicas de digitopuntura (*acupressure*, en inglés), una relajante y una estimulante, antes de una clase aburrida que duraba todo un día. Como era de esperar, presionar los puntos estimulantes o de "alerta" entre períodos largos de inmovilidad hizo que los estudiantes se sintieran más despiertos.

Estimule estos cinco puntos de estimulación para despertarse rápidamente, empezando en la cabeza y siguiendo hacia abajo. Para la coronilla, dé golpes ligeros con los dedos durante 3 minutos. Frote los otros puntos de estimulación con el pulgar o con los dedos en el sentido de las agujas del reloj y en sentido contrario durante 3 minutos.

- Coloque los dedos en la coronilla, que es el punto en el centro de la parte superior de la cabeza.

- Encuentre las dos crestas óseas en la base del cráneo. Baje una pulgada, y luego muévase una pulgada y media más cerca de la oreja izquierda por un lado y de la oreja derecha por el otro.

- Aplique presión en la membrana interdigital de cada mano, entre el pulgar y el dedo índice.

- Localice el punto debajo de cada rótula. Vaya cuatro dedos más abajo, luego muévase media pulgada hacia el exterior.

- Ubique el lugar donde se unen el segundo y tercer dedo del pie, luego presione ahí en la planta del pie, justo debajo del metatarso.

Reduzca la presión arterial. Si la presión arterial alta es su problema, elija el tipo adecuado de masaje: el masaje sueco tradicional.

No existe una causa única para la presión arterial alta, pero los profesionales de la salud creen que el estrés prolongado es un factor determinante. El estrés también está relacionado con el dolor, así que un masaje puede resolver estos dos problemas al mismo tiempo. Los estudios han demostrado que el masaje sueco, que combina deslizamientos largos y suaves con la técnica de "amasar" los músculos, reduce la presión arterial en personas con presión arterial alta.

Un estudio reciente encontró que el masaje sueco reduce la presión arterial sistólica y diastólica en los hombres, mientras que la terapia de puntos desencadenantes y el masaje deportivo aumentan la presión arterial sistólica, que es el primer número en una lectura de presión arterial. Los expertos creen que la diferencia está en que estos dos tipos de masaje pueden causar dolor y aumentar la actividad del nervio simpático, lo que se traduce en un aumento de la presión arterial.

Sepa cuándo buscar ayuda

Mantenga esta lista a mano y así sabrá cuando es hora de buscar ayuda.

Si tiene dolor de...	Vaya al médico si...
Cabeza	El dolor es severo y repentino. El dolor dura días o meses. Usted también tiene fiebre, sarpullido o rigidez en el cuello. El dolor está acompañado de vómitos, problemas de memoria, convulsiones o cambios de personalidad.
Pecho	Usted siente cualquier tipo de dolor de pecho, ya que podría tratarse de una serie de problemas de salud, desde un caso de acidez estomacal a algo más serio, como un ataque cardíaco.
Estómago	El dolor es tan severo que si usted se mueve empeora. Usted también presenta otros síntomas como dolor en el pecho y diarrea con sangre.
Espalda	Usted también tiene entumecimiento, hormigueo o debilidad o ha sufrido una caída o una lesión.
Cuello	El dolor dura más de dos semanas. Usted también tiene dolores de cabeza, fiebre, pérdida de peso, sensación de torpeza u hormigueo en los brazos o en las piernas.
Rodilla	El dolor por el ejercicio empeora o continúa al estar en reposo o durante la noche. La articulación se bloquea o si presenta hinchazón o moretones alrededor de la rodilla. El dolor es tan intenso que le impide realizar sus actividades habituales.
Muelas	El dolor dura más de unos cuantos días. Usted también tiene fiebre. El dolor le impide comer, beber o respirar normalmente.

Cinco peligros en la lucha contra el dolor

Su medicamento para el dolor, con o sin receta, funciona. Eso es bueno. Pero usted debe estar atento para evitar las sobredosis y las interacciones peligrosas. Tenga en cuenta estos errores comunes:

Duplicar las dosis. Si su médico le receta un medicamento AINE (antiinflamatorio no esteroideo) como el celecoxib (*Celebrex*), usted no puede seguir tomando otro medicamento AINE de venta libre. Eso significa que usted debe dejar de utilizar los AINE que se pueden comprar sin receta, como el naproxeno (*Aleve*), el ibuprofeno (*Advil*) o la aspirina. Usted no debe duplicar su ingesta de AINE.

Usar un parche y una pastilla AINE al mismo tiempo. Usar un AINE en forma de parche o crema también introduce esta sustancia farmacológica en la sangre. Eso significa que usted puede estar duplicando la dosis si además está tomando un AINE en forma de pastilla. Así que tenga cuidado si utiliza un AINE de forma tópica, como un parche (*Flector*) o el gel de diclofenaco (*Voltaren*).

Mezclar bajas dosis de aspirina con otros AINE. Su médico podría recetarle cierto AINE, como *Celebrex*, para protegerle de problemas gastrointestinales (GI) causados por algunos medicamentos para el dolor. Pero si usted continúa tomando una aspirina diaria en dosis bajas para proteger su corazón, perderá la protección del estómago que obtiene al tomar ese AINE particular. Pregúntele a su médico si debe continuar el tratamiento de aspirina.

Tomar un AINE a largo plazo. En la mayoría de los casos, las personas mayores de 75 años no deberían tomar AINE a largo plazo para el dolor crónico. Los expertos dicen que los riesgos son demasiado grandes conforme se envejece, sobre todo de sangrado GI, ataques al corazón, derrames cerebrales o interacciones con otros medicamentos. De hecho, es más seguro tomar un opiáceo, como la codeína o la morfina, o mejor aún, un acetaminofeno, para el uso a largo plazo.

Combinar analgésicos con anticoagulantes. La warfarina (*Coumadin*) es un anticoagulante común que a menudo toman las personas con arritmia de fibrilación auricular. Tarda un par de semanas una vez que empieza a tomar warfarina para que se estabilicen sus niveles en la sangre. Preste atención a estos dos posibles problemas si usted empieza a tomar un AINE durante ese tiempo:

- Puede tener un efecto anticoagulante excesivo. Si usted empieza tomando un AINE, como el naproxeno o el celecoxib, este se unirá al mismo receptor de la proteína de la sangre al que se debería unir la warfarina. De hecho, los AINE ganan, obligando a la warfarina a seguir flotando libremente en la sangre. Eso significa un mayor riesgo de sangrado.

- Puede causar una úlcera estomacal sangrante. Los AINE aumentan el riesgo de desarrollar una úlcera, y si usted llega a desarrollar una úlcera mientras está tomando warfarina, esta tendrá una mayor tendencia a sangrar.

Pregunta & Respuesta

Mi amigo insiste en que pruebe un nuevo tratamiento para mi dolor crónico de espalda, pero no está demostrado que sea eficaz. ¿Vale la pena hacerlo?

Sí. A veces los remedios que no debieran funcionar sí lo hacen. Un ejemplo son las pastillas de azúcar que los investigadores utilizan para probar un nuevo medicamento. Estas pastillas de azúcar generalmente son efectivas para casi un tercio de los participantes de dichos estudios. A eso se le conoce como el efecto placebo.

El efecto placebo no es algo imaginario que está en la cabeza de estos pacientes. Lo cierto es que cuando se espera que un tratamiento funcione, el cuerpo a veces reacciona con un cambio biológico real, produciendo ciertas sustancias químicas u hormonas de estrés que indican dolor o placer. ¿Cuál es el resultado? Que la pastilla de azúcar cumple su función. Así que si usted piensa que el tratamiento podría funcionar, pruébelo.

Glosario

AARP. Asociación estadounidense de jubilados. Siglas de *American Association of Retired Persons.* Información en español: *www.aarp.org/espanol*

Aceite de canola. Aceite de colza. En inglés: *canola oil*

Acidez estomacal. Acedía, agruras. En inglés: *heartburn*

Aguacate. Palta. En inglés: *avocado*

AINE. Medicamentos antiinflamatorios no esteroideos. En inglés: *NSAIDs*

Albaricoque. Chabacano, damasco. En inglés: *apricot*

Arándano azul. Mora azul. En inglés: *blueberry*

Arándano rojo. Arándano agrio. En inglés: *cranberry*

Arce, jarabe de. Sirope de arce, miel de *maple.* En inglés: *maple syrup*

Aronia. En inglés: *chokeberry*

Arroz integral. En inglés: *brown rice*

Bacalao negro. Pescado blanco de agua salada. Guindara, pez mantequilla. En inglés: *sablefish*

Bagel. Rosca de pan.

Banana. Banano, cambur, guineo, plátano. En inglés: *banana*

Báscula. Balanza. En inglés: *scale*

Berza. En inglés: *collard greens*

Blanquillo. En inglés: *tilefish*

Bok choy. Col china. En inglés: *bok choy*

Bonito ártico. Barrilete, listado. En inglés: *skipjack tuna*

Bulgur. Un tipo de trigo que ha sido precocido, secado y triturado, y que se utiliza en la cocina de Medio Oriente.

Caballa real. Macarela real. En inglés: *king mackerel*

Cacahuate. Maní. En inglés: *peanut*

Calabacín. Calabacita, zapallo italiano. En inglés: *zucchini*

Calabaza. Calabaza común, zapallo. En inglés: *pumpkin*

Calabaza de invierno. Calabaza de corteza dura, como la calabaza común (*pumpkin*), la calabaza bellota (*acorn squash*) o la calabaza de cidra (*butternut squash*). En inglés: *winter squash*

Calabaza de verano. Calabaza de cáscara fina, como el calabacín. En inglés: *summer squash*

Caminadora. Banda caminadora, caminadora estacionaria, cinta para correr, trotadora. En inglés: *treadmill*

Camote. Batata dulce, boniato. En inglés: *sweet potato*

Cártamo. Alazor. En inglés: *safflower*

Cereza agria. Cereza ácida. En inglés: *tart cherry*

Champiñones blancos. Champiñones de botón. En inglés: *white button mushrooms*

Chícharos. Alverjas, arvejas, guisantes verdes. En inglés: *green peas*

Chile. Ají, guindilla, pimiento picante. En inglés: *hot pepper*

Chili. Guiso típico del suroeste de Estados Unidos con carne (de res o de cerdo), chiles y frijoles.

Chucrut. Col fermentada (del francés *choucroute*). En inglés se utiliza el término alemán *Sauerkraut*.

Cilantro, semillas de. En inglés: *coriander seeds*

Ciruela pasa. Ciruela deshidratada, guindón. En inglés: *dried plum, prune*

Col rizada. En inglés: *kale*

Compost. Abono orgánico que se obtiene por la descomposición de residuos orgánicos.

Coquito del Brasil. Castaña de Pará. En inglés: *Brazil nut*

Corazoncillo. Hierba de San Juan, hipérico, hipericón. En inglés: *St. John's wort*

Corégono de lago. Pescado blanco de agua dulce. En inglés: *lake whitefish*

Crema de cacahuate. Crema de maní, mantequilla de cacahuate. En inglés: *peanut butter*

Cúrcuma. Azafrán de las Indias, palillo. En inglés: *turmeric*

Cuscús. Sémola de trigo duro, de granos finos o gruesos, típica de la cocina del norte de África. En inglés: *couscous*

Digitopuntura. En inglés: *acupressure*

Durazno. Melocotón. En inglés: *peach*

Entrenamiento de fuerza. Ejercicios de fortalecimiento muscular, entrenamiento con resistencia. En inglés: *strength training*

Escaramujo. En inglés: *rose hip*

Escutelaria. En inglés: *skullcap*

Falafel. Albóndigas de garbanzo típicas de Medio Oriente.

Frijoles. Alubias, caraotas, habichuelas, judías, porotos. En inglés: *beans*

Frijoles carita. Caupí, frijoles castilla, frijoles de carete, frijoles ojo negro. En inglés: *black-eyed peas*

Frutas del bosque. Bayas, frutos del bosque. En inglés: *berries*

Frutas secas o deshidratadas. Las pasas de uva (*raisins*, en inglés), las ciruelas pasas (*dried plums*), los higos secos (*dried figs*) son frutas secas. En inglés: *dried fruits*

Frutos secos. La nuez (*walnut*, en inglés) es un tipo de fruto seco, como lo es la almendra (*almond*) y la avellana (*hazelnut*). En inglés: *nuts*

Gaseosa. Bebida gaseosa, bebida carbonatada, cola, refresco [con gas], soda. En inglés: *soda*

Grosella negra. En inglés: *black currant*

Habas blancas. Habas de Lima, pallares. En inglés: *lima beans*

Habichuelas verdes. Ejotes, judías verdes, vainitas. En inglés: *green beans*

Herpes zóster. Culebrilla. En inglés: *shingles*

Hipogloso. Fletán. En inglés: *halibut*

Hongos. Champiñones, setas. Hay muchas variedades de hongos comestibles. Ver *Champiñones blancos*. En inglés: *mushrooms*

Hummus. Puré de garbanzos que se prepara con aceite de oliva, limón, ajo y una pasta de semillas de sésamo.

IMC. Índice de masa corporal. En inglés: *Body Mass Index (BMI)*

Lavanda. Espliego. En inglés: *lavender*

Light. Bajo en calorías, dietético. En inglés: *light, lite*

Limón. Limón amarillo. En inglés: *lemon*

Limón verde. Lima, limón criollo.
En inglés: *lime*

Maicena. Almidón de maíz, fécula de maíz, harina fina de maíz.
En inglés: *cornstarch*

Maíz. Choclo, elote. En inglés: *corn*

Manzanilla. Camomila.
En inglés: *chamomile*

Matricaria. En inglés: *feverfew*

Menta. En inglés: *peppermint*

Mirtilo. Arándano negro.
En inglés: *bilberry*

Nuez de la India. Anacardo, castaña de cajú, marañón. En inglés: *cashew*

Ñame. En inglés: *yam*

Olíbano. Franquincienso.
En inglés: *frankincense*

Pajilla. Calimete, caña, cañita, pajita, pitillo, popote, sorbete, sorbeto.
En inglés: *drinking straw*

Pan tipo Pumpernickel. Pan integral de centeno. En inglés: *Pumpernickel bread*

Pargo. Chillo, huachinango.
En inglés: *snapper*

Petasita. En inglés: *butterbur*

Pimiento. Pimentón, pimiento dulce, pimiento morrón. En inglés: *bell pepper*

Plátano verde. Plátano macho.
En inglés: *plantain*

Prurito. Comezón, picazón, picor.
En inglés: *itching*

Raíz de oro. *Rhodiola rosea.*
En inglés: *goldenroot*

Repollitos de Bruselas. Coles de Bruselas. En inglés: *Brussels sprouts*

Repollo. Col. En inglés: *cabbage*

Robalo. Corvina, lubina, róbalo.
En inglés: *bass, sea bass*

Sauce, corteza de.
En inglés: *willow bark*

Semilla de lino. Linaza.
En inglés: *flaxseed*

Semilla de sésamo. Semilla de ajonjolí.
En inglés: *sesame seed*

Sentadilla lateral. Sentarse en cuclillas sobre una pierna y estirar la otra hacia el lado. En inglés: *lateral squat*

Sofocos. Bochornos, calores.
En inglés: *hot flashes*

Tempeh. Alimento firme y compacto hecho de la fermentación de la soya.

Tofu. Se prepara de la leche de soya cuajada. Con una consistencia parecida a la del queso, puede ser firme o cremoso.

Toronja. Pamplemusa, pomelo.
En inglés: *grapefruit*

Trigo sarraceno. Alforfón, alforjón, trigo negro. En inglés: *buckwheat*

Zancada. Desplante, estocada. Ejercicio que se hace llevando una pierna hacia adelante. En inglés: *lunges*

Zarzamora. Mora negra.
En inglés: *blackberry*

Índice de términos

K

Kava 290
Kukoaminas 142

L

L-carnitina 59
Lácteos 26, 67
Lacto-vegetariano 41
Lactobacillus 303
Lavanda 291
Leche chocolatada, y ejercicio 357
Lechuga 143
Lentejas 16
Lesión, prevenir 55
Lichi 67
Licopeno 155-156
Límbico, sistema 287
Límite de peso máximo (MWL) 5
Limón, jugo de, y azúcar en la sangre 73, 83
Limpieza de casa, y depresión 182
Lou Gehrig, enfermedad de 311
Luteína 155

M

Magnesio 67
   síndrome metabólico y 137
Maíz 142
Mancuernas caseras 307
Mandíbula, dolor de 300
Mangos, para la artritis 332
Manipulación de la columna 334
Mantas eléctricas, y diabetes 88
Manzanas 147, 262
Manzanilla 227, 274
Mariscos 163
Masaje 292-294, 359-361
   de puntos desencadenantes 360
   ejercicio y 319
   sueco 293, 361
Mascotas
   ejercicio y 52
   insomnio y 235
   para la soledad 175
   para socializar 253

Matricaria 343
Medicamentos
   daño muscular por 323-324
   diabetes y 91, 106, 109
   errores con 363-364
   estado de ánimo y 180
   insomnio y 212
   interacciones 128
   pérdida de memoria y 257-258
   presión arterial y 127
Melancolía 173. *Vea también* Depresión
   de invierno 199-200
   libros para 190
   remedios naturales para 196-197
   síntomas de 173
Melatonina 177, 194, 211, 219, 228
Melaza 86
Memoria
   alimentos para 261-263
   crucigramas para 237
   dormir y 224
   ejercicio para 242
   tai chi y 283
   técnicas de 249-251
   vitamina B12 para 262, 269
Menopausia 2, 116
Menta 218, 264, 303
Menús, en línea 161
Mercurio, en pescados 163
Meriendas
   para niveles bajos de azúcar en la sangre 89, 99
   pérdida de peso y 20-21
Metabolismo 1-3, 21-22, 46-47, 52-54, 144, 308, 314
Metabolismo basal 1
Metamucil 124, 303
Método del plato 81
Miel 86
Migraña 342-344
Minerales, para la presión arterial alta 136-138
Mitocondrias 25
Mitos sobre el sueño 221-223